JN114333

Biometrics Control
バイオメトリクス・コントロール

わたしたちの「すべて」が管理される世界

《生体認証》の誕生、進歩、そして武器化への物語

アニー・ジェイコブセン 著
斉藤宗美 訳

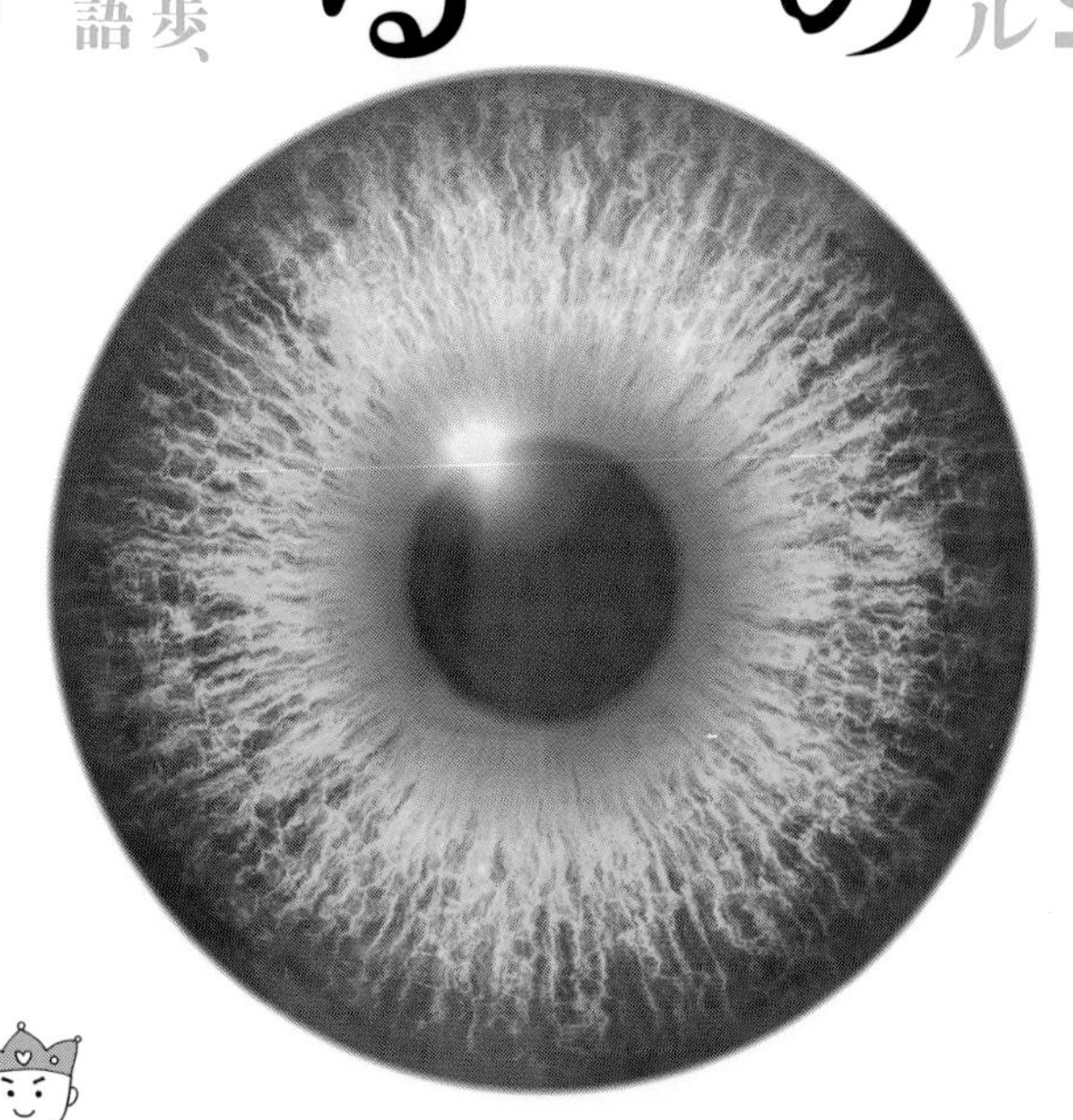

ヒカルランド

本書への称賛の言葉

「ジェイコブセンの作品は、共感、同情、説得力にあふれている。そして、実に粘り強く取材されたものだ」

『**ワシントン・ポスト**』

「ジェイコブセンは、アフガニスタンでデータを収集するように命令されたアメリカ兵たちの人生について追った。さらに、アメリカ政府がそのデータを使って、一体何をしようとしているのかについて問いかける」

『**ナショナル・パブリック・ラジオ**』

『ヒューストン・クロニクル』紙が選ぶ２０１２年度「このジャンルに小さな魔法をもたらしたベスト10」に選出。

「現代の戦争について徹底的に調査した一冊。捏造された陰謀説を心配するより、プライバシーに関する実際の脅威についての考察を促す衝撃的な呼びかけ」

『ヒューストン・クロニクル』

「本作では同時に起きる二つの物語が語られ、読者である私たちは市民の自由について憂慮せずにはいられない。アフガニスタンで民間人の殺害を命令し、世間の信用を失墜させた元軍事指導者クリント・ローレンス中尉が起こした厄介(やっかい)な事件に、ジェイコブセンは鋭く切り込んでいく。それは、アメリカ同時多発テロ事件以降続く戦争において、アメリカ陸軍にとって最も醜悪な出来事の一つであった。彼女の物語は、物議を醸(かも)したドナルド・トランプ大統領の恩赦(おんしゃ)からさらに一歩踏み込んで、〝アイデンティティの支配〟を目指して、アフガニスタンの人口の80パーセントにおよぶ個人情報や身体的特徴の情報を収集して記録するという、これまでほとんど報道されることのなかった秘密裏のプログラムについて詳細に伝えている」

『シアトル・タイムズ』

「思考力を大いに刺激する物語……衝撃的な事実」

『ミリタリー・ヒストリー・マガジン』

「この興味深い書物は、現代の歴史だけでなく、テロ戦争やその戦術に関するかなりグレーな部分についての教訓的な話についても伝えている」

『サンフランシスコ・シティー・ブックレビュー』（五つ星レビュー）

ケヴィンに捧ぐ

法律は蜘蛛（くも）の巣と同じくらい公正だ。
スズメなら通り抜けて飛ぶだろうが、 ハエなら死ぬだろう。

ヤン・コハノフスキ

目次

Biometrics Control［バイオメトリクス・コントロール］

わたしたちの「すべて」が管理される世界

《生体認証》の誕生、進歩、そして武器化への物語

PART 1

第1章　パノプティコン

第2章　2人のウィル・ウェスト

第3章　ハイジャック犯の指紋

第4章　生体認証の責任者

PART 2

第5章　地理的な条件は宿命的だ

第6章　カブール炎上

第7章　殺人、大混乱、そして、深刻な結末の後始末

第8章　戦闘成果評価

PART 3

第9章　パエンザイ防衛拠点

第10章　神の目の眺め

第11章　アブドゥル・アフド

第12章　3つの即席爆破装置

PART 4

第13章　プラトゥーンを得る

第14章　Cワイヤー

第17章　二重殺人

PART 5

第18章　手がかりの跡

第19章　本当の正体

第20章　遺伝子パノプティコン

第21章　世論という裁判所

カバーデザイン　重原隆
校正　麦秋アートセンター

PART 1

第1章 パノプティコン

アフガニスタンでの身分支配（アイデンティティドミナンス）／生体認証による諜報活動

2012年の夏、ある若者のグループが世界で最も危険で過酷な場所の1つだと言われた国にいた。当時、彼らはアメリカ陸軍の兵士だった。若い兵士たちは、自分たちがそれなりの任務を遂行しているということは理解していただろうが、それが実ははるかに重大で、もしかすると非道とも呼べる行為の一端を担っているということは認識していなかった。

2012年6月4日、アフガニスタンのザリ地区。

アルガンダブ川の北側斜面に位置するパエンザイ村で、第82空挺部隊、第4旅団のコンバットチーム、第1弾団73騎兵隊、チャーリー部隊のファースト・プラトゥーン（第1小隊）の兵士たちは、何千年にもわたって繰り返されてきた戦争で、これまで数百万人の兵士たちがそうしたように、戦いに向かう準備をしていた。一等兵のサミュエル・ウォーリーは、その日が自分の誕生日だったということもあり、そのときのことは決して忘れることができない。20歳の誕生日は生涯に一度しかない。

「私たちはアフガニスタン南部で、最重要指名手配犯だったタリバンのナンバー2を捕らえました」とウォーリーは当時を振り返りながら言った。逮捕の時期とその重要度の高さは見落とされてしまったが、その男を捕らえたことは多くの理由から大きな意味があった。「指紋を確認して、彼を捕らえました」とウォーリーは言った。

ウォーリー一等兵はジョージア州の1・6ヘクタールほどの土地で、木登りをしたり川で泳いだりして育った。彼の一家は軍人の家系だった。そのため、たくましく成長した。問題があれば、解決へと導いた。小学2年生のとき、サ行の発音障害が起こるようになり、他の子どもたちにからかわれるようになった。そこで、彼はジェームズ・ボンドのようなイギリス人のアクセントで話すようになり、自分のおかしな話し方を克服したのだった。そのウォーリーは20歳となり、背は185センチほどあった。緑色の目、砂色の髪、83キロ。彼は健康そのもので、1キロを3分75秒で走り、ベンチプレスは110キロのレベルだった。そんな彼も、腹筋運動は苦手だった。左腕には原子爆弾のタトゥーが2つあり、その横には「カオス」と彫られていた。彼にはだいぶ昔のことのように思われたが、それは前年卒業した高校のときのあだ名であった。

ウォーリーが所属しているファースト・プラトゥーンは、アフガニスタン南部に配備されてから3カ月が過ぎようとしていた。その日、ウォーリーはその第1班で、一番大きな武器であるM249軽機関銃を運んだ。ベルト給弾式の機関銃で1分間に900発撃つことが可能だ。彼は何度も何度も装備の点検を行った。

兵士全員の準備が完了した。出発の時間だった。

兵士たちは、もともとは道路を行進するために千鳥配列で隊を組んだが、アフガニスタン南部のヤギが通るような山道やブドウ畑の畦道(あぜみち)でも進めるように編成を組み直した。

それは焼けるように暑い日だった。気温はすでに37℃を超えていた。アフガニスタン国民軍の兵士の1人が、パエンザイ防衛拠点のベニア板でできた門を開くと、アメリカ兵たちが次々と集まり、3メートルの間隔を保ちながら、ジグザグに曲がったコントロールポイント(入出管理地点)を抜けて出発した。兵士たちはまず東に、次に北に進み、拠点から200メートルほど離れた場所に位置する、土壁の建物と迷路のような壁に囲まれたサレンザイ村へと向かった。彼らはその村を熟知していた。毎日2度、ときに5時間以上かけて、あるいは別の場所で問題が起こるまで、この場所をパトロールしていたのだ。

「パエンザイとそのあたり一帯は、悪夢のようなところでした」とウォーリーは言った。

まるで、黙示録の後の世界のようだったのだ。何十年も続いた戦争によって、ザリ地区は崩壊していた。無政府状態やテロ活動により、もう長いこと法の支配が失われていた。ここに住む村の人々には電気、水道、小売店や食料品店などもなく、「土壁の建物は爆撃され、久しく打ち捨てられていた」と、中隊の指揮官だったパトリック・スワンソン大尉は当時の様子を話してくれた。「肥沃（ひよく）な土地でもなく、市場もなく、学校もありませんでした」。

「私たちの気持ちは沈みがちです。私たちには何もわからないし、子どもたちは自分の名前を書くこともできません」と、2012年、地区の長であるニヤーズ・モハメッド・サーハリは、国務省のジョナサン・アデルトンに語った。

国防総省では、軍事戦略家たちはその地区のことを「単純で、統制力は失われ、利己的で野蛮で貧しいところ」と呼んだ。国務省の推定では、パエンザイ村の平均寿命は44歳だった。アメリカ側の指揮系統の誰もが、パエンザイ防衛拠点の周囲はタリバンの武装勢力が支配し、爆弾や即席爆破装置を製造して、あたり一帯、道路や農地に設置しているとわかっていた。武装兵士たちはこの作戦地域の廃墟となった場所に手作りの爆弾を貯蔵し、近隣の村々から新しいメンバーを集めていた。暗殺や殺人が当たり前となっていたのだ。2012年、爆弾の製造は増加の一途をたどっていた。タリバンはあちこちで即席爆破装置の組み立てと分配を行っていた。瓦礫（がれき）の山となったこのあたりの建物は、武器や爆弾を作るための材料を密輸するために、パキスタンからやってくる戦闘員の寝床になっていたのだ。

10年以上にわたり、数えきれないほど多くの形でアメリカが負け続けたこの戦争において、武装勢力が引き起こす問題に対して、国防総省はとうとう１つの技術を基盤とした解決方法を見つけ出したと信じるようになっていた。アフガニスタン全土で、米軍は、電子指紋、虹彩(こうさい)スキャン、顔画像、そして可能な限りのＤＮＡの採取など、生体認証のデータを集めはじめていたのだ。国防総省はこうした生体認証データを集めることによって、武装勢力が治めていた土地に司法制度を導入することができると信じていた。このような取り組みは身分支配(アイデンティティドミナンス)と呼ばれていた。その成果が、生体認証による諜報活動ということだ。このデータをもとにした作戦によって、アメリカは現地の武装兵士たちと戦うことになった。プラトゥーンのメンバーの１人は、ＣＯＩＳＴと呼ばれる中央情報サポートチームのメンバーであり、情報収集にあたっていた。プラトゥーンの残りのメンバーは、さまざまな軍事的存在や影響力を駆使して中央情報サポートチームの作業を支えていた。

プラトゥーンがサレンザイ村に入ったのは6月4日の早朝のことだった。すでに気温は38℃を超えていた。ファースト・プラトゥーンが防衛線を設置した。兵士の中にはヘルメットを外している者もいた。座っている兵士たちもいた。

「おそらく我々は、徴兵適齢の村の男たち１００人ほどの生体認証情報をすでに入手していました」と、それから何年もたった２０１９年に、スワンソン大尉は語った。

「そのうちの何人かは、私自身が何度か生体認証の記録を取りました。通常、彼らは周辺の畑で作業をしているのです」と、ジェイムズ・スケルトン一等兵は、のちに軍事裁判官の前でそう証言した。

ウォーリー一等兵は、これまで見たことのない男を発見した。「彼は白いひげを生やし、濃いターバンを巻き、歳は40、50歳くらいでした」。

「男は疲れているように見えました」と特技兵のアンソニー・レイノソは言った。

「最初、私は彼には気づきませんでした」ともう1人の特技兵ダラス・ハガードは言った。

ウォーリーは男と目が合った。「彼はある方向に向かって歩いていましたが、私を見ると少し方向を変えて、ウォーターポンプへ行こうとしているふりをしたのです」。

ウォーリーは、ドミニク・ラティーノ中尉に合図を送った。「中尉も彼に気づきました」。

プラトゥーンのリーダーであったラティーノは、その場にいた兵士の中では最高位だった。ウォーリーから視線をそらすと、彼はアフガニスタン人の通訳を呼び、男に止まるように命令させた。手順どおり、ラティーノ中尉は男に質問した。この村に住んでいるのか？　それとも誰かを訪れているのか？　もしそうなら、来訪の目的は何か？　男の答えは疑いを深めるものだった。スケルトン一等兵は、米軍で開発された最も新しい生体認証データを収集するための装置で、ＳＥＥＫと呼ばれる安全電子登録装置を使用していた。

スケルトンはバックパックを置くと、安全電子登録装置を取り出した。それは小さな靴箱ほどの大きさで、アフガニスタン全土の民間人や疑わしい武装勢力の兵士たちの指紋、虹彩、そして顔画像を電子的に登録する軍用機器だ。

指紋照合は精密さが要求される科学だ。人間の指先から紋様がぼやけないようにはっきりとした指紋を取るためには、指をきれいにしなければならない。「ほとんどの農民の手はひどく汚れています。よい指紋を取るためには、赤ちゃん用のおしりふきをまるごと1パック使うこともあります」とジャレッド・メイヤー少尉が当時のことを話してくれた。指紋を1つずつ採取する作業は芸術そのものだ。中央情報サポートチームは、指紋を取る指をわずかだが一定の圧力をかけて動かす必要があった。親指は爪の方から指の付け根に向かって対象者の身体の方に動かす必要があったが、握っている他の指は、体の外側に向けて関節部分をまっすぐ下ろし、そのまま上にして装置から離す必要があったのだ。装置の採取画面はシリコン製のセンサーエリアで、指をスキャンする前には、あらゆるシミ、汚れ、油、乾燥から守る必要があった。中央情報サポートチームはすべての指の指紋を取ることになっていた。非協力的な拘束者には、腕を後ろに回して収縮性のある手錠をはめ指紋を取ることもあったが、装置を逆さまにして使用する場合には別の手順があることを、チームは覚えている必要があった。

安全電子登録装置で虹彩をスキャンする場合も、してよいこととといけないことのリストがあった。まぶたは上にしなければならなかった。反射しないように注意し、虹彩と瞳は一緒に撮影する必要があった。直射日光が当たると撮り直しとなった。死亡した人の場合、「死後30分以内」に虹彩をスキャンする必要があり、それを過ぎると他の問題が生じた。

顔画像の撮影についても、独自の技術的な条件があった。中間色の背景が必要とされ、「他の人、地図、道具、車両、［あるいは］その他の乗り物が写っていてはいけない」。犯罪者登録写真は前面、右および左側面に加え、右および左角度45度から撮影された画像も必要とされた。「口は閉じ、目を開けている対象者の無表情の顔を撮影するように」と中央情報サポートチームには伝えられていた。そして、ひずみが生じないように、カメラのレンズの位置は対象者の鼻の高さに固定する必要があった。このディストピアな状況によって、地上で最も貧しく、最も腐敗した、最も危険で、最も統治不可能な国の1つとなっていたアフガニスタンに、30名ほどで構成されたプラトゥーンの24名の兵士たちが、炎天下で、スケルトン一等兵が男の生体認証を取る間じっと待っていた。戦争地域では、1秒が永遠のように感じられる。

スケルトンが作業を終えても、その後さらに待たなければならなかった。安全電子登録装置はＢＥＷＬと呼ばれる国防総省の生体認証と連動した警戒者リストの機密データと、チームによって入力された新しい情報を照合することができたが、そこには限界もあった。

警戒者リストのデータは膨大で、登録装置には収まらず警告が出てしまうのだ。その回避策として、国防総省はある特定の地域や村で活動していると考えられるテロリストたちに特化した「特別任務用生体認証警戒リスト」を開発した。

「特別任務用生体認証警戒リストは、手のひらサイズの装置にもダウンロードすることができる。同定作業や動作検証中に捜索中の人物がヒットすると、ただちに警報が発せられる」と、機密扱いではない文書の研究論文には記されていた。そこにいた兵士たちはきっと驚いただろうが、それがまさに起こった。登録装置は濃いターバンを巻いた男の指紋を、内蔵された生体認証データと照合し、一致する人物を探し出したのだ。

「ラティーノ中尉は4度確かめました。男の情報をじっと見ていました。確認して、再度確認してという具合に。このアフガニスタン南部において、男は指名手配されていたタリバンのナンバー2だったのです」とウォーリーはそのときのことを話してくれた。

一等兵たちは男に手錠をかけた。

「1人の女性と数人の子どもたちが、ある建物の入り口から走って向かってきました。子どもの中の1人が私を叩いたのです。夫を連れ去ろうとしていると言って、女性は金切り声を上げたり叫んだりしていました」と、ウォーリーはそのときのことをよく覚えていた。

男は防衛拠点まで連れていかれた。そこから彼は、拘束者をどう扱うのかを定めた国防総省の厳格な憲章が支配する場所へと姿を消した。最終的に男は北へと連れていかれた。パルヴァーン州のバグラム米空軍基地に隣接するアメリカの刑務所は修理されたところだったが、その中の拘置施設に入れられたのだ。この施設に異を唱える人々は、そこをアフガニスタンのグアンタナモ基地と呼んだ。

濃い色のターバンの男を捕まえたことは、第82空挺師団中がすばらしい成果として歓迎し、シーアチョイ戦闘前哨(ぜんしょう)において司令部レベルで、また、パサブ前進作戦基地でも旅団レベルで祝われた。しかし、ファースト・プラトゥーンの兵士たちからすれば、ウォーターポンプのそばで中年の男を捕まえたことは、戦場で勝利したという感じではなかった。あまりに多くの歩兵部隊がアフガニスタンで経験したように、このわずかな成功は、ほぼその直後に起こった恐ろしい事態によってすっかりかすんでしまったのだ。

「私たちは飛行機から飛び降りて、タリバンの連中を殺すためにアフガニスタンにいるのだと思っていたのです」と、2019年、ウォーリーは当時のことを振り返りながら私に話してくれた。

「私はタリバンを殺して、学校を建てるのだと思っていました」と、ウォーリーと同じプラトゥーンに属していたジェイムズ・オリバー・ツイスト一等兵はそう語った。

「毎日、地雷が埋められている場所を通ることはわかっていたので、我々は厳重な警戒を怠りませんでした。テロ対策という視点からすると、我々は藁(わら)をもつかむといった心境でした。現地の警官と同じように、警戒区域で活動していたのですから」とスワンソン大尉は言った。とはいうものの、彼らは警察官ではなく兵士だったので、法の執行というより、厳戒令を敷いていたという方が正しい。

ペスト根絶のため、中世ヨーロッパにおいて行動の自由を制限し、拘束・投獄の脅威で規則の順守を強制した「すべてを見通す」管理システム・パノプティコン

法の支配という名目のもとに、地域を分割し、住民を登録し、彼らの行動の自由を制限し、拘束や投獄の脅威で規則の順守を強制するというのは、腺ペストと戦う中世のヨーロッパで行われた過酷な管理システムとよく似ていた。腺ペストの時代は、一般に理性と啓蒙の時代として知られているころより前に始まったものだ。

1600年代、文明を脅かす腺ペストの流行は、西洋世界において最も高圧的な監視国家を誕生させた。これらのペストは、1347年から1351年にかけてヨーロッパを荒廃させた黒死病以来、最悪の流行となった。特に都市の中心部は大打撃を受けた。例えば、ロンドンでは1665年の3カ月の間に、人口の15%が亡くなった。これは現代に置き換えてみると、ニューヨーク市で夏の3カ月間に130万人が亡くなるのと同じことだ。ペストの流行と戦うた

めに、ヨーロッパ中の多くの村で隔離が行われ、部屋は4つに区切られ、政府の役人の管理下に置かれた。フランスでは、このような対策のことを格子(グリッド)と呼んだ。町の城門には、見張り台が建てられた。自由な行動は禁止され、政府の見張り番と役人だけが通りを歩くことを許されたのだ。哲学者で思想歴史学者のミシェル・フーコー（1926－1984）は、1975年に行った一連の講義と、その後一冊の本にまとめられて出版された『監獄の誕生－監視と処罰』において、次にヨーロッパでどんなことが起きたのかについて語っている。

司法制度を強制するために、政府は本格的に人々を分類していった。中世版の生体認証情報というものだ。フーコーは次のように書いている。

「人々を隔離するようになったとき、すべての町のすべての国民は自分の名前を教えなければならなかった。それらの名前はさまざまな登録簿に記入されていった。地元の調査官がこうした登録簿の一部を手元に置き、残りは町の中央行政が保管した」。

町や村に住む人々の氏名、年齢、そして性別が、病気なのか、あるいは、健康なのかを見分けるデータとなっていった。ペストに感染したことがわかると、感染した人々は政府の職員によって排除され、強制的に連れ去られた。残された健康な家族は4つに区切られた部屋にそれぞれ閉じこもっているように命じられた。または、処罰の対象となったり、死刑になることさえあった。

国が取り決めた食料の配給は、滑車やバスケットに入れてそれぞれの家に配られた。人々の動向を監視することが求められ、これこそが分類の目的だった。毎日2回、担当の見張り番が家の前を通り、家族全員が1人ずつ正面の窓から顔を見せることを求められた。フーコーはこう書き記している。

「すべての情報はこの1日に2回の巡回で集められた。それから、ピラミッド型の果てしなく続くパワーゲームの中で、町役場の助役たちが管理している正式な登録簿と照合するのだ」

これが意味するのは、国民の1人ひとりの居場所が絶えず国に知られているということであり、「すべての地点で観察され、少しでも動くと注意され、死、病気、不平、非日常的な行動がすべて記録される」のである。権力は容赦なく行使された。「監視は絶えず行われていた」。こうした厳粛な措置が取られた理由は単純だ。腺ペストを封じ込めることだった。新しい感染者が出ないこと、そして、感染者を隠させないようにすることだった。感染者がどこかに隠れていたら、病気が再び広がる恐れがあったからだ。

政府の見張り番は日ごとに、登録簿を通じて、それぞれ自分たちの指揮系統の上層部、つまり、ピラミッド型の権力のトップへと情報を伝えた。そして、市長や執政官が状況を検討するために、上級行政官はこうした情報を村や町単位のデータとしてまとめたものを提出した。さらに上のポストにいる官僚が、次にどんな措置を講じるべきか決定するために、こうしたデータをもとに知見としてまとめるのだ。新たな感染者や死期の近い人が判明すると、国が支援する浄化作業が開始される。場合によっては、感染していない他の家族は政府の法の執行人によって家から一時的に移動させられ、すべての家具はロープによって床から引き上げて固定された。窓、ドア、鍵穴、割れ目などはワックスでふさがれ、家中に香水をまいた後、火がつけられた。ルイ・パスツールの病気に関する殺菌論が発表されるのはそれから200年後のことだが、中世の役人たちは香水が燃える煙によってペストを死滅させることができると信じていた。汚染除去が完了すると、興味深い取り組みが行われた。政府の見張り番は、残された家族の前で身体検査を受けたのだ。除去作業は善意によってのみ行われ、それに関わった人間には責任がなく、家から盗まれたものは何もないことを示すためだった。厳戒な取り組みは社会のより大きな善のために行っているというのが政府のメッセージだった。ペストを社会から根絶するためには、全能な政府が必要だということだ。政府の行動は正当化され、また、公正なものだった。もちろん、香水によってペストの流行は収束しなかった。そして、歴史家たちは今でも香水は厳密には一体どんな効果をもたらしたのか議論している。

ペスト流行時の国による監視体制について、1970年代にミシェル・フーコーがある「監獄」と関連づけたというのは有名な話だ。それはイギリス人の哲学者で理論家のジェレミー・ベンサム（1748―1832）がペスト収束の100年後に考案した、「パノプティコン」

と呼ばれる監獄だ。パノプティコンとは「すべてを見通す」を意味する。ベンサムの設計図によると、円状の収容施設で、中央の監視塔から1人の看守によってすべての独房とすべての囚人を監視することができるというものだった。しかしながら、囚人たちには看守は見えない。パノプティコンの重要性とは、囚人の誰もが絶えず監視されていると感じることだ。ベンサムは誰かに見張られているかもしれないという恐怖は、実際に見張られているのと同じ効果、つまり、服従をもたらすと信じていた。パノプティコンにおいて証明できるかどうかは別として、厳格な監視による権力というものはいまだに絶対的なものなのだ。

いつでもどこでも市民1人ひとりを登録し、追跡し、監視することができるとしたらどうなるか?

国防総省の生体認証データベースはすべてを見通すことができるパノプティコンになることができるかもしれないという考え方は、利点がないというわけではない。これから紹介するのは、戦闘における生体認証の誕生、進歩、そして、その武器化についての物語だ。ファースト・プラトゥーンのパラシュート兵士たちが、どのようにして気づかないうちに国防総省の取り組みに巻き込まれていったのかという警告の物語なのだ。例えば、プラトゥーンの隊員の1

人が戦争犯罪で有罪判決を受け、カンザス州フォート・レブンワースの軍事刑務所に送られた後、アメリカ大統領によって赦免（しゃめん）されたという話は、すでに悲惨な一連の出来事をさらに複雑にするようなことだった。しかし、すべての話には続きがあるように、この話もここで終わらない。この出来事とその影響は、もし連邦政府がいつでもどこでもすべての市民１人ひとりを登録し、追跡し、監視することができるとしたらどうなるのかという疑問を提起した。

２０１３年、合衆国最高裁判所アントニン・スカリア判事は、メリーランド州対キング裁判における最高裁の判決に反対して正々堂々と意見を述べる中で、日常的な交通違反の取り締まりにおいて、相当の理由とする逮捕や口腔粘膜検体採取によるＤＮＡの収集は彼が「遺伝子パノプティコン」と呼ぶものを生み出してしまう可能性があると警鐘を鳴らした。その痛烈な反対意見において、スカリア判事は、将来的な活用を目的として連邦データベースに保管するために、警察が任意に人々の生体認証を取ることができるアメリカの未来に対する懸念を表明したのだ。

「我々の自由について憲章を書いた誇り高き男たちは、英王室が検査をすることに黙ってはいられなかったはずだ」と、スカリア判事は書き記している。そうなると、問題は、抑制と均衡を欠いた戦場における生体認証の収集は、そして、疑問の余地のある法的監視は、毒樹の果実（訳者注：米の法律用語。違法的手段で収集した証拠を出発点として、そこから二次的に収集か？

された証拠）なのかということだ。それは果たして本当に、一般市民の利益のためなのだろうか？

本書は身分証明の時代のアイデンティティついて書いたものだ。拡大する無法地帯の社会的混乱や世界中の非対称戦争の時代における司法制度について考察したものなのだ。そして、生体認証によるデータベースによって、国と反国家、敵と味方、私たちと彼らというように、人々がグループ分けされることについての物語である。アメリカ独立革命では、「王は法である」から「法が王となる」ために人々は戦った。未来は何を予告しているのだろうか？　近い将来、生体認証による情報が新しい王となる、新たな社会契約が結ばれるのだろうか？

第２章　２人のウィル・ウェスト

ベルティヨン式人体測定法／骨格を基礎に体の部位を測り、犯罪者を検索しマッチングするデータベース

この物語はカンザス州のレブンワース連邦刑務所で始まり、そして、その一部はその刑務所で終わった。

１９０３年、１人の囚人が収監されることになっていた。長い間、２人のウィリアム・ウェストに関する奇妙な事件は、寓話だと噂（うわさ）されていた。その後、１９８７年に、カンザス捜査局の調査官ロバート・D・オルセン・シニアが、アイデンディフィケーション・ニュースの記事の中で、その事実を明らかにした。カンザス州西部の有名な連邦刑務所が、ウィル・ウェスト（ウィリアム・ウエスト）という名前だと言った新しい囚人を受け入れたのは、１９０３年５月４日のことだった。そして、彼はそれまで一度もレブンワースに収監されたことはなかった。

はじめて訪れた受刑者に対する手順として、たまたま刑務所長の息子だったM・W・マッククラウトリーという名の記録係が、ベルティヨン式人体測定法によって彼を測定した。１９０3年当時最新式だったこの追跡システムは、フランス人の犯罪学者アルフォンソ・ベルティヨンによって採用された人体測定学にもとづいている。ベルティヨン式人体測定法は骨格を基礎としているが、仕立て屋のメジャーを使って体の部位を測るというものだった。頭部の幅、左足の長さ、中指の長さなど測定結果はきめ細かに記録され、その後、紙カードに書き写され、前面と側面の顔写真が添付された。

20世紀に入る頃には、カンザスの連邦刑務所では囚人の測定カードはベルティヨン式システムに組み込まれた。それぞれ識別可能な特徴を利用しながら、事件で名前がよく挙がる犯罪者を検索してマッチングするためのカード式のデータベースとなった。ベルティヨン式システムは、図書館のカード目録のようだった。入力はアルファベット順になっており、名前によって検索することができたが、身長などの情報や、指の1本がないとか左右の脚の太さが違うなど骨の奇形などによっても、犯罪者を同定したり、相互に参照することができた。

新入りの囚人のカードを記入すると、マッククラウトリーはそれをシステムの中に保管した。男が嘘(うそ)をついていると気づいたのはそのときだった。１９０3年の春に、すでにウィリアム・ウェストという名前のカードがレブンワースのシステムに登録されていたからだ。つまり、この男は以前に、この刑務所の囚人だったということだ。彼のベルティヨン式の測定結果は、もともとそれより2年前の１９０１年9月9日に測定されたとカードには記されていた。案の定、顔写真と測定結果はまったく同じだった。

ここから物語は奇妙な展開となっていく。レブンワースの囚人ウィリアム・ウェストは殺人罪で終身刑に服していた。一体何が起こったのか？　彼は誰にも気づかれずに脱獄し、また人を殺して、新たに捕まったのだろうか？　ただちに、独房を確かめるために守衛が送られた。守衛は一生監禁されるべきその場所にウィリアム・ウェストがいるのを確認した。同じ顔、同じ男だ。ただし、同じ男ではなかった。２人のウィリアム・ウェストがいたのだ。どうやら彼らは同じ名前の一卵性の双子らしい。

翌年、記録係のM・W・マッククラウトリーはセント・ルイスで開催された世界博覧会に出席し、ロンドン警視庁のジョン・K・フェリアー巡査部長と会った。フェリアーはマッククラウトリーに、犯罪者を識別するために、世紀の変わり目に登場した最新式の技術を紹介した。その技術はすでにイギリスなどで採用されていた。それは指紋法と呼ばれていた。たとえそれが一卵性の双子であっても、同じ指紋は存在しない、とジョン・K・フェリアーは説明した。

その年の暮れには、アメリカ検事総長がレブンワース刑務所で指紋法を採用することを所長に許可した。その結果、ベルティヨン式人体測定法は衰退した。１９０５年9月19日、２人のウィリアム・ウェストの10本の指の指紋が採取された。間近でじっくり見ると、渦状紋（かじょうもん）、蹄状紋（ていじょうもん）、弓状紋（きゅうじょうもん）など独特なパターンを見ることができる。確かに、一貫して人間の指紋の組み合わせはそれぞれが唯一無二だったのだ。

指紋は嘘をつかない／本人であることを証明する完全無欠の方法

4万年前の旧石器時代の洞窟から、およそ西暦紀元前2100年頃のニネベの宮殿（古代アッシリア）の粘土板、そして、現在まで、人類は何万年にもわたり歴史的記録物に指紋を残してきた。指紋は生まれる前からすべての人間の個人的なアイデンティティだ。人間の指紋線は、その子宮にいるときから、本人であることを証明する完全無欠の方法なのだ。この世界に生まれ落ちて死ぬまで、私たちと一生を共にする唯一性を創り出す。2人の人間の指紋は決して同じものになることはなく、2人の人間も決して同じではない。

指紋を使って身元を確認する方法は、紀元前250年頃の始皇帝の時代にさかのぼる。王朝の公文書には自分の指紋を押印し、まるで「これは誰でもなくこの私が書いたものだ」ということを言っているようだった。考古学は過去の多くの事柄を教えてくれるが、未来について新しい考えのヒントを与えてくれるものでもある。それが1874年の日本で起こった。スコットランド人の医師で伝道者でもあったヘンリー・フォールズは、東京郊外の遺跡の発掘現場で、陶器の破片に古代の指紋がついていることに気づいた。王の真正性を証明するための指紋とは違い、この陶器につけられた指紋はうっかりついてしまったようだった。少なくとも、フォールズ医師の目にはそう映った。「指の跡」は犯罪者を特定するのに役立ち、法廷で証拠として使うことができるのではないかと考え、フォールズ医師は同僚で著名な科学者だったチャールズ・ダーウィンに自分の思いつきについて手紙を書いた。

ダーウィンはすでに歳をとり、体調がすぐれなかったので、その依頼を従兄弟の考古学者であり、統計学者で、さらに優生学者だったフランシス・ゴルトンに託した。ゴルトンは英国サウスケンジントンのロンドン自然史博物館に研究所を持ち、そこでベルティヨン式人体測定の研究を行っていた。この新しい情報を聞いたゴルトンは、指紋に熱中するようになった。「曲がったり、渦を巻いたりして、2つの潮の流れの間にある渦のような架空の類似は、それぞれの指の球に細かい線状配列の迷路があるようだ」とゴルトンは非常に驚いた。

ゴルトンを最も驚かせたのは、指紋の永続的な性質だった。彼の目に映る人間の指紋の途方もない模様は、「乳児期から幼児期……幼年期から青年期……中年から初老になるまで、ほとんど変化することがない」のだ。多くの可能性に魅了され、ゴルトンは指紋における科学についての論文を書くようになり、1892年、指紋に関する最初の本格的な書物を出版した。

ゴルトンの指紋学は、法執行機関の間で世界中に広がっていった。その中には、クロアチア人の移民であるファン・ブセティッチが、ラプラタ警察署の識別および統計の室長を務めていたアルゼンチンという国も含まれる。ブセティッチは歴史を変えることになった。恐ろしい犯罪がネコチェアの港町で起こった。1892年7月、家の中で2人の少年が惨殺された。それぞれの頭部には鈍器で殴られた跡があった。大きなショックを受けた27歳の母親フランシスカ・ロハスは、疑わしい人物を警察に告げた。殺人者は年配の農場労働者のペドロ・ラモン・バレスケスだ、と彼女は言った。バレスケスは彼女と結婚したがっており、断ったら子どもたちに危害を加えると脅(おど)していた。フランシスカ・ロハスは別の男を愛しており、バレスケスの求愛を断ったせいで愛する子どもたちは死んでしまったと言った。警察はバレスケスを拘留した、と伝わっている。自白を引き出すために容赦なく尋問し、バレスケスは縛られて子どもたちの遺体と同じ部屋に置かれた。しかし、ペドロ・バレスケスには確かなアリバイがあり、のちに釈放された。

2週間後、ファン・ブセティッチから訓練を受けた弟子の警官が、殺人現場へと送られた。そこで彼は、部屋のドアの側柱に、以前には見落とされていた血のついた指紋を見つけた。警官は殺人者のものだと推察した。フランシスカ・ロハスは子どもたちの体にはまったく触れていないと刑事たちに話していた。近所の人たちは、子どもたちの遺体を発見して恐怖に陥った母親が彼らのところに走ってやってきたとき、彼女の手はきれいだったと警察に証言した。フアン・ブセティッチの弟子警官は、法医学的証拠として、柱の指紋を切り取って警察署へ戻った。警察は新たな容疑者を特定した。そして、殺害された子どもたちの母親の指紋を採取したとき、フアン・ブセティッチが疑っていた犯人と一致した。証拠を突きつけられて、フランシスカ・ロハスは白状した。不倫相手の恋人と結婚するために子どもたちは邪魔だったので、自分が殺したと自供したのだ。フランシスカ・ロハスは裁判にかけられ、裁判所で指紋が証拠として使用されて有罪判決を受けた最初の人となった。世界各国の警察署はベルティヨン式人体測定法によって作成されたカードの代わりに、指紋カードを採用するようになった。そして、「指紋は嘘をつかない」という新しい概念が生まれたのだった。

新しい技法が、法と秩序のために組織的に推進されることとなった

犯罪の現場に不用意にも残された指紋を利用するというのは、警察の科学捜査の新しい道を開いた。法執行手続きのために、専門の捜査官が実際の事件現場の証拠を分析するという分野

だ。しかし、大衆の中に紛れ込んでいる犯罪者を見つけ出し、特定するために指紋を使うというのはどういうことなのか？　既存の登録簿やデータベースによって指紋を照合し犯罪者を捕まえることができるようになったらどうなるのか？

遠く離れたインド亜大陸では、エドワード・ヘンリーという名のベンガル警視総監がフランシス・ゴルトンの指紋の本を読み、その考えに衝撃を受けた。彼は、指紋カードなら、よく知られた犯罪者の身元情報について検索できるデータベース構築のために利用することができるだろうし、そうするべきだと感じた。この理論を試すために、ヘンリー警視総監はベンガルのすべての刑務所に収監されている、すべての犯罪者の指紋を採取するように警察部隊に指示した。彼は統計学者のカジ・アジズル・ハケと数学者のヘム・チャンドラ・ボーズという2人の部下に、指紋について体系化したフランシス・ゴルトンの研究をもとに、指紋情報を検索するための数学的体系を構築する任務を託した。この成果はのちにヘンリー式指紋法として知られるようになった。二つとして同じ指紋はないので、ベルティヨン式より10の累乗倍早く、はるかに信頼できた。あっという間に、ヘンリー式指紋法がアメリカを含む世界各国で旧式のベルティヨン式に取って代わっていった。

それから20年後、連邦捜査局がアメリカの指紋データベースの責任者となることが議会で制定された。１９２１年、レブンワース連邦刑務所のデータベースが連邦捜査局に引き渡されたとき、2人のウィリアム・ウェストを含む81万188人の犯罪者の指紋が含まれていた。

連邦捜査局長官J・エドガー・フーバーはこの新しい科学的な最新式のデータベースを熱心に推進した。「犯罪歴の中央集権化によって、法執行機関の警官たちは、今後は拘留中の個人に関する過去の活動について、有力な情報源にアクセスすることができるようになります」と1925年、フーバーは述べている。これが捜査局にとって何を意味するかというと、大きな影響を与える新しい技法が、法と秩序のために組織的に推進されることになった、ということだ。現在、そして未来永劫に政府のデータベースに指紋が登録された犯罪者の中から、過去の犯罪から現在の個人を関連づけるために、指紋は確実に利用することができたのだ。連邦身元捜査の部署に配属された捜査局の捜査官たちは、任務に取りかかった。国内の7000以上の法執行機関が首都ワシントンの連邦捜査局へと指紋カードを送った。その後25年の間に、集まったカードは500万、1000万、1100万枚という数に膨れ上がっていった。

時間のかかる退屈な重労働「指紋の照合」をコンピューターにやらせてみてはどうか

連邦捜査局の広報課は、機会があるたびに指紋法を奨励するようなった。1935年8月号の雑誌タイムで表紙を飾るほどだった。「連邦捜査局の男たちは、昨年、9000件の事件で1億2500万個の指紋（つまり、10個の指紋が載った1125000枚のカード）を利用したと力説した。そのうちの97・2％が有罪判決に至った」。しかしながら、連邦捜査局が扱っていた非常に多くの指紋カードは維持できない数に膨れ上がっていった。1962年、身元捜査局の特別捜査官カール・ヴォルカーは、人間が指紋の照合を行うという時間のかかる退屈な重労働を、コンピューターにやらせてみてはどうかという大胆な提案を行った。

連邦捜査局は政府のパートナーたちに助けを求めた。その頃、軍事科学を担う国防総省高等研究計画局（ARPA）では、プログラム可能な電子コンピューターの技術がかなりの進歩をとげていた。同じ頃、米国商務省の規格基準局内に創設された、科学者ラッセル・キルシュが率いるエンジニアのチームが、光学的に撮影したイメージをデジタル画像に変換できる世界初の装置を設計した。この新しい発明は「スキャナー」と呼ばれていた。これら新しく開発された2つの自動機械を、どうにか同時に操作することができたらどんな効果が生まれるだろうか？　犯罪者の指紋カードの画像を読み込み、とらえ、スキャンすることができるようになったらどうなるだろうか？　連邦捜査局の紙のデータベースを電子データベースに置き換えることができるのではないだろうか？

その挑戦は途方もないものだった。スキャナーは、フランシス・ゴルトンが求める詳細なレベルで、指紋の画像を読み込み記録するものでなければならない。そして、取り込まれた画像は時間が経過しても劣化しないことが条件だった。連邦捜査局と規格基準局の２つの組織は協力して作業を開始した。長年の研究開発を経て、１９７４年、ロックウェル・インターナショナルが、自動指紋読み取り装置の５つの試作品を構築する契約を取りつけた。１９７５年、最初の試作品が連邦捜査局に届けられた。その装置は「ファインダー」と名づけられた。トーマス・Ｅ・ブッシュ・サードという若い男が１９７５年に連邦捜査局の身元調査局に配属されたのは、そんなことが起きていたときだった。

指名手配犯の顔写真をテレビ公開して「犯人を捕まえる」

高校に通っていたとき、トム・ブッシュ（トーマス・Ｅ・ブッシュ・サード）はどうやって大学の学費を払おうかと思案していた。ミシシッピ州の比較的貧しい家庭で育った彼は、リンドン・ジョンソン大統領がいわゆる犯罪との戦争に立ち向かうために創設した法令施行支援事業団が提供する奨学金について知り、心を躍（おど）らせた。

「その制度とは、大学を卒業後、法執行機関で働けば、毎年学生ローンの25％が帳消しになるというものでした。当時、およそ3、4000ドルでした」と、当時のことを振り返りながらブッシュは私に話してくれた。それは1970年代前半のベトナム戦争の頃で、若者は大挙して法執行機関に就職しようという時代ではなかった。警官たちはブタ(pigs)と呼ばれていた。1968年にシカゴで開催された民主党全国委員会において、反戦デモの参加者たちが大統領の候補者として小さなブタを連れてきた。そこに警察が介入したことから生まれた呼び方だったのだ。

トム・ブッシュは、大学を卒業後、ミシシッピ州のゴルフポートで引っ越し業者の短期アルバイトをしていたとき、郡庁舎で火災が起きたことを知った。そこには高校の頃からの恋人シンシアが勤めていた。彼女が無事か確かめるために、彼は郡庁舎へと急いだ。燃える建物をシンシアと眺めていると、小さな町にたった1人しかいない連邦捜査局の捜査員のルイス・S・ブラードがたまたまそこに居合わせた。2人は何気ない会話を始めた。トム・ブッシュは法執行機関の仕事を捜していると言った。

「連邦捜査局は考えたことがあるかい?」ブラードはたずねた。

こうして、トム・ブッシュの非凡なキャリアがスタートした。彼はのちに、刑事司法情報サービス(CJIS－シージズと発音)のトップにまで上りつめることになる。連邦捜査局で最も巨大で強力な部署であり、年間10億ドル(約1100億円)以上の運営予算が投じられている、先端技術と個人識別情報を取り扱う中枢部だ。しかし、誰も最初からトップの座には就けない。トム・ブッシュのキャリアは平(ひら)から始まった。

「私より低い肩書などありませんでしたよ」とブッシュはきっぱりと言った。

1975年、結婚したばかりのトムは連邦捜査局で職員として働くために、シンシア・ブッシュと共に首都ワシントンに向けて、古いトヨタのセリカに乗ってミシシッピ州を後にした。トム・ブッシュは身元調査局に配属され、指紋カードを「めくったり、探したり」した。ファイルされたカードから1枚、1枚、犯罪現場で押収された指紋と照合する作業は忍耐と勤勉さが必要だった。そして、1975年当時は人間の目が何より重要だった。「完全に自動化された仕事というものではありませんでした」と彼は言う。つまり、人間なしに作業することは不可能だったのだ。

連邦捜査局の身元調査局は大所帯で、3000人ほどの職員が目的意識を持ち、正確に仕事をこなしていた。「その行動規範は〝ミスをしない〟でした。ミスしたら、無給で3日の休みを取らされました」。トム・ブッシュのもう1つの任務は、連邦局の1500万枚の指紋カードを、別名ファインダーと呼ばれた自動指紋読み取り装置で取り込むことだった。

「ファインダーはゼロックスコピー機を大きくしたような機械でした。私たちはそこに座ってカードを取り込んでいくのです。一日中ね」とブッシュは回想した。人間の職員が処理するには、ただ単にデータが膨大すぎるという感覚が急速に認識されるようになっていった。1976年、情報公開法に新たな条項を加えることが決定され、「個人の情報を閲覧できる権利」が含まれることになった。すると、連邦捜査局には情報を求める市民の依頼が殺到した。1977年、アメリカ連邦議会は、こうした情報公開法に関連する依頼の6000件余りの未処理案件があることを知り、トム・ブッシュに思いがけないチャンスが舞い込んでくる。彼は、依頼を処理するスピードを上げるための猛攻作戦に加わったのだ。そして、トム・ブッシュは会計を学ぶために夜間の学校に通った。勤勉家だった彼には、1979年のある金曜日、さらに驚くような機会がめぐってきた。「月曜日にクワンティコに出勤するようにと言われました」。連邦捜査局の一般職員から調査官になるのは、大きな前進に違いなかった。

調査官としてのトム・ブッシュの最初の仕事は、300人の調査官のほとんどがホワイトカラー犯罪に関わっている、首都ワシントンの現地事務所にてスタートした。「管轄の範囲は65キロ四方ほどでしたが、外国人によるスパイ防止活動が主な目的でした」。しかし、当時のトム・ブッシュは、社会にはびこる最も危険な犯罪者を特定し、居場所を突き止め、逮捕したいと思っていたと言った。そして、C－4逃亡犯対応班に加わるチャンスがめぐってきたときに、彼はすぐに手を挙げた。長年にわたり、彼は銀行強盗犯、逃亡犯、恐喝犯、誘拐犯、そして、その他の危険な重犯罪者を追った。1988年冬のある晩、捜査官としてC－4逃亡犯対応班の任務に就いていたときに、彼の人生は、連邦捜査局にとって指紋の次に重要な生体認証のデータである顔写真と深く関わっていくことになった。

連邦捜査局は『アメリカズ・モスト・ウォンテッド』という新しいテレビ番組を立ち上げるためにハリウッドのプロデューサーに協力することに同意していた。番組の趣旨は単純明快で「テレビを観てもらって、犯人を捕まえる」ことだった。番組は放送開始当初から人気となった。最初の回が放送されたとき、トム・ブッシュは捜査官の仕事として、情報提供者からの電話に出る役割を請け負っていた。

「電話はずっと鳴りっぱなしでした」と彼は言った。人間は驚くほど顔の認識に長けていた。すると、「番組を観ていた75人が電話をかけてきました。そして、連邦捜査局に保管されていたデータから、指名手配犯の顔写真をテレビに公開すると、正確に身元を特定することができたのです」。男はデイビッド・ジェイムズ・ロバーツといい、連続殺人およびレイプ犯だったが、ボブ・ロードという偽名と偽造した身分証明書を使い、ありふれた日常生活に紛れていた。アメリカズ・モスト・ウォンテッドの第1回が放送された4日後、デイビッド・ジェイムズ・ロバーツは逮捕され、その後一生を過ごすこととなるアイダホ州のペンデルトン刑務所へと送られた。

どうやってコンピューターに人間の顔を認識させるか？

人類の誕生から、人間が人間の顔を正確に認識する能力は、人間の条件として備わっていた。では一体、その力をどうやってコンピューターに発揮させるのか？　連邦捜査局の指紋カードを読み込むために作られたコンピューターのように、どうしたら自動化した機械に退屈な重労働をさせることができるか？　初期の指名手配犯のポスターは絵だった。銀行強盗や列車強盗を含む犯罪者の顔画像は、もともと手描きされてきたのだ。写真が普及するようになってからは、犯罪者の画像をカタログ化するようになった。１８７０年になると、ニューヨーク市警本部はダゲレオタイプと呼ばれる最初の画像アーカイブを作成したが、すぐにマグショットと呼ばれるようになる。「マグ」とは顔を意味する俗語だ。１９００年になると写真の焼き増し料が安くなって、写真が犯罪者の個人情報につけ足されるようになった。それが１９５０年に、最初の連邦捜査局最重要指名手配リストが発行されるきっかけとなった。これらのポスターは郵便局やその他の建物に貼られ、情報が寄せられるきっかけとなった。しかし、アメリカズ・モスト・ウォンテッドのように、居間から何万人もの顔認識力(レコグナイザー)を持つ人々の協力を得て犯罪者を捕まえるスピートと成功率は、機械に顔を認識させることでも同じくらいの成果をあげることができるのではないかと考えられるようになっていった。

人間の顔を最初にコンピューターに認識させようとしたアメリカの科学者は、核兵器エンジニアのウッドロウ・ブレッドソーだ。それはコンピューターを操作するには学士号より上の学位を必要とした1950年代後半の頃だった。ブレッドソーは自動推論に興味を持っていた。また、どうしたらコンピューターに考えさせることができるかについて関心を持っていたのだ。1960年、ヘレン・チャン・ウルフとチャールズ・ビッスンという同僚と共に、彼は法執行機関の一連のマグショットを詳しく調べてみた。彼ら研究者の野望は、犯罪者の顔写真を地図にすることだった。彼らは人間の顔の特徴に関する組み合わせをそれぞれ作成していった。瞳孔の中心、目尻、富士額、眉毛の先端など特質を表すデータ点を取っていった。これは多くの人手を要し、また、少々当てずっぽうな作業だった。この概念はこれまで一度も試されたりテストされたりしたことはなかった。科学者たちはそれぞれ、1日何時間も、何週間にもわたって、1時間におよそ40の顔画像を処理していった。

それぞれの顔画像には名前と対応する組み合わせのリストがつけられ、すべての情報はデータベースに保管された。認識の段階において、「一連の長さ（距離）はそれぞれの写真と対応する長さと比較され、写真とデータベースにある情報との長さの違いを割り出した」。そこから、最もマッチする結果が表示された。機械のパターンとマッチする性能は、頭部の回転や傾き、光の当たり具合、表情、年齢によっても問題が起きることがあった。科学者たちは挑戦し続けた。科学者がそうするように、コツコツと取り組み、挑戦して、再度挑戦していったのだ。1970年代に入ると、自動顔認識の進歩は、髪の色、唇の厚さ、目の異常など微妙な差異を教えるのではなく、学習するようになっていった。

1988年、半自動顔認識技術は、研究所から警察署へと配備された。ロサンゼルス郡保安官事務所のレイクウッド署が、マグショットを撮影し、容疑者の似顔絵や犯罪を行った人のビデオ画像さえも取り込み、デジタル化したマグショットの写真をデータベースから検索することができるシステムを導入した。このシステムにより、容疑者を絞り込む時間は短縮されたが、それでも人間を必要とした。

国防総省のバックアップによる生体認証プロジェクト

この研究の大躍進は国防総省のバックアップによってもたらされた。1992年、米国国防総省の科学と技術を担う強力な部署である国防高等研究計画局（DARPA（ダルパ））が、既成概念にとらわれない生体認証プロジェクトとして、FERET（フェレット）と呼ばれる顔認識技術プログラムに着手することとなった。フェレットの狙いは軍部、諜報機関、そして、法執行機関のすべての機関が利用できる標準化された顔認証技術研究を促進することだった。1993年、ジョナソン・フィリップスという名の若い意欲的な電子技術者が、陸軍研究所の助成金を受け、フェレット・プログラムの中心グループの責任者として就任した。1950年代、最初にウッドロウ・ブレッドソーによって進められた概念をもとに、チームはついに人間の助けを必要とせずに人の顔を認識できるアルゴリズムを開発した。フィリップスによると、これを可能にするために、システムは正面の画像を認識すると同時に、左顔と右顔も「把握する」ことができるようにプログラムしなければならなかった。結果は成功を期待できるもので、ときに迅速に、ときに少しずつ科学は前進していった。それでもなお、それから四半世紀にわたり、人間がいわゆるスーパーレコグナイザーという立場は変わらなかった。

ちょうど同じ頃、法執行機関やその他の目的のために、人物を特定するための第三の生体認証システムが出現した。それが虹彩スキャンと呼ばれるものだ。指紋と同様に、虹彩は出生前に子宮の中で発達する。虹彩の色や構造は遺伝的だが、虹彩のパターンは固有なのだ。そして、人間の虹彩はそれぞれ構造的に異なっているので、認識や特定の作業に利用することができる。1994年、自動虹彩認識アルゴリズムの最初の特許権が与えられた。特許を取得したのはジョン・ドーグマン博士というイギリス系アメリカ人の計算神経科学者だった。1993年、ドーグマン博士は自らの虹彩のデジタル画像を撮影したとき、1つの虹彩の情報がデータベースに登録された。それから25年後、ドーグマン博士のアルゴリズムを使って政府のデータベースに虹彩を登録した人々は、世界人口75億人のうちの15億人に上る。インドは指紋、写真、虹彩スキャン合わせて12億人と、世界最大級の市民の生体認証データベースを保持している。

1990年代の連続爆破事件／すべてのハイテク技術が投入されたが、犯人特定に有力だったのは市民の目撃情報

1990年代、連邦捜査局の非公式のモットーは「アップかアウトか」だったとトム・ブッシュは言った。つまり、昇進していくか捜査局を辞めるかということだ。ブッシュは首都ワシントンのC－4逃亡犯対応班に8年間勤めた後、現地事務所の管理職に就く時期になっていた。「1990年代のミシシッピ州ジャクソンは凶悪犯罪と公民権で揺れていました」。ジャクソンの現地事務所はワシントンの10分の1の規模で、10人の調査官が彼の下についた。3年後、ブッシュは再びアップかアウトかを切り抜けた。1996年、ジョージア州アトランタの現地事務所で特別捜査官補佐に任命された。

状況としては、法執行機関にとって国家的悪夢のような出来事が起こっている最中に、彼は

アトランタに赴任した。一匹狼のテロリスト、のちにエリック・ルドルフという名だと判明した白人至上主義者で中絶反対の無政府主義者が、１９９６年のアトランタ夏のオリンピック開催中に、１００周年オリンピック公園に自家製の爆発物を仕掛けたのだ。爆発によって観客のアリス・ホーソーンが殺害され、１１１名が負傷した。また、負傷者を助けようと爆発現場に駆けつけたカメラマンのメリ・ウズニョルが心臓発作で亡くなった。アトランタ事務所に配属されたばかりのトム・ブッシュは、対策本部で容疑者の特定、居場所の捜索および逮捕というそれほど重要ではない任務に就いた。６カ月後の１９９７年1月、アトランタで再び爆発が起こった。狙われたのは、サンディ・スプリング郊外の妊娠中絶医院だった。

この事件が起こるまで、連邦捜査局は妊娠中絶医院に対する爆撃や国内テロを見落としていた。トム・ブッシュは至急現場に向かった。黄色い立ち入り禁止テープをくぐったとき、別の爆弾が爆発した。「エリック・ルドルフが仕掛けた爆弾から6メートルほどのところにいました」とブッシュは当時を思い出しながら言った。それは特に卑劣なものだった。なぜなら、「最初に現場に駆けつけた者を殺害するために仕掛けられたもの」だったからだ。爆弾は20本のダイナマイトと床板用の釘で作られていた。

連邦捜査員たちは「非常にラッキー」だったとブッシュは言った。1台のＢＭＷがたまたま捜査員たちと爆弾の間に停まっていて、衝撃のほとんどを吸収してくれたのだ。トム・ブッシュはその影響でしばらく聴力を失った。数人は軽症で済んだが、連邦捜査局のマイク・ライジングとアルコール・タバコ・火器および爆発物取締局（ATF）から現場に駆けつけた捜査官数名が重傷を負った。「ATFはすばらしい仕事をしました。爆弾の残骸からワイヤー、電池、釘、そしてゆで卵用のタイマーに至るまで、70～80％ほど回収することに成功したのです」とブッシュは言った。爆発現場から回収された爆弾の一部を眺めながら、トム・ブッシュの脳裏に1つの考えが浮かんだ。もしかしたらこれらに付着している指紋を採取することができるかもしれないと考えたのだ。

ATFの経験豊富なベテラン捜査官のロイド・アーウィンは「不可能だ」と言った。「彼は科学的な見地からきわめて詳細に、強烈な爆発によって生じた地獄のような熱と炎によって、使えそうな指紋はほぼ確実に燃えてしまっただろうと説明してくれました」とブッシュは言った。しかし、トム・ブッシュはそこまで確実だとは思えなかった。彼にとって、それは「もし～としたらどうなるだろうか」とひらめいた瞬間だった。そのときは、2人の捜査官はお互い意見が合わないという立場に同意した。

翌月、再び爆発が起こった。このときは、アザーサイド・ラウンジと呼ばれるナイトクラブだった。4人が怪我を負った。捜査員たちは思いがけない手がかりを見つけた。「爆発する前の2つ目の爆弾を見つけました」とブッシュは言った。しかし、月日は過ぎていった。連邦捜査局は、爆発しなかった装置から爆弾魔の指紋とＤＮＡも採取したが、それまで法執行機関に捕まった記録は見つからなかった。犯人の生体認証は連邦捜査局のどんな犯罪データベースにも入っていなかったのだ。

11カ月後、爆弾魔はさらにもう一度、アラバマ州のバーミングハムの妊娠中絶医院を狙って爆発事件を起こした。１９９8年1月29日の早朝、その日非番だった警察官のロバート・サンダーソン（ニックネームはサンデ）が警備員としてクリニックを巡回しているとき、入り口に植木鉢が不審な位置に置かれているのを発見した。確認しようとかがんだとき、エリック・ルドルフがリモートコントロールで爆弾を爆発させた。

「爆弾によってサンデの手足が吹き飛ばされました。残ったのは彼の裸の胴体だけでした」とブッシュは言った。連続爆破犯のエリック・ルドルフの居場所を突き止める捜索は5年間にもおよび、当時の連邦捜査局にとって最大の追跡劇となった。そのため、高度なカメラやセンサーを搭載したヘリコプターなど、捜査局のすべてのハイテク技術が投入された。しかし、最終的に、エリック・ルドルフを特定するために有力な情報をもたらしたのは市民の目撃者だった。

「大学生が犯罪現場で男の奇妙な行動を見かけて、公衆電話から地元の警察署に電話をかけたのです」とブッシュは回想した。

生体認証は正しく〝悪い奴〟を特定することを可能にする

２０００年、トム・ブッシュは連邦捜査局で働き出してからすでに25年が過ぎようとしていた。３度目の「昇進か辞職か」のときを迎えようとしていた。次の仕事はウエストバージニア州だった。

彼は再び、連邦捜査局の最大部署である身元調査局に戻ってきた。ただすでに大規模な情報技術の全面的な見直しが図られ、刑事司法情報サービス（ＣＪＩＳ）に生まれ変わっていた。トム・ブッシュは新しくできたプログラム開発課の課長として迎えられた。刑事司法情報サービスは、クラークスバーグの傾斜した丘の中腹に建てられた最新鋭のデータセンターだった。その施設は圧倒的な大きさを誇った。本館だけで広さは４万６４５０平方メートル（訳者注：東京ドーム約1個分）と巨大な数階建てで、建物全体の長さはフットボール競技場の３個分（約２７０メートル）ほどだった。カフェテリアでは一度に６００人が食事をすることができ、講堂は５００人収容することができた。しかし、最も重要なことは、刑事司法情報サービスには、連邦捜査局がアメリカ国内および世界中の犯罪者を特定し、居場所を突き止め、捕まえることを目的として、最も科学的に進歩した道具やサービスが存在しているということだった。

内部の9290平方メートル（訳者注：東京ドーム約5分の1の大きさ）の広さのデータセンターでは、多くの職員や統計学者たちが大量の犯罪データを扱い、分析を行っていた。刑事司法情報サービスは、犯罪情報センター（NCIC）、総合自動指紋認識システム（IAFIS）、そして、バージニア州のクワンティコに設置された統合DNAインデックス・システム（CODIS）という連邦捜査局の3つの最も強力な犯罪データベースを保有していた。

1967年から運用されてきた犯罪情報センターは、連邦捜査局において、アメリカ中のすべての刑事司法機関が1年365日、24時間アクセス可能な、犯罪データの電子情報センターとしての役割を担ってきた。総合自動指紋認識システムのデータベースは連邦捜査局の自動指紋記録を有し、検索可能なシステムだった。2000年には、10本の指を1つのセットとして4000万個の指紋デジタル画像が入力されており、50州すべての法執行機関やその他の連邦機関が電子的にアクセスすることができた。連邦捜査局のデジタルDNAの情報を統合したデータベースである、統合DNAインデックス・システムに関しては、2000年には最も初期の自動システムが運用されるようになっていた。1990年に試験的なソフトウェアのプロジェクトとして始まった統合DNAインデックス・システムは、1994年のDNA識別法によって正式に構築されることになった。連邦捜査局の別のデータベースと同様に、統合DNAインデックス・システムは州や地方の警察および連邦機関の捜査員たちが、連続重犯罪やその犯罪者と個々の犯罪情報ファイルを関連づけながら、ＤＮＡの分析結果をコンピューター上で操作したり比較したりすることができるようになっている。

トム・ブッシュは刑事司法情報サービスに着任したときのこと、そして、すっかり圧倒されてしまったことを今でも覚えている。「私はすでに連邦捜査局に25年いましたから、一通り何でも知っていると思っていたのです。でも、刑事司法情報サービスに行ってみたら、ぱっと目の前が明るくなったようでした。そこでは1日に10万もの指紋を扱っています。すごいことです。犯罪情報センターもあります。すばらしいとしか言いようがない。犯罪情報センターは名前によるシステムなのです」と彼は言った。つまり、名前をマッチングすることで身元を確認し認定するシステムだ。「トム・ブッシュという犯罪者を捕まえることになったら、正しいトム・ブッシュを捕まえたいですね。生体認証はそれを可能にします。私たちが正しい〝悪い奴〟を特定する仕組みになっています。刑事司法情報サービスで私が目にしたのは、それまで見たことがなかった生体認証でした。何が言いたいかというと、これは本当に重要だということです。生体認証は今後すべてを一変するような技術としてさらに進化していくでしょう」。

トム・ブッシュには、すぐ目の前にそんな未来図が見えるようだった。

第３章　ハイジャック犯の指紋

9・11テロで着想されたアイデア／それは軍事革命となるばかりでなく、世界中の人々の生活や自由を作り変えることにもなるひらめきだった

アメリカ同時多発テロ事件の直後に、連邦捜査局の指紋鑑定の専門家で特別捜査官だったポール・シャノンがニューヨーク市の遺体安置所の部屋に立っていたとき、歴史を変えてしまうようなあるアイデアを思いついた。それはなんとも悲惨な部屋だった。入り口には「指紋を取ることが可能な遺体」と書かれた警察の黄色いテープが貼られていた。それはアメリカで実際に起きた、多数の死傷者を出すテロリストによる攻撃で恐ろしい犯罪であった。２７５３人の犠牲者を特定する必要があったが、集まった身体の部位はかなり限られていた。それぞれが唯一無二のアイデンティティも持っていたはずだ。彼らは誰なのか？　どこから始めればよいのか？

「私は犠牲者の妻たちと一緒に歩きました」とシャノンは当時を振り返って言った。彼は瓦礫の中から見つかった品を指さしながら、「これに見覚えはありますか？」とたずねていった。見つかったのは結婚指輪やネックチェーンなど強烈な熱にも高いところから落ちても耐久性のある不燃性の遺留品だ。何か、何でもよいから、連邦捜査局が死者を特定することができるものが必要だった。「本当に大勢の人がバラバラになってしまったのです」とシャノンは語った。

数十年の間、連邦捜査局で仕事をしてきたポール・シャノンはこれまでこんな光景を目にしたことはなかった。そして、今後二度と同じようなことが起こってほしくないと願った。指紋が取れるほどの身体の一部がツイン・タワーの瓦礫の中から見つかることは珍しかった。ニューヨーク市の検視局はおよそ2万体の人間の身体の一部を登録したが、そのうち58％の犠牲者が指紋ではなくＤＮＡによって特定された。指紋で特定されたたった1人の犠牲者のことを、シャノンは今でも覚えている。60歳の年老いた男が、42年前の18歳のときに罪を犯して逮捕されたときにネバダ州のラス・ベガスで登録された指紋カードにより身元が特定された。フランシス・ゴルトンは正しかった。子宮から墓場まで、人間の指紋はずっと変わらないのだ。この指紋が一致したことによって、ポール・シャノンは独創性に富んだアイデアを思いついたのだ。「死刑執行を除いては、テロリスト攻撃に関するすべての事件は海外で対処していました」と２０１９年、シャノンは詳しく説明してくれた。それは２００１年9月末のことだったという。

「アフガニスタンに向かう兵士たちは準備を整えていました」。中央情報局の順軍事的な部隊はすでに現地に入っていた。そして、国防総省は戦闘に向けて、独自の特殊部隊のチームを送り込んでいるところだった。「戦場では多くの武装兵士を捕まえることになっていました。彼らの指紋を採取する必要があり、それはアメリカの法執行機関で必要とされるレベルの指紋でなければなりませんでした」とシャノンは言った。彼の頭に何かがひらめいたのだ。

シャノンは刑事司法情報サービスの課長だったトム・ブッシュに連絡して、自分のアイデアを伝えた。

「私はこう考えたのです。アメリカで指紋を使えば、シアトルの窃盗事件からニューヨークの銀行強盗事件へと、そのつながりを見つけることができます。容疑者を捜して逮捕することができるのです。しかし、アフガニスタンの爆発物製造所では、誰が訓練を受けたのかわかりません。それを変える必要がありました。アフガニスタンに連邦捜査局の捜査員を送り込む必要があり、ただちに実行しなければならないと感じました」とシャノンは説明した。

ブッシュが誰かの話に耳を傾けるとき、その表情からブッシュが賛同しているかどうか、ポール・シャノンにはおおよそ検討がついた。アフガニスタンの戦場で指紋を採取するというアイデアについて聞いていたブッシュは「眉毛が2センチほど上がった」とシャノンは記憶している。

ポール・シャノンは現場の捜査員だった。トム・ブッシュは管理官であり、そのアイデアを指揮系統のトップに上げて、実現することができる人物だった。

「文書にしてくれ」とブッシュは答えた。

シャノンは座って、自分の考えを書き綴った。ブッシュはその文書を確認した後、連邦捜査局長官のロバート・ミュラーに提出した。同時に、法的な見直しのために、司法長官のジョン・アッシュクロフトにもそのコピーが送られた。

「刑事司法情報サービスは空母のようなものです。何千人もの人間が働いています。何千もの人間が機械を操作し、身元を特定し、指紋を取り扱っているのです。この作業の向こう側では、現場で遠隔識別を行っている人間がいます。空母の戦闘機パイロットたちです。私はその1人でした」とシャノンは説明した。彼はアフガニスタンに送ってほしいと希望を出した。彼自身が、捕らえられた武装兵士たちの指紋を取りたかったからだ。

提出した文書の中でポール・シャノンは、国防総省は「指紋を重要視していないので」戦場で拘束した武装兵士たちから指紋を採取していないと主張した。大戦後のナチスのトップたちのように、「彼らは捕まえた連中を第二次世界大戦時の戦争捕虜のように扱っていたのです。まるでそのうちに停戦になって、みんな家に帰ることができたら、ハンブルクの庭の手入れでもしようと呑気に構えているようでした。アフガニスタンの兵士は寄せ集めの戦士でした。国防総省の考えは、待つだけでよいというものでした。彼らには妻や子どもがいました。しかし、私たちが相手にしていたのはジハードです。待っていればいいという時代はとっくに終わっていました。私たちはそれを奴らによって思い知らされました」。

シャノンの考えでは、もし連邦捜査局が戦場で捕まえた兵士たちの指紋をデータ化すれば、将来のテロリスト攻撃が起きたときに、照合する指紋が犯罪現場から見つかるかもしれないというものだった。

「主張するときはよく考えるべきですね。４日後、私はアフガニスタンに向かう飛行機に乗っていました」とシャノンは言った。

シャノンが搭乗したのは連邦捜査局長官専用のガルフストリーム製の航空機だった。シャノンが文書を書き、長官から承認が下りるまでの4日間に、中央情報局のビン・ラディン担当部署もその文書を読んでいた。中央情報局も識別情報に関して戦略を立てていたが、その権限も意図している結果も違うものだった。中央情報局は法執行機関ではない。連邦捜査局は法執行機関だ。中央情報局は誰かを逮捕することはできない。連邦捜査局にはそれが可能だった。

同じ航空機にはシャノンと一緒に、ニューヨーク現地事務所から来た3人の捜査員を含む小さなチームが搭乗していた。プリンター用のインク、４０００枚の指紋カード、カメラ、ＤＮＡ採取用の綿棒などを携えて、彼らはイタリア経由でパキスタンに飛んだ。「ガルフストリームには非常に大きな窓がついています」とシャノンは言った。彼はベスビオやエベレストの山々など、世界の自然の驚異を眺めながらほとんどの時間を過ごした。「自分の頬をつねって、なんでこんなところにいるんだろうと自問せずにはいられませんでしたよ」。

連邦捜査局の捜査官になる以前は、シャノンはジャーナリストだった。彼は1980年代の犯罪多発地域で活躍するマイアミ・ヘラルドのレポーターだった。彼が書いたレポートの多くはキューバからの移住者による銀行強盗、殺人事件、その他の危険な重犯罪事件だった。これらの犯罪者の多くは、悪名高いマリエル難民事件の一端として、フィデル・カストロによって釈放された囚人たちだった。

「犯罪者とは興味深いものです。そしてまた、危険性の高い逮捕も同様です」と彼は言った。最終的にポール・シャノンは情報を得ていた連邦捜査局に採用されることになった。1987年に、彼は連邦捜査局の特別捜査官に任命された。そして今、彼は長官のガルフストリームに乗り込み、パキスタンとアフガニスタンで連邦捜査局の歴史に新たな1ページを刻もうとしていた。

ガルフストリーム航空機はパキスタンのペシャーワル近くの機密空軍基地に着陸した。その場所は、以前は中央情報局の飛行場で聴音哨(ちょうおんしょう)だった。かつて、中央情報局の最初のU2型偵察機2機が飛び立った場所でもあった。バダバー・キャンプと新たに名づけられたその空軍基地は、アフガニスタン東部のスピンガー山脈の近くでパキスタン軍が捕らえた30人の拘束者を収容していた刑務所のすぐ近くにあった。拘束された男たちは不法にパキスタンの国境を越えようとして捕まった。拘束のタイミングは重要だった。トラボラの近くにあったアルカイダの地下施設を、国防総省が砲撃した時期と重なっていたからだ。拘束された中に、小柄で、汚くて、もじゃもじゃのひげを生やした若い男がいた。その男が意外な話をしたので、彼の話を聞いていたシャノンの記憶に残ったのだった。

「ほとんどの連中が同じ話をしました。奴らは調理師か運転手でした。しかし、この小さい男は鷹匠（たかしょう）の古い技（わざ）を学ぶためにアフガニスタンに来たと主張しました。猛禽類（もうきんるい）にしか興味がないと言ったのです」とシャノンはそのときのことを思い出しながら言った。男には「鷹匠」というあだ名がつけられた。

指紋を取るには、広くて平らな場所が必要だった。連邦捜査局の捜査員たちのために、パキスタン軍は刑務所内の部屋に古くてぐらぐらする卓球台を用意した。

「守衛たちが鷹匠を連れてきて、キッチンチェアに紐で縛りつけました。バスの中で拘束者たちが暴れたことがあって、彼は脚を撃たれたので歩けなかったのです。刑務所には車イスなどはなく、キッチンチェアを使うしかありませんでした」。こうして、シャノンは鷹匠の10本の指の指紋を採取した。「まず、右手の指紋を取りました。すると、左手の指紋を取りやすいように、守衛たちがやってきて彼を持ち上げると、向きを変えて座らせたのです」。

それぞれの拘束者が同じように指紋を採取された。マグショットは35ミリカメラで撮影され、DNAのサンプルは頬の内側から採取された。「DNAのサンプルは耳の綿棒を大きくしたような、口腔用の綿棒で取りました」とシャノンは言った。身長、体重、そして、瞳の色も記録され、それぞれが自己申告した生年月日と国籍が指紋カードに手書きでつけ足された。白い紙の横か、ホワイトボードの前に拘束者を立たせ、そこに手書きで識別番号を足して写真撮影を行った。こうして、それぞれの生体認証ファイルが完成したのだ。

指紋チームは闇夜に紛れてペシャーワルを後にした。「パキスタン空軍は、私たちが着陸するとき一時的にライトをつけ、私たちが飛び立った後、ライトを消します。まるで、私たちは決してそこにいなかったみたいにね」とシャノンは言った。次の行き先はアフガニスタン北部だった。マザーリシャリーフの郊外にあった悪名高いシェバルガーン刑務所を訪れるためだった。そこでシャノンと連邦捜査局のチームは、カライジャンギの戦いから逃走しようとして捕らえられた、徴兵年齢の男たちの生体認証データをすべて記録した。アフガニスタンの戦場から逃げようとして捕まった徴兵年齢のすべての男たちの「身元を押さえる」という連邦捜査局の目標は達成されたのだ。

ポール・シャノンがまだそのとき気づいていなかったのは、ふと芽生えた彼のひらめきが、のちに軍事革命として知られるようになるきっかけとなったということだった。それは未来の戦争の形を変えるだけではなく、世界中の何億という人々の生活や自由を作り変えることになるひらめきだったのだ。

指紋照合により、
9・11で20番目のハイジャック犯になる可能性のあった男が見つかった

ポール・シャノンとチームは、指紋カード、写真、そしてDNAサンプルを自分たちで携帯してアメリカに帰国した。これらの生体認証情報は読み取られ、連邦捜査局のさらに強力なデータベースにアップロードする準備が整った。

しかし、そこには障害があった。連邦捜査局のデータベースはアメリカ連邦議会によって制定された法律によって規定されていた。ポール・シャノンと連邦捜査局のチームがパキスタンとアフガニスタンから持って帰ってきた生体認証情報は変則的なもので、信頼に値するという法的な枠組みが存在しなかった。連邦捜査局の既存のデータベースは「国内の犯罪情報を専門に構築されていた」とシャノンは説明した。これらの新しい生体認証情報は、外国の地で拘束された国籍も定かでない人々のものだった。アフガニスタンで戦場から逃げようとして捕らえられた30人の男たちと、マザーリシャリーフの戦場で捕まった男たちのデータをアップロードするためには、連邦捜査局は司法長官の許可を必要とした。こうして、2002年3月、ジョン・アッシュクロフト司法長官は連邦捜査局に対して正式に情報のアップロードに関する承認をした。

「指紋は嘘をつかない」と、アッシュクロフト長官が宣言したのは有名な話だ。

データがシステムにアップロードされると、自動指紋認証システムは一致する可能性のあるデータを捜し始めた。コンピューターはその情報をはじき出し、指紋の専門家たちはそれを徹底的に調べ、分析した。

「一致するデータを見つけるだけで、解決するような作業ではありません」とトム・ブッシュは説明した。

2002年、最も重要な役割については人間の分析者たちが請け負っていた。「鷹匠」の指紋データを調べていた分析者が、類まれな、ほとんど信じがたい一致を見つけ出した。ポール・シャノンはそれがどれほど度肝を抜かれるような一致なのかわかったとき、彼は自分の家のキッチンにいた。

「発信者番号が通知されて、それが刑事司法情報サービスからだとわかりました。彼らは〝おい、アフガニスタンの1人の身元がわかったぞ〟と言ったのです」とシャノンは回想した。そして、彼がペシャーワルで撮影した写真の識別番号が伝えられた。シャノンは話の人物の写真を取り出した。「それがキッチンチェアに縛られていたあの男だったのです。もじゃもじゃひげで、脚に弾痕（だんこん）があり、自分は鷹匠だと言った男です」。結果的に、アメリカの西海岸から1000キロメートル以上離れた場所で捕らえられた、薄汚い服を着たこの謎の通行人は、すでに連邦捜査局のデータベースに登録されていたのだ。これはポール・シャノンにとって1つのことを意味していた。あの若い男は何か相当な理由があって、アメリカ国内で、州か国の法執行機関によって以前指紋を取られていたということだった。

「信じられない話ですよ」と刑事司法情報サービスの担当者は言った。

若い男の名前はムハンマド・アル・カフタニだった。彼はサウジアラビア国籍の22歳だった。アメリカ同時多発テロ事件の5週間ほど前の2001年8月4日、カタフニはフロリダのオーランド国際空港で入国を拒否されていた。観察力の鋭い税関職員が、彼は不法移民になるのではないかと疑ったからだった。職員はカフタニに家族や友人と会うために来たのかとたずねたが、違うと答えた。その後、2回目に質問したときには、カフタニは話を変え、友人が空港まで会いに来ていると答えた。税関職員はカフタニが正直に答えているとは思えず、アメリカ入国を拒否したのだった。退去するにあたり、カフタニの指紋が採取され、連邦捜査局の指紋データベースに登録された。

この指紋の一致により、刑事司法情報サービスは警戒心を強めた。アメリカ同時多発テロ事件の5週間前、オーランド空港はハイジャック犯だったモハメド・アタが暮らし、訓練を受け、テロリスト攻撃の準備をした同じ地域にあった。そこで、連邦犯罪捜査の範囲が広がった。カフタニが空港に到着した日の監視ビデオを調べてみると、空港前のカーブになった道路に停まったレンタカーの中で待っているアタの姿が写っていたのだ。２００４年、同時多発テロ事件委員会報告に関する公聴会で、コミッショナーのリチャード・ベンベニステは「こうした情報と、この公開会議では詳細を明かすことはできないが、我々が入手した重要な追加情報にもとづいて、ムハンマド・アル・カフタニが20番目のハイジャック犯になっていた可能性は非常に高く、おそらくそうだったのではないか」と発表した。

これには考察に値する裏話が存在する。２００１年9月11日のテロ攻撃は19人のハイジャック犯によって実行された。アルカイダの実行部隊は4つのチームに分かれて、4機の民間機を乗っ取った。チームにはそれぞれ5人のメンバーが配置された。正確にいえば、1人足りなかったユナイテッド航空93便以外、飛行機にはそれぞれ5人のメンバーが乗り込むはずだったのだ。つまり、4人の実行犯しか乗っていなかったことが、乗客たちがハイジャック犯に抵抗することのできた1つの要因だと考えられた。93便の乗客たちが大きな建物を避け、野原に墜落するように仕向けることができたのは、5人ではなく、4人の実行犯しか乗っていなかったからではないか。のちに委員会によって、93便の墜落先はおそらく「議会議事堂かホワイトハウス」だったと判明している。今回の指紋が見つかるまで、20番目のハイジャック犯がどうなったのかは不明のままだった。連邦捜査局にとって、世界の最重要指名手配リストの1人に関する疑う余地のない識別情報が、この60億分の1の一致によってもたらされたことは、驚異的と言わざるをえない。国防総省、通称DoDにとって、それは新しい時代の始まりであった。

新しい武器の競争「アイデンティティ支配」が始まった

国防総省の防衛威嚇緩和機関(ぼうえいいかくかんわきかん)内の、大量破壊兵器およびリスク評価対策を担う兵站局(へいたんきょく)で、パラダイム・シフトが進行中であった。1950年代から、脅威評価といわゆるリスク緩和は、敵国の軍隊や武器に注目してきた。彼らに動きがないか、遠くから観察してきたのだ。何兆ドルという費用が上空監視システムに投入された。1950年代のU2型偵察機に始まり、60年代のスパイ衛星、そして、現在までさまざまなタイプの空の目と呼ばれる偵察機が開発されてきた。しかし、アメリカ同時多発テロによって、それらが根底から覆されてしまった。すぐに、敵をとらえるレンズは幅の広いものから狭いものへと変わった。脅威における警告評価は、突如として個別に対応していくものになった。軍隊や武器だけではなく、個々の人間にも注意を向けなければならなくなったのだ。たった1つの指紋が犯人の特定を可能にするという点では同じだが、犯罪を計画している人間を特定し逮捕するのと、民間機がハイジャックされてそれが大量破壊兵器となってしまうとか、ペンシルバニア州ピッツバーグの郊外に墜落するのとではわけが違う。あるいは、まったく墜落しなかったとしても、これまでのやり方では通用しなくなった。

国防総省の当局者たちは、ムハンマド・アル・カフタニを拘束したことで、個別のリスクという意味で、1人ひとりの人間がリスク評価される必要があることをはっきりと認識した。2002年冬の時点で、これをいかにして可能にするのか誰も正確にはわかっていなかった。しかし、新しい武器の競争が始まっていた。この手法にはその後まもなく、「アイデンティティ支配」という正式な名前がつけられた。それは、戦争を戦うための新しい無数の方法を生み出していくことになる。

新たに設立された国土安全保障省により、すべての入国ポイントで生体認証による入国審査が実施されるようになった

変化はすぐに訪れた。新しく設立された国土安全保障省が、国境や空港のすべての入国ポイントで国際旅行者の生体認証による入国審査を行うようになったのだ。ホワイトハウスでは、国家科学技術委員会が生体認証に関する独自の小委員会を設置した。米国規格協会は、一定の水準を保つための統一性を監督するために、生体認証の専門委員会を発足させた。国際民間航空機関は、渡航文書の自動読み取り機に生体認証を統合するための青写真を描いた。すべての組織が新しい技術に参入したかったのだ。

多数の委員会、タスクフォース、そして、専門家による協議会が登場し、他にどのような人間の測定に関わる生体認証の「様式」（つまり別の手法）を含むべきか、考えをめぐらし議論していった。連邦政府はあらゆる可能性を模索した。顔認証が指紋の次に来る技術となるのか？　それとも、掌紋（しょうもん）の方が有効か？　虹彩スキャンはどうだろうか？　ＤＮＡなのか？さらなる会合、さらなる専門家の協議会、さらなる計画が増えていった。そして、さらなる予算が連邦議会から下りていった。「バード上院議員は９２０億ドル、ほとんど１０００億ドル（当時の相場で約12兆円）という予算をウエストバージニア州の施設に確保しました」とト

ム・ブッシュは語った。多くの軍事産業の請負業者が、入札を勝ち取ろうと殺到した。

国防総省では、生体認証管理室がアイデンティティ支配に関わるすべての軍事イニシアティブを監督する任務を負っていた。アメリカ陸軍は、コソボ紛争までさかのぼる指紋や虹彩スキャンや顔画像を集めるための、初期の生体認証プログラムをすでに運用していた。そして連邦議会に関しては、これまでと変わらず、いわゆるすべてを統括する執行機関としての役割を果たしていた。国防総省で初期の取り組みを指揮したのは中央情報局職員のジョン・D・ウッドワードだった。彼は何年にもわたり工作員としてスパイ活動に従事した技術情報員として、科学技術理事会でキャリアを積んだ人物だった。

「連邦捜査局はアフガニスタンで指紋を集めていました。国防総省もそれをする必要がありました。かなり多くの指紋を集める必要があり、克服しなければならない大変なハードルがあったのです」とウッドワードは当時のことを振り返りながら言った。中央情報局の仕事をしてきた彼には、諜報、監視、そして、スパイ活動における技術の力を痛いほど理解できたのだ。

連邦捜査局は彼らのサポートを行った。トム・ブッシュはその取り組みを率いる高官の1人となっていた。そして、彼はこのことが大きな岐路だったと記憶している。プログラムを相互に運用するということは、一丸となって働くということを意味していた。情報サイロとも言われる相互運用性の欠如によって、アメリカ同時多発テロ計画は誰にも阻止されることなく、実行に移されてしまった。すべての資金や資源が新しいシステムに注がれる今、統一戦線として行動するときが来ていたのだ。

「同時多発テロが起こった後、私たちの立場は、相互に運用していこうというものになりました」とブッシュは言った。彼は連邦捜査局の最大の部署を代表していた。「私の目標は中央情報局、軍事情報活動第5部、軍事情報活動第6部を相互運用性にもとづいてつなぐことでした。2001年にはまだ新しい概念でしたが、〝空のサーバー〟につなぐことだったのです。少しビッグ・ブラザー（編者注：ジョージ・オーウェルの小説『1984年』に登場する架空の独裁者）のような話だと思う人たちもいました。私たちはイギリスやオーストラリアに指紋カードを送って、それを彼らが読み取ることができるようにしたかったのです」。

戦闘における生体認証は、重大な危機に際して生まれたというのは誰の目にも明らかだった。「国防総省は保守的なところがあります」とブッシュは認めた。反対に、連邦捜査局には80年にわたって犯罪者を特定し、居場所を突き止め、捕まえるために指紋を使用してきたという経験があった。

「指紋に関しては、私たちの右に出るものはいませんでした。連邦捜査局以上に経験や技術のある機関などどこにもなかったのです。私たちが第一人者なのです」とブッシュは言った。

「連邦捜査局において、私たちはこの世界の誰よりも指紋について知っています」とシャノンは言った。

しかし、相互運用性への取り組みは大失敗した。国防総省がイラクへ戦争に出かけたのだ。

第４章　生体認証の責任者

世界最重要指名手配者、替え玉を使うサダム・フセインが生体認証により本人と確認された

それは２００３年12月のことだった。連邦捜査局の特別捜査官ポール・シャノンは、20世紀最も残虐な暴君の１人と言われたサダム・フセインの隣に立ち、インクを使用してカードにフセインの10本の指の指紋を取っていた。イラクの前大統領はその前日の午後８時30分、ダウル村の地下室に隠れていたところをアメリカ軍によって引きずり出された。「私はサダム・フセインだ。私はイラクの大統領だ。交渉の余地がある」と彼を捕らえた兵士たちに向かって、フセインはそう言った。

男はサダム・フセインのように見えた。右手には小さなタトゥーがあった。それは彼の身元を特定するために役立った。しかし、連邦捜査局はポール・シャノンと少人数のチームを送り

込んで、それが本当にサダム・フセインなのか確認するために生体認証の情報を集めたのだ。フセインは自分の替え玉を使うことでよく知られていたからだ。指紋を採った後、サダム・フセインの頬の内側から捜査員が綿棒でサンプルを採取した。このDNA検査によって、アメリカの法執行機関に疑う余地のない結果がもたらされた。フセインの2人の息子であるウダイとクサイは、米国特殊部隊と準軍事作戦部隊によって5カ月前に殺害されていた。2人の遺体から採取されたDNAサンプルは、ブラック・ヘリックスと呼ばれる国防総省の極秘データベースにアップロードされていた。彼らのDNAはFBI統合DNAインデックス・システムにも登録された。サダム・フセインのサンプルの採取後、連邦捜査局のDNA解析者たちはY染色体の父系遺伝子の情報が2人の実子のDNAと一致したことから、本人だと確認することができたのだった。

世界の最重要指名手配者の生体認証を確認する作業において、ポール・シャノンはイラクの前大統領と数時間にわたって会話した。「彼は詩人か作家になったような口ぶりでした。私の通訳は、フセインが気取ったアラビア語を話していると言いました。彼は多くの武勇伝を話していました。どの話の中でも彼はヒーローでした」とシャノンは当時を振り返ってそう言った。そんなフセインは、アメリカ政府の囚人となった。

反アメリカ武装勢力／イラクにおけるアルカイダに対し、国防総省は急成長の生体認証プログラムに活路を見いだす

米軍はフセイン拘束の9カ月前にイラクに侵攻した。イラクもその国民もアメリカ同時多発テロ攻撃には関与していなかった。イラクに対する戦争は、ブッシュ政権のテロに対する世界規模の闘いの一環として連邦議会が承認し、反アメリカを唱える世界中の武装勢力を撲滅する国際キャンペーンとなったのだ。ホワイトハウスはイラクのリーダーであるサダム・フセインが、大量破壊兵器を貯蔵していると訴え、国防総省は13万人のアメリカ兵を送り込み、これらの武器を破壊することを誓った。こうしたアメリカの主張が架空の話だったことが明らかになると、新しい脅威が浮上した。イラクにおいてアルカイダの武装勢力が再編成されたのだ。それまでアルカイダはイラクに足を踏み入れたことはなかった。ここに凶暴で血に飢えた反アメリカ武装勢力が誕生した。道路脇に設置される殺傷爆発物と自爆テロだ。国防総省はＩＥＤと呼ばれる即席爆破装置という新しい報復攻撃によって不意打ちを食らった。こうした混乱と苦境の中、国防総省は指紋をはじめとする急成長の生体認証プログラムに活路を見いだしたのである。

イラク戦争における米軍関係者の誤算／拘束した5万人超の兵士をどう管理するのか？

「国家の安全を脅かすようなイラクの悪い奴らを捕まえるために、私たちは指紋を活用したかったのです」と、生体認証管理局長のジョン・ウッドワードは当時のことをそう語った。彼は私がインタビューを行った2019年の視点から、そのときのことを説明していたので、簡単に遂行できる計画について話しているように聞こえた。「即席爆破装置に関連する遺留指紋を採取しようとしていました。そうした指紋を連邦捜査局のデータベースから探し出して、あとはコンピューターに仕事をさせるのです」とウッドワードは言った。問題は、「その遺留指紋の採取は手作業で、非常に骨の折れる作業だったということです」と彼はつけ加えた。つまり、紛争地帯での作業には苦労したということだった。「しかし、それは重要でやりとげなくてはならないことでした。モースルの隠れ家を急襲するなら、私たちは指紋を採取しなければならないし、ＤＮＡのサンプルを集めることが任務でした」。

ウッドワードが考えたのは3段階の作業だった。彼は言った。「指紋を見つける、照合のためにその指紋を連邦捜査局のデータベースに送る、そして、一致するものがあるかその報告を待つというものでした」。理論的には、状況にかなった手法だった。中央情報局の秘密局員で、弁護士、さらに米国陸軍工兵隊に配属された元陸軍士官という肩書を持つウッドワードは、この作戦において何を遂行するべきなのかを独自の視点から理解することができた。特定分野の専門知識に加えて、彼は生体認証に関する科学的な知識も持っていた。２００３年に出版された『バイオメトリクス：情報時代の本人確認手続き（仮題・未邦訳）』という本があるが、彼は３人の著者のうちの１人でもあった。しかし、サダム・フセインの軍がどのように戦うかということから始まって、イラク戦争における米軍の侵攻について関係者たちが想定したほとんどすべてのことが間違った情報であった。これは指紋の分野でも面倒な問題を引き起こした。「戦争を計画した者たちは、イラクの兵士は死ぬまで戦うだろうと思っていたのです。しかし、そうはならなかった」とシャノンは言った。代わりに、サダム・フセインの兵士たちは一斉に武器を置き降参した。「こうしたすべての兵士たちに対応できる者などいませんでした」とシャノンは続けた。アフガニスタンの戦場で捕らえた武装兵士が30人ほどだったのに対して、当初米軍がイラクで拘束した兵士の数は５万人を超えたのである。

「イラクにおける戦闘作戦の第一義的な責任を負っていた米軍は、総合的な暴動鎮圧方針に欠けていた。作戦が計画されたとき、拘束者たちをどうするかという具体的な方針が示されていなかった」と書かれた国防長官室の内部レポートが２０１１年に見つかっている。

国防総省は拘束者を収容するための刑務所を慌てて建設した。食事や服を与え、今後の対策について考えるためでもあった。大混乱を極めた中、アブグレイブ刑務所において、米軍の歴史の中で最悪のスキャンダルが起きた。1950年代にイギリスによって建設されたアブグレイブ刑務所は、サダム・フセインが統治していた頃は、ほとんどが政治犯を収容するために使われていた。その多くが虐待され、拷問され、そして殺害された。イラク侵攻の直前、フセインはアブグレイブ刑務所の門を開け収容者を解放した。侵攻後、米軍は空っぽになっていた刑務所を支配下に置き、拘置施設として使用することにした。管理が行き届かず、明確な方針を示した計画書もなく、憲兵旅団の兵士の中には勝手な行動を起こした者たちがいた。身体的虐待、性的暴行、拷問、レイプ、肛門性交など、拘束者たちに対してさまざまな残酷な人権侵害を犯したのだ。兵士たちはその様子を写真やビデオに収め、最終的にはそれが証拠となって逮捕された。そうした状況の中で、国防総省はイラクで拘束されたすべての拘束者の生体認証を集めるために動いていたのだ。

ポール・シャノンは、これらの刑務所の1つであるキャンプ・ブッカで初期の取り組みを監督した。ペルシャ湾の河口近くの、ウムカスル郊外にある広大な拘置施設だった。6年間で、鉄条網が張りめぐらされたキャンプ・ブッカに10万人の拘束者たちが送られた。その中には、解放後そこで知り合った仲間と共に、ＩＳＩＬと呼ばれたイラク・レバントのイスラム国を結成するアブー・バクル・アル＝バグダーディーが含まれていた。キャンプ・ブッカで、ポール・シャノンとチームのメンバーたちは、拘束者たちの指紋、顔画像、虹彩スキャン、DNAを次々と集めた。情報はウエストバージニア州の刑事司法情報サービスを含むすべてのデータベースにアップロードされ、管理された。しかし、何のためにそんなことをしたのだろうか？その質問に答えるために、ドナルド・ラムズフェルド国防長官は、民間人で構成される国防総省の科学顧問グループと会合した。国防科学評議委員会と呼ばれ、世間一般にはほとんど知られていないが、非常に権威のあるグループだった。内部の人間たちにはDSBという名で知られていた。

個人をまるで物のように追跡するシステム＝新たなマンハッタン・プロジェクト

国防科学評議委員会は民間人で構成され、アメリカの戦争を戦うためにどんな兵器を使ってシステムを構築するべきか、軍事指導者たちに助言する役割を果たしていた。公式文献には「科学と技術」の専門家と紹介されているが、より正確に表現するなら、おそらくそのメンバーは兵器の製造と入手の専門家たちだ。国防科学評議委員会の多くのメンバーは、委員会が製造を奨励する何十億ドルもの兵器システムを生産している防衛請負業社の理事会で、役員を務めている。ラムズフェルド国防長官が、テロに対する世界戦争での生体認証の役割について協議するため、国防科学評議委員会に意見を求めたとき、彼が答えを求めていた疑問はシンプルなものだった。「テロに対する世界戦争において、我々は勝っているのか、それとも負けているのか？」ということだった。

国防科学評議委員会はラムズフェルドに「マンハッタン・プロジェクトなしに、アメリカが戦争に勝つことはできない。武装勢力を見つけ出し、追跡したり、国家の安全を脅かす計画を突き止めたりする必要がある」と答えた。イラクで拘束された何万人もの生体認証の情報が国防総省に登録されたということはその始まりではあるが、受身的な活動に過ぎなかった。こうしたデータは、反米を掲げる個人を追跡したり居場所を特定するために、身元を確認することができる秘密の兵器システムに組み込む必要があると、国防科学評議委員会は提案した。マンハッタン・プロジェクトを引き合いに出して言及したことには重大な意味があった。１９４２年に始まった、世界初の原子爆弾を製造するという極秘プロジェクトは、アメリカの歴史において最も莫大な費用を使った工学プログラムであった。マンハッタン・プロジェクトは第二次世界大戦の勝利で終了することなく、原子力委員会（ＡＥＣ）という独立した政府機関として生まれ変わった。その目的は、さらに巨大な核爆弾をもっと製造することだった。原子力委員会は数兆ドルを超える核融合兵器の製造競争をソビエトと争った。どちらの国も世界を週に１

00回ほど破壊できるほどの莫大な核兵器保有量を達成している。ブッシュ政権がテロに対する世界戦争を宣言する頃には、国際法によって核兵器を製造することは禁止された。国防科学評議委員会は「個人的リスク」の軽減に焦点を当てた新しい武器競争に突入すること、そして、その競争に勝利することを念頭に置いた。

特別捜査官のポール・シャノンとチームがアフガニスタンに向かったとき、法執行機関としての彼らの任務は、戦場から逃亡しようとする武装兵士たちの「身元を押さえる」ことだった。しかし、国防科学評議委員会がラムズフェルド国防長官に提案したのは、それとは違うことだった。彼らが新しく提案したマンハッタン・プロジェクトは、広範囲におよぶプログラムであり、個人をまるで物のように追跡するシステムだった。サプライチェーンの商品を追跡する電子タグと似ていた。しかしながら、そのような技術は2004年の段階では存在しなかった。国防総省なら構築できるはずだ、と国防科学評議委員会は助言したのである。

生体認証技術における国防科学評議委員会の3つのタスクフォース

ラムズフェルド国防長官は国防科学評議委員会に対して、プロジェクトを開始することを承認した。2004年3月、生体認証技術における国防科学評議委員会のタスクフォースが、個人的リスクの軽減を重視する取り組みについて話し合うために、バージニア州アーリントン市ウィルソン・ブールヴァール3601番地で非公開の審議会を開いた。「テロに対する世界規模の戦争における我々の軍事的諜報的懸念は、その大部分が国家やその施設ではなく個人に向けられるようになった」とタスクフォースの公式文書の中に明記されている。捕らえられた武装兵士たちの生体認証情報はその出発点だったが、国防科学評議委員会は一般にも目を向ける必要があると提案したのだった。また、その審議会の公式文書によると、それは「思想的体質、社会的、民族的、宗教的、そして政治的傾向」などの脅威となる特徴から個人的リスクを評価する」という意味だった。

2番目のタスクフォースは「生体認証技術以外」の手法について取りかかった。それは、「光や温度や場所によって漸進的変化を計測することができる電気光学センサー、電波センサー、ハイパースペクトルセンサー、液面センサーなどを利用して、長期間にわたって参考人と呼ばれる匿名の人物の行動を見張り、追跡する」というものだった。対象人物を広範囲に追跡することができるが、2004年の時点では現実離れしたアイデアだった。しかし、日常生活のパターンを把握するために、やがて身元不明の疑わしい人物を長期間空から観察することが可能となる。国防科学評議委員会のタスクフォースは、それまで国防総省が身元情報として把握していなかった人物を見張り追跡するために配備することが可能になる新しいセンサー技術を搭載した、小型無人機、軽航空機、飛行船、そしてその他の航空機など、ますます増加する航空監視部隊の基盤を建設することを承認した。ついに、3番目のタスクフォースが既成概念にとらわれない画期的なプログラムに着手した。それは「予測行動モデリング」と呼ばれるものだ。これらの自動システムは、予測行動モデリングの取り組みをコンピューターに分析させるために、疑わしい人物の生活パターンのさまざまなデータを収集するようにデザインされている。この方法によって、ある人間が次にどんな行動を取るのか、どのようにして予測するのかを機械に教え込むことができる。

２００４年、こうしたアイデアが最初に提案されたとき、その概念はサイエンスフィクションに過ぎなかった。しかし、10年もたたないうちに、それは科学的な事実となった。戦争のさなかに生体認証の情報を集めるには、国防総省はセンサー技術が搭載された生体認証装置を携帯する必要があった。アメリカ兵たちはプリンター用のインク、指紋カード、35ミリカメラを持ってイラクを歩き回ることなどできなかった。最初に戦場に出たＢＡＴと呼ばれる生体認証自動ツールセットは、アリゾナ州フォート・フアチューカの戦闘指揮研究所がコソボ紛争で使用するために製造したポータブルシステムで、１９９９年から使用されてきた。米軍は基地で働いてもらうために定期的に現地の人間を雇っていた。こうして雇われた人間の中には犯罪などを理由に解雇された者もいたが、彼らは偽名を使って、いとも簡単に別の場所にある機密基地で雇われたりしていた。それを防ぐために、生体認証自動ツールセットは一時しのぎの解決策としてデザインされたものだった。

正しく使用されたなら、生体認証自動ツールセットは、指紋、顔画像、虹彩スキャンを登録し比較することができる。しかし、ツールセットは重く、多数のパーツで構成された12個以上のコンポーネントからできていた。生体認証別に装置があり、それにはそれぞれ三脚がついており、情報をアップロードするためのラップトップコンピューター、多数の電源コード、バッテリー、そしてアダプターのセットだった。生体認証自動ツールセットを正しく使用するためには、108ページある取扱説明書を読んで理解しなければならなかった。イラク戦争では、国防総省は2000の生体認証自動ツールセットを注文した。

数カ月後に、携帯身元検出装置、あるいは、HIIDEと呼ばれる新しく改良されたシステムが開発されると「軽くて多機能、そして生体認証自動ツールセットと相互運用が可能」ということで、国防総省は新たに6664個の携帯身元検出装置をイラクに送った。

国防総省が生体認証を使っていることが最初に公（おおやけ）になったのは、2004年12月のファルージャの戦いだった。その頃になると、国防総省は、ファルージャの25万人の一般市民から生体認証の情報を取り始め、登録数を拡大していった。「指紋と網膜スキャンを行うと、彼らにはＩＤカードが与えられ、家の周囲や、現在建設中の近くの救援センターを行き来することが許された」と記者のリチャード・エンゲルはＮＢＣニュースの中で視聴者に語った。このシステムは、生体認証に応じなかった人たちを反勢力とみなすことで、ファルージャの住民の安全を確保することが目的だったと言われている。「そうなれば、規則に違反する者に対して、米海兵隊が殺傷力のある武器を使うことが許されるようになります」と記者は続けた。

生体認証プログラムを自分たちの武器システムへと組み込もうとする国防総省

イラク中で、即席爆破装置の数と威力は加速した。じきに、ほとんど毎日のように大量の死傷者を出す即席爆破装置の攻撃が続くようになった。１回の攻撃で10名以上を殺害することが可能な自動車爆弾、トラック爆弾、自爆犯などだ。25ドル（約３０００円）ほどの爆発物が無造作に人を殺したり、重傷を負わせたりする。そして、１回の爆発で何百万ドルの損害を与えることができるのだ。またしても、国防総省は不意打ちを食らった。指紋専門家のポール・シャノンとチームは、サポートのために再び、即席爆破装置攻撃のターゲットとなっていたバグダッド、モースル、そして、その他の都市に前方展開することになった。このときの目的は、のちに「ネットワークを攻撃せよ」作戦として知られることになる、対即席爆破装置作戦を遂行することだった。

「はじめのうち、国防総省の姿勢は、吹き飛ばして進めという感じでした。爆発物を見つけて、破壊し、その勢いでどんどん前に突き進めと。連邦捜査局における私たちの立場は、爆弾を作っている奴らを見つける必要があるというものでした。爆弾を作っている連中を止めることができれば、1万、いや、10万人の命を救う可能性があります。製造者を見つける。そうすれば、次の爆発を止めることができるのです」とシャノンは語った。

現場でさまざまな爆発物の専門家たちのチームと共に活動を続け、シャノンと連邦捜査局のチームは即席爆破装置の攻撃から証拠を集めた。「私たちは爆弾の装置から簡単な犯罪科学のトリアージを行い、戦場にいる兵士たちが爆発装置を発見し、あるいは、撤去することができるように、デザイン、外見、トリガー・メカニズム、そして、その他の特徴などのレポートを送りました」とシャノンは言った。同時に、「法執行機関が痕跡証拠として見つけるように、押収した爆発物からＤＮＡ、毛髪、特徴的な工具の跡、爆発物の分析、遺留指紋などを活用できる」ことは明白だった、とシャノンはつけ加えた。しかし、実際のところは、戦闘区域で指紋の証拠を送ることができる場所はどこにもなかった。「私はすべての証拠を手にして、イラクにいたのです。照合する必要がありました」とシャノンは当時を振り返りながら言った。

「そこで、すべてを箱に詰め、バージニア州のクアンティコに送りました」。箱は次から次へと送られた。

クアンティコの連邦捜査局の研究所は、テロリスト爆発物分析センター（ＴＥＤＡＣ）と呼ばれていた。ポール・シャノンが爆弾の部品を送り始めたとき、分析センターは設立から数カ月しかたっていなかった。２００３年12月にテロリスト爆発物分析センターができる前は、外国で製造された即席爆破装置の貴重な犯罪科学的な証拠を集めるための組織は政府に存在しなかった。テロリストの爆弾から収集した重要なデータを活用し、分析し、共有するための公式な手順(プロトコル)もなかったのだ。１９９０年代、エリック・ルドルフが自家製の爆弾でアメリカ人たちをテロの標的にしたとき、アルコール・タバコ・火器および爆発物取締局が爆発物に関する部分を担当していた。それが２００３〜２００４年頃には、クアンティコの複数の行政機関が集まったセンターにおいて、差し迫ったイラクの問題に対処するために共同で作業していた。

クアンティコに最先端の連邦捜査局研究所を建設するという巨大なプロジェクトはすでに始まっていた、とジョセフ・ディジノ博士は話してくれた。「テロリスト爆発物分析センターは、この新しい研究所の一部となるべきでした」。しかし、設計図はすでにできあがっていたので、どこにそれを設置するのかが問題だった。「そこで、それまで請負業者が搬入や駐車のためにに使っていた駐車場の中に、センターを建設したのです。ダンボール箱や壁板や電気部品などを全部片づけました」とディジノは言った。彼は以前歯科医だったが、１９７０年代に「冒険を求め、生涯の夢を達成するために」仕事を辞めて、連邦捜査局に加わったと言った。20年後の現在、爆発物課、化学・生物科学課、犯罪科学システム課、物証課、2つのＤＮＡ課などを統括する連邦捜査局センターにおいて、彼は犯罪科学捜査の部署を束ねる責任者となっていた。

ディジノは犯罪科学者の間では伝説的存在だった。彼はもともとＤＮＡユニット2と呼ばれた連邦捜査局のチームの一員で、髪一本や歯の欠片など、残されたごくわずかな人間の身体の一部からミトコンドリアＤＮＡを取り出す画期的な技術を使用することの正当性を立証した。ポール・シャノンが送った即席爆破装置の欠片が入った箱がバグダッドから届くようになると、ディジノが率いる新しいテロリスト爆発物分析センターのチームがそれらを受け取る窓口となった。

「連邦捜査局は、刑事的に起訴するという考えにもとづいて捜査します。ですから、証拠を集めたら起訴します。法廷でも説得力があると踏んでいるからです」とディジノは言った。そのプロセスは研究所でも同じだ。「指紋、ＤＮＡ、痕跡証拠、髪、繊維、機械の跡など、証拠の収集と保存は最も重要な作業なのです。現場や研究所で正しく取り扱わないと、法廷では通用しません」と彼は言った。つまり、「ゴミを入れればゴミしか出てこない」ということなのだ。

正確さを求めると時間がかかる。国防総省はさらに急を要する事態だと認識していた。アメリカ合衆国司法長官がテロリスト爆発物分析センターを国の機関としてその役割を任命したという事実にもかかわらず、国防総省は独自の犯罪科学研究所を前方展開する計画を立て始めた。バグダッドでは、シャノンは連邦捜査局の特別捜査官スコット・ジェシーと共に作業していた。ジェシーは複合爆発作用セル、あるいはCEXC（セクシーと発音する）と呼ばれる概念を発展させていた。当初、複合爆発作用セルチームは、回収した爆弾の破片を、バグダッドの指揮所からテロリスト爆発物分析センターに送っていた。しかし、爆弾の部品は捜査局の研究所が処理するより早くどんどん届けられた。最初の3カ月で800もの爆弾の一部が届いたのだ。「2005年か、2006年には8年から10年分に匹敵する証拠が未処理でした」とディジノは嘆いた。その頃には、ディジノはクアンティコの連邦捜査局研究所の所長に昇進していた。すべての捜査員は彼の指示に従った。

その頃、国防総省は独自に、戦域で集めたすべての生体認証情報と犯罪科学証拠を処理することができる機能を備えた最初の遠征研究所を開いていた。イラクのキャンプ・ファルージャにて2006年1月28日から稼働を始めた。追加の資金提供を求めて、ラムズフェルド国防長官は上院軍事委員会に出席して、誤った進捗（しんちょく）状況について報告した。「2006年3月までに、この新しい機能によって100を超える遺留指紋が集まり処理されました」とラムズフェルド国防長官は連邦議会で語った。しかし、この数に中身はなく何の意味も持たなかった。現実は、集められた何千もの爆弾の部品は解析されないままで、10万以上になろうとしていた拘束者たちの指紋やDNAサンプルと照合されることもなかったのだ。国防総省は他の法執行機関のパートナーたちと資金や情報を共有する必要性から距離を置き、生体認証のプログラムを独自に管理する自分たちの武器システムへと組み込もうとしたのだ。

集めたデータが役に立たない／連邦捜査局と国防総省の対立

イラク戦争の真っただ中に起きていた連邦捜査局と国防総省の主体性をめぐる対立は、長いことくすぶっていたものだった、とトム・ブッシュは当時を振り返って語った。刑事司法情報サービスの代表に昇進していたブッシュは、1000億円を超える刑事司法情報サービスの年間予算の責任者だった。彼は連邦捜査局長官のロバート・ミュラーに直接報告する立場となっていた。そして、そのミュラーはブッシュ大統領に直接報告したのだ。彼にとって、何かが間違っていると感じた最初の危険信号は、国防総省が紛争地域に送っていた何千もの低水準な生体認証収集装置だった。

「国防総省の技術は使い物にならない。生体認証自動ツールセットも携帯身元検出装置も標準装備ではない」とトム・ブッシュは捜査官たちに言った。生体認証管理室のジョン・ウッドワードも同じように多くの問題点を指摘した。のちに彼はこう認めた。「世界がＶＨＳに移行していたのに、生体認証自動ツールセットはベータを使っているようなものでした。多くの問題を克服しなければなりませんでした」とウッドワードは言った。中でも注目すべきは「標準化と相互運用でした」。トム・ブッシュが言ったことと同じだったのである。

「虹彩スキャンにいたっては、データを変換できませんでした。何のための虹彩スキャンですか？　犯罪現場に虹彩を置いていく人などいません。民間の会社は誰がビルの中に入って、誰が出ていったのか知りたい。もちろん、それで構いません」と、ブッシュはつけ加えた。しかし、戦争は激しさを増していた。「それが、連邦議会では〝どうして虹彩スキャンなのか？〟と誰もたずねないのです」。

歴史的に、国防総省ではそれぞれの軍が、資金、権力、そして、支配権を争ってきた。彼らの特殊な業務のニーズに合わせて、独自のシステムが構築された。これが大失敗の始まりだった。「まずは、海軍でした」とブッシュは言った。「次に、特殊作戦部隊。彼らは高高度装置を要求した。他の部隊は砂漠用装置、水中用装置、また、それぞれの気候や基準にあった装置を要求したのです。その重要性はみな同じでした。しかし、これらの装置は相互運用できるものではありませんでした。私たちがいろいろと確認していくと、大きな穴があちこちにありました」。

国防総省は特殊作戦部隊のために、「特殊作戦識別優性同定キット」と呼ばれる2つの異なるタイプの特別仕様装置を、1648個購入した。1つ目のタイプは「それほど厳しい環境ではない」ところで使用する装置で、120万円ほどだった。2つ目のタイプは「戦術環境で情報をつかみ公開するため」の装置で、約240万円だった。合計で15億円する装置が、その他の軍や連邦捜査局と拘束者に関する情報を共有することができなかったのだ。海軍は彼らしか使用できない3つのタイプの生体認証システムを持っていた。1つは識別優性システム、もう1つは戦術生体認証収集同定システム、最後は公海で使用する拡張海軍迎撃作戦システムと呼ばれるものだった。これらの予算がどこから出たかは機密事項だった。こうしたシステムは、前方展開された基本的に使い物にならない機械を多量に購入したほんの数例に過ぎない。

「気が滅入りました。施設に入ると、こうした装置の上にコーヒーポットが載っているのですから」とトム・ブッシュはそのときのことを思い出しながら言った。

このように懸念していたのはトム・ブッシュだけではなかった。「捜査官たちが疑いのあるテロリストたちの身元を確認する技術は急速に現場に広がっていった。しかし、こうした取り組みはうまく調整されておらず、重要な情報の空白部分ができてしまう。これは情報サイロと呼ばれ、情報やコミュニケーションシステムが相互にリンクされない状態を表した用語である」と生体認証コンソーシアムの会議において、防衛顧問のグループが忠告した。しかし、国防総省は前進し続けた。さまざまな防衛請負業者が中心となって生体認証を推し進めていった。生体認証は「誰もごまかすことのできない最後の証拠となる」と、国家生体認証安全保障プロジェクトの部長だったリチャード・E・ノートンは宣言した。

その進展ぶりが批判されると、一般論的な回答をした。「国防総省には生体認証における1人の責任者という者がいません」と防衛研究技術局の現場責任者だったトム・ディーは言った。「私たちは、パラダイム・シフトの非常に困難な状況の真っただ中にいるのです」と、国土安全統合を担う国防副次官補のドナルド・ローレンは強調した。

連邦捜査局は議会から相互運用を牽引するグループを指揮するように指示された。「こうした問題を明らかにするために、私たちは国防科学評議委員会へ足を運びました」とトム・ブッシュは言った。「生体認証の技術的な問題が、逆に軍がさらに資金を投入してシステムを構築することを許しているように思われました。だからこそ、彼らは刑事司法情報サービスのような独自の機関が国防総省内にも必要だと考えました。それだけのことだったのです」。しかし、連邦捜査局からの要望は聞き入れてもらえなかった。国防総省の生体認証プログラムは立ち上げ当初から不確実なものだった、と議会の監査が明らかにするまで何年もの月日が流れてしまったのだ。連邦捜査局の生体認証の基準を無視したばかりでなく、自分たちが定めていた基準さえも無視してしまっていた。「特に、陸軍が主にデータを収集するために使用した機器は、国防総省が定めた基準を満たしていなかった」と書かれた政府説明責任局のレポートが2011年に見つかっている。その基準を満たしていなかったのは「国防総省によると携帯機器から最も多くのデータを収集した」と言われる携帯身元検出装置のことだったのだ。それは絶好のタイミングを逃したとしか言いようがない。レポートが公になったときには、最後の米軍部隊がイラクから帰還を始めていたからだ。

国防総省がときに力ずくで巧みに入手する「人々が発狂するような」個人情報

両者の協力を阻(はば)んでいた2つ目の理由が、使えない収集機器よりもさらに結果的に問題を複雑なものにしていた。それは国防総省が取り扱いに注意が必要な機密情報を保管する生体認証データベースを、独自に運用するべきだと主張したことだ。そして、最終的には自動生体認証識別システム（ABIS）として知られることになるシステムが登場した。生体認証知識ベースシステムと呼ばれた国防総省の最初のバージョンは、2003年にオンライン化され、国防総省内の生体認証高官調整部会と生体認証業者作業部会のメンバーしかデータを閲覧することができなかった。これらのメンバーは「システムの運用が始まったときから、ユーザーからのフィードバックを取り入れ、機器の試験運用や評価方法の初期段階について公開するために技術的要素の微調整を行ってきた」と、生体認証融合センターの所長であるスティーブン・ファーレル陸軍少佐は言った。彼はデータベースのことをセキュア・ソケット・レイヤーに保護された「ウェブサイト」と呼んだ。また、まもなく「政府を意味する.govや軍を意味する.milがついたメールアドレスを持つすべての政府のユーザーたちがアクセスすることに」なるだろうとつけ加えた。その時点で興味を示した人はほんのわずかだった。登録したユーザーは100名ほどだった。

「国防総省は毎年1万人の人が登録を希望すると予測しています」と生体認証融合センターのスポークスマンは語った。

「しかし、なぜ国防総省は独自のシステムが必要なのでしょうか？」と、トム・ブッシュは大げさにたずねた。「同じことを政府中の人がたずねていました。なぜ、別のシステムが必要なのかと。簡潔に言えば、それは使命だったのです」。アメリカ同時多発テロ事件が起きた後、鍵となる3つの機関が生体認証という新しい事業に着手した。連邦捜査局、国防総省、国土安全保障省だ。「それぞれがまったく違う使命を持っていました」とブッシュは明言した。「国土安全保障省は善良な人々の担当です。彼らが対応していた99・9％の旅行者は問題のない人々で、その中にテロリストがいる確率は低いのです。連邦捜査局は悪い連中を取り扱うところです。私たちの犯罪データベースに登録されているのは、100%刑事司法制度との関わりがあった人物です。国防総省には別の理由があります」。つまり、彼らは戦争をする人たちだ。「国防総省は自分たちがやるべきことをやっているわけです」。そして、国防総省がデータベースを使って何をするのか、つまり、どんな情報を集め、何を保管し、それはなぜなのかは、そのほとんどが機密情報だ。

アメリカ同時多発テロの後に設けられた国防総省の決定は、根本的にその方向性を変えずに形を変えていった。2003年に生体認証管理室で進められたジョン・ウッドワードの3段階の計画は、国防総省と協力して、身元の特定に連邦捜査局の強力な総合自動指紋認識システムのデータベースを使用することが含まれていた。「私たちはそうやってムハンマド・アル・カフタニを見つけました」とポール・シャノンは2019年のインタビューで語った。しかし、自動生体認証識別システムにデータベースの独占所有権を持っていた国防総省は方針を変更した。連邦捜査局の協力者は踏み込むことができないとわかっていた領域に参入することにしたのだ。自動生体認証識別システムは、連邦捜査局が合法的に保存できない生体認証データを保存し、検索ができるものだった。連邦捜査局がある人物から生体認証データを入手すると、捜査のための正当な理由というものも含めて、一連の標準実施要項に従って作業が進む。国防総省が特定の人物の生体認証データを入手したければ、望みどおりに手に入れる。ときに力ずくで、ときに巧みに操作して入手するが、ほとんどの場合、その人物のきわめて個人的な情報はおそらく永遠に国防総省の手元に残るだろうということは本人には伝えられない。

「国防総省は自動生体認証識別システムで、連邦捜査局が収集を承認されていない情報を人々から集めるようになりました。アメリカ国内であれば、人々が発狂するような個人的な情報です」と、トム・ブッシュは２０１９年に説明してくれた。

アフガニスタンにおいて２００万人以上の生体認証データを記録するも、致命的な問題が生じていた

２００４年９月23日、国防総省の生体認証管理室は、国防請負業者であるロッキード・マーティン社に自動生体認証識別システムを開発し、構築し、維持する5年間の契約を発注した。その後、８年間にわたって生体認証との戦いに費やすことになる35億ドル（当時の相場で３８５０億円）のプロジェクトの始まりであった。

自動生体認証識別システムのデータベースは、驚くべき速度で拡大していった。２００７年夏、生体認証タスクフォースは１５０万人分の記録を集めたと報告している。２００８年には、

その数は倍ほどに膨れ上がった。イラク人２７０万人の生体認証データが集まっていた。しかし、このように国防総省がデータを収集しているとき、巨大な予算と共に自動生体認証識別システムのプログラムは飛躍的に前進したが、ずさんな管理状況は改善されなかった。国防長官に直接報告を行う運用試験および評価担当官（ＤＯＴ＆Ｅ）事務所の監査員が、自動生体認証識別システムの運用能力について「不適切……扱いにくい……訓練や有用性やヘルプデスク運営分野において多くの欠落があり、機能的に不十分」だと評価するまでにさらに7年の歳月を要した。おそらく、中でも最も厄介だと監査員が判断したのは「自動生体認証識別システムのバージョン１・2が、単純なサイバー攻撃に対して残存可能ではなかった」という点だ。しかし、このようなひどい問題を修正する代わりに、国防総省は新たに大胆不敵な計画に突き進んでいった。その対象の範囲も管理も驚くべきものだった。世界で最も強力な軍隊は、まさにそのときアフガニスタンにおけるほとんどすべての人口の生体認証を集めようとしていたのだ。

２０１０年、アフガニスタンにおいて、アメリカ陸軍が新しく創設した生体認証タスクフォースは、およそ２５００万人の住民の80％の生体認証情報を収集し始めたと発表した。国防総省が立てた2年間の目標は、２２００万人分の指紋、虹彩スキャン、場合によってはＤＮＡを集めることだった。まずは、戦争に参加できる年齢の男性たちから開始した。２０１１年の秋には、アフガニスタンの２００万人以上の生体認証情報を記録した。データはすべて国防総省だけがアクセスできる自動生体認証識別システムのデータベースに送られた。

２０１１年の秋には、ロッド・ノードランドというニューヨークタイムズの記者が、このほとんど知られていなかった生体認証プログラムの実態を取材するためにカブールへと向かった。記事を書くにあたり、「アフガニスタンの家系ではなく、ノルウェー系アメリカ人」のノードランドは、陸軍が生体認証自動ツールを使って彼の情報を収集することを許可した。彼の指紋と虹彩スキャンが「装甲ケースに収められた生体認証自動ツールに入力されると、予想外の一致がスクリーンに映し出された。そこにはひげがもじゃもじゃ生えたアフガン人の写真が現れたのだ」とノードランドは書いた。

国防総省の自動生体認証識別システムデータベースは、ロッド・ノードランドをアフガニスタンのテロリスト監視項目4番目のハジ・ダロ・シャー・ムハンマドと間違って特定した。「アクセスを拒否せよ。雇ってはいけない。対象者は脅威を及ぼす」と表示された。

ノードランドのアメリカのパスポートを一目見れば、ハジ・ダロ・シャー・ムハンマドが彼に扮（ふん）しているのではないことは明らかだった。しかし、この判定はさまざまな致命的な問題があるという事実をはっきりと示していた。その中には、ひどい人物誤認が含まれるが、これだけに限定されるものではなかった。連邦議会には、完全無欠な機器として売られた極秘自動システムだと報告されたが、実際はそうではなかったのだ。多くのことがとんでもなく間違った方向に進んでしまう可能性があった。そして、実際にそうなったのである。

PART 2

第5章　地理的な条件は宿命的だ

アフガニスタン南部、タリバンの本拠地へ向かった〝ファースト・プラトゥーン〟

それは2012年2月のことだった。ファースト・プラトゥーンの若いパラシュート兵たちが、アフガニスタンの戦争区域に向かっていた。最初の訪問地は米軍の中継センターのキルギス共和国マナス空港だった。キルギスは中央アジアの内陸に位置する人口670万人の国だ。キルギスは1936年から、かつてのアメリカの宿敵であるソビエト連邦を構成していた共和国だったが、ソ連解体後の1991年に独立を果たした。2001年、アメリカ政府はキルギス共和国と、戦争に向かう兵士や物資を輸送するための拠点として戦略的空軍基地を建設するという契約を交わした。その後、18年間にわたり、77万5000人の米兵が少なくとも一度はアフガニスタンに配備された。地理的な条件は宿命的だ、と言われる。どこで生まれたかによって、その人の人生に何が起きるかに必ず影響する。自国の重要な兵役のために、どの土地へ配属されるかも同じようにその人の運命を左右する。ファースト・プラトゥーンが向かったアフガニスタン南部は、タリバンが本拠地にしていた場所だ。タリバンが支配し、統治し、権力を行使していた。もしアフガニスタンが炎上すれば、そして、隠喩的な意味ではすでに炎上していたのだが、ザリ地区、パンジャウイ地区、そして、マイワンド地区が烈火の中心地になるだろう。国防総省の謹厳（きんげん）な言い方を借りれば、これら３つの地区は２０１２年の「武装兵士活動重点地域」となっていた。

兵士それぞれの事情

ファースト・プラトゥーンは軍用ではない通常の座席のボーイング７４７チャーター機でマナスへ向かった。頭上の棚にはＭ４カービン、Ｍ２４９分隊支援火器、Ｍ３２０グレネードランチャーなどが詰め込まれていた。「暴発しないように、ボルトは外され、結束バンドで縛っていました」とダニエル・ウィリアムズ二等軍曹は言った。彼はプラトゥーンの下士官の１人だった。兵士はそれぞれリュックサック、２つのダッフルバッグ、そして、夜間作戦用の攻撃用パックを持っていた。ダニエル・ウィリアムズ二等軍曹は縁起を担いで、ポケットに赤いポーカーチップを持ち歩いていた。

飛行機は着陸し、兵士たちは中から降りてきた。空は灰色で、キルギスには雪が降っていた。ジョージア州で育ったサミュエル・ウォーリー一等兵はほとんど雪を見たことがなかった。彼はこの部隊に配属されない可能性もあったので、これから彼に起きることを考えるとなかなか興味深い。配属先が決まる前、フォート・ブラッグ（ノースカロライナ州）での配置前訓練中、ウォーリーはトラブルメーカーと言われていた。彼は、ふざけていて左手の薬指を骨折したので、配属されなくてもおかしくなかった。「陸軍は1人でも多くの兵士が必要でした」と彼は言った。そして、彼もアフガニスタンに向かったのだ。戦地に赴（おもむ）く少し前に、ウォーリーはフォート・ブラッグのシャワールームの鏡の前に立ち、気後れするような気持ちで自分の姿を眺めたことを覚えている。自分はどんな人間になりたいのか、はっきりとはわかっていなかった。「陸軍は新しいアイデンティティを作り上げてくれます」とウォーリーは言う。「これまで持っていた目標を捨てさせ、新しい目標を与えるのです。ある人たちにとってはよいことで、また他の人たちにとってはよくないことかもしれません。ずっと同じままでいる人なんていませんからね」。２０１９年、戦争についての哲学的な議論が起きていたそのとき、アフガニスタンでのことを振り返り、ジェイムズ・オリバー・ツイスト一等兵はウォーリーの話に賛同した。

「戦争に行ったときの自分と帰ってきたときの自分はまったく違っていました」。

ツイストはマナス空港の滑走路をウォーリーと共に歩いた。２人は同じ武器分隊に配属されることになっていた。ウォーリーは重火器と装甲車両の担当だった。

ツイストは、トールと呼ばれる、イラク戦争で開発された即席爆破装置対策妨害電子システムを運んでいた。ツイストはウォーリーより数センチ背が低く、カンダハールの砂がからむと、茶色い髪は赤みを帯びた。彼は分厚いレンズの眼鏡をかけていたが、眼鏡をかけなくてすめばどんなによかったか、と思っていた。暗視ゴーグル（ＮＶＧｓ）を使用しなければならないときは、特にそう感じた。「生まれつき目が悪くてね。どうにもならないこともあります」と彼は言った。ツイストとウォーリーが配属されたとき、２人とも19歳だった。誕生日も同じ６月で、１カ月も離れていなかった。

ツイストは幼い頃から兵士になりたいと思ってきた。そして、その夢を実現して誇らしく感じていた。小学生の頃の最初の絵は、クレヨンを使ったゲティスバーグの戦いを描いたものだった。ツイストはミシガン州のかぼちゃ畑と馬の農場のそばで育った。子どもの頃は、裏庭で兵士ごっこをして遊んだ。砂場にＧ・Ｉ・ジョーの人形を並べて動かし、木に登って高いところからおもちゃのピストルを撃った。チャールズ・ディケンズの小説からではなく、叔父の名前からオリバーと名づけられたが、それでも家族はインテリじみた冗談を楽しむようなところがあった。ツイストの家族はそんな感じであった。クリスマスには「ツイストマス」を家族で祝うとか、そんな冗談を楽しむような一家だったのだ。少年たちの中には、親の離婚、暴力、貧困など、悲惨な家庭の状況から逃れるために高校生のときに軍隊に入る者たちもいた。ジェイムズ・オリバー・ツイストは違った。「私は別の理由から戦争に向かったのです」と彼は回想した。

アメリカ同時多発テロでハイジャックされた航空機がビルに突っ込んだとき、ツイスト一等兵は小学4年生だった。そして、そのときの光景が記憶に焼きついている、と彼は言った。それ以後の家族写真では、迷彩服を着て小さな手で星条旗を振っている彼の姿が確認できる。「9月11日から第82空挺師団まで、一本の線でつながっていました」とツイストは言った。アメリカ陸軍の伝説的な空挺歩兵隊のパラシュート兵になることが、彼の目標だったのだ。

ツイストの父ジョンはベトナム戦争に従事した。2人の祖父は第二次世界大戦で戦った。イギリス人の高祖父は第一次世界大戦に参加したが、カナダのハリファックスに駐留したので、戦闘には加わらなかった。２００９年10月、ツイストが16歳の頃、ベトナム戦争時のプラトゥーンの同期会に参加する父に同行した。ミシガン州グランド・ラピッズのヒルトンホテルで開催され、軍人の誇りの精神から、ジェイムズ・オリバー・ツイストは、父の１９６８年製の軍服を着て行った。

「サイズがぴったりでした。グループでエレベーターに乗っていたとき、見知らぬ人が彼に向って〝お勤めご苦労様です〟と言いました。どうやら現役勤務の兵士と間違えたようです」と、ツイストの父、ジョン・ツイストは当時のことを思い出しながら話してくれた。

「どういたしまして」と、まるで時間を超えて、未来からそのメッセージを届けるように、ジェイムズ・ツイストは答えた。父も息子も爽快な気分だった。2人は微笑み（ほほえ）を分かち合った。

彼が高校3年生のとき、母親のキャロライン・スコット・ロビンソンは癌（がん）を患い亡くなり、それまでの考え方が一変した。生まれてはじめて、彼は生きる意味について真剣に考えるようになった。「私には目的が必要でした。何かに集中していないと、暗闇に引き込まれそうでした」と彼は言った。ツイストはノートに自分の思いを書き綴った。母親のイニシャルである「CSR」をほとんどのページに書いた。母親が亡くなる前に最期に言った言葉を何度も何度もノートに書き込んだ。「弱い人間になってはいけないわ。あなたはとても強い子よ」。2011年春、ツイストは新兵募集事務所を訪ね、アメリカ陸軍に入隊した。18歳のときだ。

「私は兵士になるために生まれました。そのために存在したのです」と彼は言った。

フォート・ブラッグでの配置前訓練では、ツイストは日記を常に持ち歩き、ほとんど毎日書き込んだ。のちに、彼に起こることを考えると、初日の書き込みは不吉で暗示的だ。

8月3日―昨晩、俺の人生における大切な人たちの多くが犠牲になる交通事故の夢を見た。クリスチャン・ハウンプラーが死ぬ夢を見た。俺は彼の母親に電話した。

「ああ、ジェイムズ」。彼女は泣いている。

「本当にこんなことが起きているの？」と俺はたずねた。

「そうよ」

会話はそこで途絶えた。

同じ日に、俺はあるパーティーに行って、そこにいた連中と話をした。彼らはクリスチャンの死に納得しているようだった。まるで、もう大丈夫だという感じなのだ。俺は生きることや大事な友だちのことを本当に真剣に考える性質(たち)なことがわかる。俺は家族や友だちを愛している。彼らが死ぬようなことがあれば、ひどい日々はもっと続くだろう。陸軍に入隊したことはよい決断だったと感じている。しかし、心の中ではアフガニスタンやイラクについてひどく暗い気持ちになっている。

―死ぬかもしれない。

―ＰＴＳＤになって戻るかもしれない。

―大怪我を負って、障がい者となって生きていくことになるかもしれない。

—友だちが死ぬかもしれない。

戦争についてもっと多くのことを考えている。もしかしたら、頭の中をめぐる思いももうすぐ収まるかもしれない。悪い夢ばかり見る……ここは（ローマカトリックの）煉獄みたいな場所だ……なんとかがんばってみよう。俺は強い人間だ。お母さん、安らかに眠って。ＣＳＲ。


兵士たちがキルギスの滑走路の上を通って、中継センターの施設に向かって歩いていたとき、雪が激しく降っていた。

「すべての荷物を持ってバランスを保って歩くのは困難でした」と、プラトゥーンの特技兵の１人であるトッド・フィッツジェラルドは思い出しながら語った。フィッツジェラルドが子どもの頃、人々は、彼の背が高くてひょろっとした体型をからかった。「みんなが私のことを細い棒と呼んでいました」と彼は言った。高校卒業後、彼はパラシュート兵のバッジを手にして、彼らを見返してやりたいと思った。「背が高くてひょろっとしていても、オールＡの成績を取って」、立派な兵士になれるというところを見せたかった。

それぞれが武器やパックを持って歩くと、凍った滑走路は滑りやすかった。

「１人が滑って転んでしまいました」と、フィッツジェラルドはそのことを覚えていた。「そうしたら誰かが〝スナイパー〟と叫んで、みんなが笑いました。軍隊のユーモアは毒のあるユーモアなのです。私たちもまだ物事を軽く考えることができていたのだと思います」。確かに、そのときは誰もがまだそうだったのだろう。

オリエンテーリングと呼ばれる巧みな地図読解力に恵まれたザッカリー・トーマス一等兵はまだ18歳で、転んだ兵士のそばに立っていた。トーマスは戦争に行くという興奮の中で高揚し、転んだ兵士を見て笑った。

「マナスにいた頃は、楽しかったと思います。まだね」とトーマスが言った。テキサス州クロズビー出身の彼もまた雪に慣れていなかった。

兵舎に荷物を下ろすと、多くの兵士たちが外に出て、他の部隊と雪合戦を行った。

「陸軍対海軍ですよ」とウォーリーはおどけて言った。

トーマス一等兵と数名の兵士たちは雪だるまを作って、陸軍の帽子を被(かぶ)せた。彼らは本国にいる家族に送るために思い思いに写真を撮った。

「法の支配を課す」という戦略の一環としてアフガニスタンに送られたファースト・プラトゥーン

バラク・オバマ大統領は、就任した最初の年、３万３０００人の兵士をアフガニスタンに送り、その数は２０１０年までに10万人以上に膨れ上がった。次の年の夏、大統領はまず、１万人、そして2万３０００人、その後1万人というように、アフガニスタンから徐々に兵を撤退させると宣言した。ほとんどの兵士が帰途につく中、ファースト・プラトゥーンのパラシュート兵たちは、救助のためにワールドトレードセンターに駆けつける消防士たちのように活動した。

「陸軍は兵士たちが必要とされている場所へ行くという前提で訓練を行っています。そして、私たちは必要とされたので、覚悟して戦地に向かいました」とウィリアムズ二等軍曹は言った。しかし、正確には何のために行ったのか？　さかのぼること２００8年の秋、前政権のジョージ・ブッシュ大統領がスタートした尋常ならざる軍事計画の影響が出始めていた。流血の惨事が7年間続いたが、ほとんどその効果はなく、国防総省はアフガニスタンにおける戦力を変更することに決めた。

「勝利のために、このまま殺し続けたり捕らえ続けたりすることはできない」と、２００8年秋、首都ワシントンのフォート・マクネアにある国防総合大学に集まった国家安全保障の戦略家たちを前に彼らは言った。新しい戦略は、アフガニスタン全土に法の支配を課すというものだった。4年後の2012年、ファースト・プラトゥーンはこの取り組みの一環として送られてきたのだ。

アフガニスタンに刑事司法制度を導入し、あらゆる問題を解決する治療薬として採用された生体認証

現在は情報開示されている「アフガニスタンにおける司法制度プログラム」と呼ばれるレポートの中で、国務省は国防総省に「司法制度がなければ、諸外国がどんな貢献をしたとしても、国は発展しない」と伝えた。この結論は、基本的に同じようなことを主張していたさまざまな研究論文やレポートに支持された。「現代的で機能的な政府の不在は、タリバンやアルカイダを存続させる」と、監査長官は当たり前のことを警告した。司法制度には刑事司法制度が必要だが、アフガニスタンにはそれが存在しなかった。「法執行機関、裁判所、矯正施設のシステムの基盤は消滅していた」ことを国務省は明らかにした。

残っていたのは紛争による解決であり、アメリカ政府はそれを受け入れることはできない、

と国防総省は追加のレポートの中で連邦議会に報告している。アフガニスタンに送られた社会学者、文化人類学者、犯罪学者、国家安全専門家たちは、司法制度の問題点について、伝統的なアフガン人たちの紛争による解決方法は、「国際的な人権の原理と矛盾する（原文のまま）もの」だと説明するレポートを送った。１つの例として注目されたのは、「バードの習慣で、これは紛争解決における伝統的な習慣で、主にパシュトゥーン族に見られるが、紛争の解決法として、若い女性が自分より年上の家族のために交換条件として相手方に渡されるというもの」だと報告された。

連邦議会は、この問題を解決するための国防総省の取り組みをサポートした。「アフガニスタンに司法制度を定めることは、アメリカの対アフガニスタン戦略の優先事項であり、連邦議会にとって関心のある問題である」と、両議院が納得した。アフガニスタンには「法執行機関、裁判所、刑務所や拘置所などの矯正施設のシステムの基盤がない」ため、国防総省は新しい西洋式の刑事司法制度を作るために陣頭指揮を執った。２００９年から、司法制度に関係した数十億ドルのプログラムがスタートしたのだった。

国際治安支援部隊（ＩＳＡＦ）の指揮官スタンリー・マックリスタル大佐は、ホワイトハウスにジョイントタスクフォース４３５（後に、共同統合諸機関間ジョイントタスクフォース４３５と改められる）の設立を承認するように願い出た。その目標は「アフガニスタンにおける拘留活動、尋問、法運営を中央集権化する」ことだった。マッククリスタルの副司令官は、マーク・マーティンス准将（じゅんしょう）だった。ハーバード大学法律大学院を卒業したローズ奨学生で、陸軍の軍事法務官を務めた人物だ。マーティンス准将は、アフガニスタン司法制度戦地軍と呼ばれる組織を創設した。

マッククリスタル大佐は戦場をトップダウン方式に見たが、マーティンス准将は「司法制度の導入に現地でのサポートを行いながら」、土台から少しずつ作戦を積み上げていった。法執行機関、裁判所、矯正施設のシステムでは、戦闘歩兵は法執行機関の役割を果たしながら行動する。生体認証の取り組みによって、７０００の生体認証自動ツールがアフガニスタン全土に配備された。さらに、紛争地帯で指紋、虹彩スキャン、顔画像、ＤＮＡを採取するために1万２０００人の兵士が訓練を受けた。生体認証はあらゆる問題の解決策だと連邦議会を納得させたのだ。すべての病気を治す治療薬である。

２０１０年秋、陸軍の生体認証タスクフォースは、カブールで記者会見を行い、生体認証の取り組みがどのように行われ、そしてなぜ効果的なのかについて説明した。アメリカ陸軍大佐グレッグ・オズボーンは、アフガニスタンでは1978年から国勢調査は行われておらず、「法によって認められている市民を特定するのは難しい」と言った。そして、オズボーンは国防総省が掲げる3つの目標について概要を説明し、それは「我々のパートナーであるアフガン人たちが、誰が自国の国民なのか理解すること、アフガニスタンが国境を管理すること、そして、アフガニスタン・イスラム共和国政府（ＧＩＲｏＡ）が〝市民の身元を把握〟すること」だとした。簡潔に述べられたこれらの目標は以下のとおりだ。

―市民の身元確認
―国境管理
―国家権力の行使

アフガニスタンでは、ほとんどの市民は国から有用なものをまったくといっていいほど受け取っていなかった。全体の85％を占める大多数の農村地域の住民は政府からどんな社会福祉サービスも受けていなかった、とアメリカ人の調査員たちは明らかにした。また、これらほとんどの農村地域には電気、水道、下水設備、保健サービス、警察、あるいは、治安対策活動なども存在しなかった。生体認証によって人々を登録して管理すれば、こうした問題を変えていくことができる、とオズボーンは主張したのだった。「誰が国民なのか把握することができれば、アフガン政府は将来において、正確で効果的な方法で人々にサービスを提供することができる」と彼は言った。そんな理想的な根拠を示されて、誰が反対するだろうか？　基本的なサービスの充実は核となる基本的な思想であり、国民と国の間との理論にもとづいた合意なのだ。

ペストの流行が終わった17世紀後半から18世紀前半にかけて、社会契約説という近代的な考え方の高まりが起こった。市民社会の社会契約における基本的な思想の1つに、社会契約が機能するためには個人が自分自身の権利をいくつかあきらめなければならないというものがある。社会の一員としてより大きな善のために協力し合い、そうすることで恩恵を受けることができる。哲学者ジョン・ロックが、市民社会の中で生きていくために個人が最初に放棄するのは、権利を侵害した人を罰するという権利だと主張したのは有名な話だ。市民社会において存在できるのは、たった1つの刑事司法制度だ。すなわち、国によって運営される制度である。法執行機関、裁判所、そして、矯正施設が市民社会の中心となるのはそのためだ。好き勝手に人を殺したり、何かを強要したり、紛争を解決するための性の道具として、若い女性を年上の親戚に差し出したりすることはできない。司法制度を基盤とした社会ではそんなことはありえないのだ。

アメリカでは市民の権利に違反する行為——それがアフガニスタンに導入された

アフガニスタン刑事司法制度を築くために、国防総省の生体認証の取り組みは、アフガン人のパートナーが関わっているとオズボーン大佐は発表した。カブールに設置されたアフガニスタン内務省生体認証センターは、アフガン人の中佐モハマド・アンワル・モニリによって運営されていた。アメリカ人によって資金援助を受け、アフガン人が率いるプログラムはアフガン1000と呼ばれ、まもなく開始されることになっていた。オズボーンによると、「アフガニスタン全土に開設される人口登録局の窓口と協力して、鍵となる国境地帯で生体認証のデータをアフガン人の行政官が収集し、登録し、システムを運営する」ということだった。短期的目標はアフガニスタンの人口2500万人の80％にあたる住民の10本の指紋、2つの虹彩スキャン、そして顔画像を登録することだった。長期的目標は「アフガニスタン・イスラム共和国政府が生体認証において完全にコントロールし責任を負う」というもので、特に期限は設定されなかったが、なるべく早く達成するということになっていた。

2010年、ほとんどの人が生体認証による闘いという概念についてまったく聞いたことがなく、オズボーン大佐は陸軍の記者会見において、いくらか時間を使ってその科学がどう役に立つのかについて説明した。「生体認証は、アフガンと国際治安支援部隊が、アフガニスタン内で活動しているテロリストや武装兵士を標的にすることができる。この技術によって、例えば書類や不発即席爆破装置から指紋とDNAを採取することで、犯人につながる人物の特定を可能にする。不発即席爆破装置が道路脇で見つかった場合、我々はそこから可能性のある指紋を採取し、データベースを照合して身元を割り出し、誰が爆発物に触れたのかを知ることができるのだ」。

演説の最後にオズボーン大佐は、モニリ中佐に少し発言してもらうためにマイクを向けた。「内務省生体認証センターの目標は、アフガニスタンに安全と安定をもたらすことです。武装兵士や犯罪者たちから、法に従うアフガン人を分けることなのです」とモニリは言った。

犯罪者を街から排除することはすべての人のためになる、というのがその考えだった。アメリカでは、非常に個人的な生体認証データをすべての国民に求めることは、おそらく確実に合衆国憲法修正第四条に違反することになるだろう。プライバシーに関する市民の権利に違反する受け入れがたい行為だ。しかし、そこはアフガニスタンだった。アメリカ人が市民を監視し、追跡するこのような軍隊の監視手段が、最終的にはアメリカ合衆国内でも使われるようになるとわかるまでには何年もかかった。

アメリカが運営する最大級の刑務所でイスラム教の聖典・コーランが燃やされる

キルギスのマナス中継センターの施設には、はじめて戦地に赴く戦闘歩兵たちにとって、これ以上望むものなどないほどすべてのものが揃っていた。「ＤＩＦＡＸ（食事をする施設）は24時間営業でした。夜中の2時にチョコレートバーを自動販売機で買うことができました」とフィッツジェラルドは言った。彼は仲間からフィッツと呼ばれていた。あの日の夜、フィットネスジムの入り口の上に設置されたテレビから、ＣＮＮがニュース速報を伝えていた。カブールで起こった暴動だ。

「タイヤとかいろんなものが燃えていました」とウォーリーは回想した。

「大変な事態になっていました」とツイストも記憶していた。

「頭の悪い連中が（イスラム教の聖典の）コーランを燃やしたのです」とフィッツも当時を振り返って言った。

アフガニスタンにおける司法制度の取り組みについてさらに事態を複雑にしたのは、コーランを焼いたのが、アメリカが運営していた最大級の刑務所で起きたことだった。パルヴァーン州の拘置施設だ。法執行機関、裁判所、矯正施設（つまり刑務所や拘置所）の枠組みの中で、アメリカが建設したこの刑務所は矯正を行うシステムにおける功績というものだった。

「まさか。本当に誰かがそんなことをしたのか？　と思ったことを覚えています。私はテキサス出身です。外国人たちが地元のバプテスト教会にやってきて、聖書を燃やすなんてことを想像できますか？　そんな愚かな人間がいるとは思えませんでした」とフィッツは言った。

コーラン焼却はアフガニスタンのいたるところで、ドミノが倒れていくように悲惨な連鎖反応を引き起こし、深刻な結果をもたらした。この出来事によって首都ワシントンでは、政治的な論争の嵐が巻き起こり、本人たちが想像もつかない大変な事態にファースト・プラトゥーンは巻き込まれていったのだ。

第6章　カブール炎上

コーラン焼却事件は市民の暴動、そして国家間の問題に発展していった

破滅的な論争を巻き起こした「コーラン焼却」事件の聖典は、刑務所の図書室から持ち出されたものだった。そのパルヴァーン州の拘置施設はアメリカ政府主導で数百万ドル規模の改修が行われており、アフガニスタン最大の規模だった。また、アフガニスタンにおける米軍基地としては最も大きいバグラム米空軍基地からおよそ1・6キロのところにあった。

一方、古い刑務所はバグラム収容ポイントと呼ばれ、ブッシュ政権のときに建てられたが、醜悪な犯罪事件が起きて問題となった場所だ。2002年、2人のアフガン人の囚人が、米陸軍の兵士たちに暴行を受けて亡くなった。そのうちの1人、ヤクビのディラーワルとして知られるタクシー運転手は、のちにどんな罪も犯していないということが判明した。彼はアメリカのために働いていたアフガン人の悪質な役人に、テロリストだという濡れ衣を着せられた。役

人は無実の人間を差し出して、正義の報奨金として1000ドル（当時の相場で約12万5000円）を受け取った。結構な額が支払われていたことを、のちに犯罪捜査官が発見したのだった。

パルヴァーンの新しい刑務所はもっとよい印象を与える必要があった。ジュネーブ条約の条件を念頭に建設され、それぞれ950台のベッドが備えつけられた3つのユニットに分かれていた。これまでのアフガンの刑務所と違い、パルヴァーンの施設には電気系統施設、下水設備、そして、排水システムがあった。陸軍の報道発表によると「高額な医療サービス、農業、パン作り、洋裁など、知識や技能を学べるクラスも提供していた。収容者の家族が面会に訪れることも可能で、遊び場があって子どもたちが遊べるようになっていた」。司法制度の取り組みを進める中で、国防総省は世界にメッセージを送りたかった。アフガニスタンの犯罪容疑者は、偏りのない公正な裁判を待つ間、しっかりとケアされていると主張したかったのだ。この施設には、軍隊の網に引っかかった一般の村人たちと同じように、過激なジハードを行う者たちも収容されていた。高い塀に囲まれ、クリーグ灯が設置され、監視塔もついていた。「この施設は、アフガニスタン戦争の包括的な目標の1つとして機能しています。つまり、武装兵士やタリバンを同じ場所に収容するということです」とプロジェクト・マネージャーのハリー・ファムは説明していた。

隣には刑事司法制度の裁判所の部分を構成する、パルヴァーンの司法センターが国防総省によって建設されていた。２０１２年には、アメリカからやってきた58人の司法アドバイザーが１１０人のアフガン人に対して、犯罪科学を使って爆発物を製造しているタリバンをどのように起訴すればよいのかという研修を行っていた。前年にオズボーン大佐が記者会見で発表したように、研修は爆発物から指紋やＤＮＡを採取して、そのほとんどすべてが生体認証に関わる見地から行われた。１１０人のアフガン人の中には、法務省、検事総長事務局、内務省、最高裁判所、女性省などの職員がいた。拘置施設と司法センターは緊密な連携を図りながら仕事するために建設された。それが狙いだったのだ。

コーラン焼却事件は２０１２年2月20日の夜に始まった。きっかけは、ルイスマコード合同基地に本部を構える憲兵ユニットから配備されていた第42憲兵旅団の刑務官が、アフガン人の通訳の1人から、囚人たちが図書館で借りた本の余白にメモを書いてメッセージを送り合っているというのを聞いたことだった。問題となったのは４７４冊のコーランと、通訳が「過激派の読み物」だとみなされていると言ったその他１１２３冊の書物だった。「通訳はそれらの本のことを、イスラム教を極端に解釈することを奨励するナチスが読むような内容の本だと表現した」と陸軍の内部調査によってのちに明らかとなった。

陸軍大隊司令官は部下たちに、問題となっている図書室の本をすべて処分するように命じた。

棚から取り除かれた本は箱に詰められ、装甲車に詰まれ、すぐ近くのバグラム米空軍基地に運ばれた。夜中の3時を少し回ったところで、2人の制服を着た兵士たちがコーランを焼却炉に投げ込んだ。イスラム教の聖典を破壊したり貶(おとし)めたりすることは、通常攻撃的で侮辱的な行為だとみなされる。焼却炉には5、6人のアフガン人労働者がおり、コーランが燃やされていることを知ると、彼らは動揺して異議を唱えた。アメリカ兵たちが焼却の中止を断ると、労働者たちはとびかかって燃やすことを制止しようとした。

「私たちは黄色いヘルメットを使って彼らにとびかかり、燃やすのを止めようとしました」とザビフラという名の労働者がニューヨークタイムズに語った。しかし、もう手遅れだった。何冊かのコーランはすでに燃え始めていた。ザビフラと同僚は水をかけ、犯罪の証拠としてこっそりとコーランを取り出した。アメリカ兵たちから見えないところで、労働者たちは黒焦げになったページをビデオに収め、それをすべての人が見ることができるようにインターネットにアップロードした。

朝になると、1000人以上の人々がバグラム米空軍基地の外に集まり、抗議し怒りをぶちまけていた。夜になる頃には、その数は1万人以上に膨れ上がり、抗議は暴動へと発展していった。男たちや少年たちが石や発火装置を監視塔に投げつけた。監視塔の守衛たちが集まった民衆にゴム弾を発砲すると、暴力行為はさらに悪化していった。

「アメリカ人がここまで俺たちを侮辱するなら、俺たちは武装兵士の仲間に加わる」と激高した男がBBCニュースに語った。

そこに集まった人々はタリバンの武装勢力ではなく、アフガン人の群衆だとジャーナリストは知った。10年以上続く戦争によって、アフガン市民は自分たちの生活に関与するアメリカのパワーや権力に飽き飽きしていた。ハミッド・カルザイ大統領はコーラン焼却事件を非難した。政府から助成金を受けて、イスラム教の法的解釈などについて非宗教政権に助言を行う聖職者たちの集まりであるウラマー（イスラム法学者）評議会が、カブールに集まった。「犯罪の中には許せるものもあるだろう。しかし、今回の件に関しては、彼らは法の裁きを受けなければならない」と評議会のメンバーであるモーラヴィー・ハリク・ダドは宣言した。アフガンの聖職者たちには独自の紛争の解決法があった。そして、適正な手続きと呼ばれるものは彼らが行うべきものではなかった。タリバンはコーラン焼却を「世界の10億人のイスラム教徒」に対する侮辱と呼んだ。レオン・パネッタアメリカ国防長官は、図書室の本に起きたことは「不適切でひどく残念なことである」とコメントした。

カブールと首都ワシントンにおいて、憎しみは最高潮に達した。カルザイ大統領とオバマ大統領は公にお互いを激しく非難した。カルザイは駐留米軍地位に関する協定を反故にする圧力をかけた。すると、オバマは国際治安支援部隊の最高司令官ジョン・アレン大将に、国営テレビに出演して正式に謝罪するよう命じた。「我々は二度とこのようなことが起こることがないように必ず対策を講じていきます」とアレン大将はテレビ向けに後悔の表情を浮かべ、数多くの団体や個人に対して謝罪した。「これはまったく故意の行為ではなかったと私は保証します。お約束します。そして、この件において皆様の気分を害してしまったのなら、心からお詫び申し上げます。アフガニスタンの大統領に謝罪の意を表します。アフガニスタン・イスラム共和国の政府に心からお詫び申し上げます。そして、最も重要なことですが、アフガニスタンの気高い人々に謝罪の意をお伝えします」。アレン大将は硬い顔つきをしていた。そして、彼の言葉は念入りにリハーサルされたように聞こえた。司法制度に関して両国の認識がどれほどかけ離れているかについて、米当局者は誰も認めたがらなかった。ましてやそれをアフガニスタンの中で実行するなど、最初から無理だったのかもしれない。

どんな困難や悲劇が起きようとも兵士は休んだりしない、ただ前に進んでいく

マナスの食堂でファースト・プラトゥーンの兵士たちは、今回の事件の愚かさについて驚くしかなかった。簡単に防ぐことができたように思われた。

「今にして思えば、自分には関係がない問題について批判するのは簡単なことです」と、2019年のインタビューでツイストは言った。「自分に関係があるとしたら」それはまったく別の話だと彼は言った。「この世界はなんて無関心なのかと不平を言うでしょうね」。

暴動によって30人が死亡し、数百人以上の人が怪我をした。死者を出した騒動はそれで終わったわけではない。その後も「青に対する緑の攻撃」と呼ばれる報復のための一連の殺害事件が続いた。これはアフガン人の兵士や警察官が、味方であるはずのアメリカ兵を敵視し殺害するというものだった（訳者注：元々、軍事演習などで味方を青色、敵を赤色と表現したことから、同士討ちという意味で「青に対する青の攻撃」と言われるようになり、転じて、協力関係にあったイラクやアフガニスタンの兵士や警察官を中立という意味で緑と表現し、そこから「緑の青に対する攻撃」という表現が使われるようになった）。大抵は、彼らはアメリカ側が配布した武器を取り出して、信頼しているはずの同僚を至近距離から撃った。多くの場合は頭部を狙った。このぞっとするような現実はすでにもろくなっていた両国の同盟に不信感や疑念の種を蒔（ま）いていった。

パラシュート兵たちはマナス空軍基地からアフガニスタン南部のカブール空軍基地へと飛んだが、そこで悲惨なニュースが待ち受けていた。第82空挺師団の2人の兵士が、こうした報復攻撃によって殺害されたのだ。ジョルダン・ベア三等軍曹とペイトン・ジョーンズ一等兵は、ザリ地区戦闘前哨の監視塔の中に立っていたとき、アフガン人の兵士と教師に不意打ちをくらい殺害された。ファースト・プラトゥーンの下士官だったマイケル・ヘルマン二等軍曹は、特にショックを受けていた。彼とジョルダン・ベアは前の配置先のアルガンダブ地区で同じ小隊に所属していた。「戦地に赴いているときに起こる多くの出来事は、すべて1つの大きなぼんやりとした記憶になるものです」とヘルマンは言った。「起こったことを1つひとつ切り離すことができません。あの日のことは確かに覚えています。ベアが頭部を撃たれてから1日もたたないうちに、祖父が亡くなったことを知りました。もうムカついてしまって。戦争をする気にはなれませんでした」。

しかし、兵士たちは休んだりしない。戦争の恐ろしさを自分と切り離すようになる。そして、故郷でどんな困難や悲劇が起きても考えないようにする。彼らはただ前に進んでいく。

タリバン式の法的処置／即席爆破装置は、いたるところに設置された

カンダハール空軍基地での対即席爆破装置訓練は、フォート・ブラッグでの訓練とは異なるところに焦点を当てていた。爆発後のトリアージだ。「爆発で手足が吹き飛ばされたら、傷口

にどのように止血帯を当てるのかなどは、詳しく訓練を受けましたね」とツイスト一等兵は回想した。しかし、戦争から戻ってきてからは、ほとんどそのような話はしなくなったと彼は言った。「ブタに対しては残酷だとか言えるのに、同じことが自分の友だちに起こるかもしれないということは口にしないし、考えないようにしていました」。

対反乱活動の専門家が障害物コースを設置した。ファースト・プラトゥーンのパラシュート兵たちは、国防総省が伝えてきた最新の対即席爆破装置の戦術やテクニックを学びながら、即席爆破装置を避ける方法を訓練した。「地雷を踏まずに地雷原を歩く練習をするために、小さな迷路が作られました」とウィリアムズ二等軍曹は言った。

タリバンの即席爆破装置は、人々を欺くために雑に組み立てられた爆弾だった。プラスチックボトルやオイル缶など、見た目は問題なさそうなものを使って作られていた。ゴミのように見えるものなら何でも利用したのだ。即席爆破装置は典型的に不均整な武器だった。青に対する緑の殺害事件のように、疑心暗鬼と恐怖を人々に植えつけていった。一般的なアフガン市民が行くところがあって、車、トラック、バイク、自転車などに乗っているのだと思っても、本当のところは武装兵士が多数の死傷者が出る攻撃を仕掛けようと、爆弾のついたそれらの乗り物に乗っている可能性があった。「思考を遮断して、やるべきことをやるしかありませんでした」とツイストは言った。

カンダハール到着後、プラトゥーンはマイワンド地区のパン・カレイ前線作戦基地へ向かうために、ヘリコプターで西に向かった。アフガニスタン南部の地域のほとんどがそうであるように、パン・カレイ周辺は暴力がはびこり無政府状態となっていた。ファースト・プラトゥーンが到着する何週間も前に、タリバンは副州知事、警察官2人、そして、州知事の2人の息子を暗殺した。法の秩序などどこにもなかった。これに対し米陸軍は、クリチャーパン・カレイ作戦を展開し、爆弾製造所や手製爆弾を発見するために、建物のドアを叩き壊し、中を一掃していった。この作戦で200キロほどの即席爆破装置製造に使う材料を押収したが、すぐに同じ材料が別の場所で何百キロと増えていった。

指揮官だったパトリック・スワンソン大尉は、ときどき夜になると、米陸軍中佐だったジェフリー・デマレストという人が書いた『反乱軍の戦争に勝つ（仮題・未邦訳）』という対反乱活動の書籍を読んだ。第82空挺師団の団長であるブライアン・J・メネスが、すべての将校が読むべきと指定した本だった。

「本はすべての大隊に箱で届けられました。二等軍曹以上は必読でした」とスワンソン大尉は言った。

アフガニスタンで起こっているような反政府活動では、「正義と自由は悪役たちの人質にされている。暴動を支配し、合法性（司法制度）の問題を無視して、組織的に刑事免責を受けないまま行動する者をデフォルトにするのだ」とデマレストは書いた。この部分についてスワンソンは、「空想的な書き方で、もう少し具体的に説明しないとわからないかもしれません」と私に話してくれた。刑の免罪という意味の「刑事免責」というのは、含みのある言葉だ。

27歳のスワンソン大尉は、すでにイラク戦争に2回従軍しており、戦闘において功績を認められ青銅星章（ブロンズスターメダル）を与えられた。今回の任務では、3つ合わせてチャーリー部隊、またはチェーンソー部隊と呼ばれたファースト・プラトゥーン、セカンド・プラトゥーン、本部中隊のおよそ100人の兵士を任されていた。多くの兵士たちは、スワンソンが軍に入隊したきっかけはアメリカ同時多発テロ事件だったと知っている。航空機がハイジャックされたとき、彼は首都ワシントンの全寮制の高校に通っていた。友人の中に日本から来た留学生がいて、彼は最上階の眺めのよい部屋に住んでいた。国防総省に航空機が突っ込んだと聞いたスワンソンは、アメリカの軍事力が集結したその場所で一体何が起こっているのか自分の目で見てみたいと思い、その友人の部屋まで走っていった。2人の高校生はそこに立ち尽くしたまま、建物から黒い煙が立ち上る様子を眺めていた。

「それがきっかけでした」と当時のことを振り返って、スワンソンは言った。

彼はウェスト・ポイント（米国陸軍士官学校の通称）に志願し合格した。卒業後、最初に配備されたのはイラクで、反乱勢力と数カ月にわたり戦った。2012年当時、アメリカ同時多発テロが起こったために軍隊に入ったスワンソンにとって、勝利したいという思いが大きな原動力となっていた。彼は陸軍の存在とその使命こそ意味があるものだと信じていたのだ。大尉がするように、彼は上官の命令に従った。そして、中隊の指揮官として彼に従う兵士たちを率いるために、これまで身につけてきた技術を発揮した。それが、指揮系統の性質というものだ。ピラミッド型の組織だ。

『反乱軍の戦争に勝つ（仮題）』の最初のページにはこう書かれていた。「すべての戦争は地形に左右されるが、紛争について最もよく理解するためには、人々を取り巻く環境における相互関係に注目する必要がある」。対反乱作戦の理論において、匿名性と地形は常に密接に関係しており、ときに致命的な結果を引き起こす。「匿名性とは気づかれずに、あるいは、身元を特定されずに行動することができるぼんやりとした状態で、武装兵士や無法者が捕まることなく動き回ることを可能にする」とデマレストは書いた。マイワンド、パンジャウイ、ザリなど、アフガニスタンの最も危険な地区において、タリバンが自由に動き回り、この地形を支配することができるのはこの匿名性なのだ。デマレストは、生体認証こそが、テロリストたちの仮面をはがし、パワーを手に入れ、支配することを可能にすると書いた。

「可能ならすべての人にＩＤカードを与えるべきだが、生体認証は犯人や我々がアクセスを拒否したい人物だけを単に物理的に識別するということではない」とデマレストは書いた。生体認証は、ペストが流行した町のように、中央政府の登録簿を作成するために、すべての村に住むすべての住民から集めなければならない。「生体認証はビッグ・ブラザーがしかるべく働きができるように、すべての人間に適用しなければならないのだ」と、明らかにジョージ・オーウェルの小説を引き合いにしてデマレストは書いた。アフガニスタン全土に司法制度を強い、この反乱軍の戦争に勝つためには、この国はまず誰が誰で、誰が何を所有しているのか知る必要があった。「平和的で自由な社会契約は、正式な所有権の記録と切り離して考えることはできない」と彼は書いた。彼は、西洋式の司法制度は人々が所有しているものを守るために存在しているととらえたのだ。

しかし、アフガニスタンの南部では、即席爆破装置が法律だった。あるいは、王だった。それは、タリバン式の法的処置を担う中心的存在だったのである。武装勢力は兵士、警察官、そして村人たちを罰し、恐怖に陥れるために即席爆破装置を使った。農民たちはタリバンに、自分の土地に即席爆破装置を埋めることを強要された。国防総省の上空監視システムは、爆弾の設置者が農民と交渉している様子や、畑作業をするときはどのようにチェーンを外して解除し、1日の作業の後、再びどのように爆弾をセットするのかを説明しているところを日常的にとらえていた。

即席爆破装置はいたるところに設置された。どこにでもあった。2012年当時、悪夢の要因の1つは、タリバンの武装兵士たちが、ツイスト一等兵が背中に担いでいたトールと呼ばれる即席爆破装置を無力化する装置の回避方法をすでに習得していたことだ。イラクでは、即席爆破装置はそのほとんどが携帯電話によって起爆した。国防総省の合同即席爆破装置無効化審議会が、数々の電子妨害装置を開発したときには、アフガニスタンの武装勢力は先に進んでいた。新たな敵はプレッシャー・プレート即席爆破装置(PPIED)と呼ばれるもので、片足の重量で起爆する手製爆弾だった。プレッシャー・プレートはほとんどの場合、金属を使わずに組み立てることができた。武装兵士たちは硝酸アンモニウム肥料など農業用の材料をプラスチック容器に詰め、砂の中に埋めた。プレッシャー・プレート即席爆破装置に対する陸軍の最大の対抗策は、人間の目だった。アフガニスタン全土で、訓練を受けた爆発物処理(EOD)スペシャリストが、視力と、生き残るための経験を駆使して死のワナの見分け方を学んでいった。

爆発物処理のスペシャリストは言った
「究極の正確さを身につけるには、自分自身の目で見ることだ」

ファースト・プラトゥーンはパン・カレイで、小隊での経験が最も長い爆発物処理のスペシャリスト、イスラエル・P・ヌアネスと合流した。38歳だったヌアネスは多くの兵卒の父親でもおかしくない年齢だった。彼は、兵卒の多くが生まれた１９９２年に陸軍に入隊した。そしてトラック整備士としてイラクに配備され陸軍のキャリアをスタートさせた。即席爆破装置が兵士たちの身体と心を攻撃する大虐殺を目撃して、ヌアネスは爆発物処理のスペシャリストになることを志願した。イラクに2度目に配備されたとき、ヌアネスはその勇敢な働きによって青銅星章（ブロンズスターメダル）を獲得した。今は二等軍曹となっていた。「彼は若い兵士の扱いがうまいのです。若い兵士たちに即席爆破装置の見分け方を教えていました。みんな彼を尊敬していました」とヘルマン二等軍曹は回想した。

「ヌアネスは棒で即席爆破装置を見つけることができました。まるで、メディスンマンみたいに」とウォーリーはそのときのことを思い出しながら言った。

「それに誰もがうらやむような口ひげを生やしていました」とツイストは言った。

「私たちは家に戻ったら真っ先に何が食べたいかという話をして、冗談を言い合いました。私はハンバーガーだと言いました。ヌアネスは自分の出身地であるニューメキシコの一番辛いソースをつけたタコスが食べたいと言っていました」とヘルマンは覚えていた。

　爆発物処理スペシャリストは陸軍の卓越した戦術と技術を備えた爆弾の専門家で、ハリウッド映画の『ハート・ロッカー』で有名になった。国に従事する彼らの立場は、議論の余地はあるかもしれないが、それは陸軍の中で最も危険な仕事の１つであった。公式な陸軍の資料には、即席爆破装置の「安全な」処理手順は存在しない。「単に、最も危険が少ない処理手順というだけだ」と書かれている。

「私はずっと、爆発物処理のスペシャリストは対爆スーツを着ていると思っていました」とウォーリーは言った。「アフガニスタンでは着用していませんでした。ヌアネスはシャツをまくり上げて歩き回り、自分たちの命を守るための方法を教えてくれました。彼はアフガニスタン全土が地雷原だと教えてくれました」。

パン・カレイでは、すぐにパトロールが始まった。

「ヌアネスはいつも先頭を歩いていました」とツイストは回想した。

「ヌアネスは私たちに〝地雷除去装置を信用してはいけない〟と教えてくれました」とウォーリーは言った。「装置は壊れることもあります。究極の正確さを身につけるには、いつでも自分自身の目で見ることだ、と彼は教えてくれました。石が積んであれば、即席爆破装置の可能性があります。土の中に埋まったタープが少し見える？ それも可能性があります。タリバンは村人たち、特に子どもたちが即席爆破装置だと見分けることができるように手がかりを残します。子どもが爆弾のせいで吹き飛ばされたら、タリバンだって心が痛むのです」。

ファースト・プラトゥーンがパン・カレイに到着して数日後、考えられないことが起こった。彼らが滞在していた場所から16キロ離れたベラムベイ村の、セキュリティー・プラット・フォームと呼ばれる小さな陸軍前哨基地において、1人の米兵によって史上最悪の事件が起きたのだ。のちに、世界中でカンダハールの虐殺として知られる事件だ。

第7章　殺人、大混乱、そして、深刻な結末の後始末

5人の民間人が犠牲になった深夜の発砲事件

２０１２年の3月11日午前1時5分、寒さの厳しい夜の闇の中、パンジャウイ地区のベラムベイ村セキュリティー・プラット・フォーム（ＶＳＰ）で警備の任務にあたっていたアフガン人の陸軍兵士は、人影が徒歩で基地から出ていくところを見かけた。そこには基地の出入りを管理するための要塞化された門はなかった。日中装甲車が出入りするときに、上下に動く有刺鉄線が巻きつけられた木柱があるだけだった。兵士が木柱をくぐって基地から立ち去ることは簡単だったが、それまで1人で、ましてや夜に、ベラムベイの基地を出た者などいなかった。そして、アフガン人の兵士がいつもと違う行動をすぐに報告しなかったのは、自分の見間違いかもしれないと思ったからだ、とのちに犯罪捜査官に説明している。この米軍の駐屯地は、カンダハールから西に40キロほどの司法制度も存在しない制御不能の土地だった。アメリカ陸軍

特殊部隊のグリーン・ベレーがベラムベイ村セキュリティー・プラット・フォームに着任したのは、地元の警察隊を創設するためだった。
「我々はアフガン地方警察隊を創設することはできなかった」と陸軍将校は正式報告書の中で認めた。

その6日前の3月5日、1台の装甲車が5人の兵士を乗せてベラムベイの基地に向かっていたとき、門から数メートル手間で即席爆破装置の上を通った。爆風によってトラックはひっくり返り、何人かの兵士は大怪我を負った。爆発物処理の技術者であるジョン・アズバリーは緊急対応部隊に所属しており、閉じ込められた兵士たちを救出するために走ってやってきた。転覆した車両に近づくと、アズバリーが爆発物を踏んだのか、それとも遠隔操作だったのかもしれないが、爆発が起こった。そのときの爆風で、アズバリーは左足を失った。彼の後方で見守っていた兵士たちの中に、ロバート・ベイルズがいた。彼はのちに、アズバリーに起こっていることをスナイパーライフルの照準器越しに目撃したとき、ただ無力でどうしようもない怒りが込み上げたと語っている。その地域一帯は米兵を殺したいと思っている武装兵士たちであふれていた、とベイルズは犯罪捜査官に語った。その数日後、アフガン兵の見張りが、暗闇の中で人影が外に出かけたように見えたのは目の錯覚だと思ったのも無理はない。真夜中にベラムベイ村セキュリティー・プラット・フォームから出かけるなんて、まったく合理的な判断ではなかったからだ。

門から出ていく人影を目撃してから15分後、見張りは北の方角から発砲の音を聞いた。アルコーザーイ村の近くだった。この村の人々は非常に貧しく、土地も財産もほとんどなく、牛の隣で暮らすような生活を送っていた。発砲は止まった。数分後、見張りは、1人の男が門に向かって来て、そのまま中に入っていく様子を目撃した。そのとき、はっきりとそれがアメリカ人の兵士だということがわかった。なぜなら、男は暗視ゴーグルを装着して、突撃ライフルを持っていたからだ。午前2時30分、夜間の見張りについていた2番目のアフガン兵の見張りが、門から出ていく兵士を目撃した。見張りはすぐに、基地で最も階級の高い兵士である、特別部隊のダニエル・フィールズ大尉に報告した。

外は氷点下で、地面にはうっすらと霜が降りていた。基地の周辺の村々には電気が通っていなかった。アルコーザーイ村から1台のバイクが走り出すまで、あたりは真っ暗で静まり返っていた。そのヘッドライトは土色の建物や景色を照らしていた。絶望的な貧困、そして、戦争のムードに包まれていた。バイクを運転していたのはハビーブッラー・ナイムという村人だった。後ろには、借りたトラックを運転する兄のファイゾラ・ナイムが、銃撃で重傷を負った被害者5人を荷台に乗せて続いていた。ハビーブッラー・ナイムは、ザンガバッド前進作戦基地に向かってトラックを先導していた、と彼はのちに捜査官に語った。なぜなら、その地域の多くの村人が「過去に負傷者を運び込んでいた」からだった。ファイゾラは門まで進むとトラックを停めて、助けを求めて叫んだ。

「アメリカ人が撃ったんだ！」と、彼は荷台に血だらけで横たわっている被害者たちを指さしながら、アフガン人の守衛に伝えた。

ザンガバッド前進作戦基地には、集団殺傷攻撃を知らせる警告システムがあり、ただちに医療スタッフを救護センターに呼ぶ空気警音器が鳴った。救急医療室では、ベッドで眠っていた戦場外科医の２人が飛び起きて、５人の犠牲者を受け入れた。「最初の患者は小さな女の子でした」と外科医の１人は当時のことを振り返った。「おそらく６、７歳ほどで、銃で頭を撃たれていました。彼女が完全に回復する見込みは低かったので、私たちは女の子を手当てしようとは思いませんでした。その時間に他の人たちを助けることができたからです」。

廊下の先には、ＴＯＣと呼ばれるザンガバッド前進作戦基地の戦術作戦センターがあり、負傷者の応対に慌ただしくなった。２番目に運ばれてきたティーンエージャーの少女は胸を撃たれていたが、最も年配の負傷者だった少女の父親は娘の治療を断った。父親は通訳を通して、彼らの宗教では女性がそばにいないと治療はしてはならないことになっていると説明した。１人の兵士が大急ぎで、少し先のマサム・ガー前進作戦基地から女性の医師を呼びに出かけると、外科医たちは頭部を撃たれた少年の手当てを行った。弾は耳の外側部分の耳介（じかい）を傷つけ、裂傷を起こしていた。最も年配の男性はモハメッド・ナイムで、ハビーブッラーとファイゾラの父親と判明したが、首から顎にかけて銃で撃たれていた。彼は「覚醒レベルも認知力もしっかりしていて、グラスゴー昏睡尺度（GCS）は15点（最軽症レベル）で、通訳と話をしていました」と医師は犯罪捜査官に伝えた。5番目の犠牲者はティーンエージャーの少年で、左の腿と右臀部を撃たれていたが、認知力も覚醒反応もあった。医師たちが5人の犠牲者の手当てをする間、通訳がファイゾラから話を聞き、一同は一体何が起こったのか理解しようとした。午前4時10分、事件の情報が上層部に伝わり、カンダハール空軍基地にあるキャンプ・ブラウンの作戦センターは、救急医療搬送の手配を行った。

ベラムベイ村セキュリティー・プラット・フォームにて、ダニエル・フィールズ大尉が基地にいるすべての兵士の報告義務チェックを命令したのは午前3時15分だった。点呼が行われる中、兵士の中にはナジャ・ビエン村近くの南方面から銃声を聞いたと報告する者もいた。午前3時20分、フィールズは1人の兵士がベッドに寝ていなかったことを知った。ロバート・ベイルズ二等軍曹だった。フィールズ大尉が最初に思ったのは「誘拐されたとしたら心配だ」だった。

アフガニスタン南部のすべての陸軍基地には、ギリシャ神話に登場する黄泉の世界の入り口を守っている頭が３つの犬にちなんで、「ケルベロス」と呼ばれる監視カメラが外側に向けて設置されていた。ベラムベイの基地ではケルベロス監視システムは故障しており、パーツが届くのを待っている状態だった。午前3時35分、フィールズ大尉はザンガバッド前進作戦基地の戦闘を指揮している大尉に連絡を取り、持続地上監視システム（ＰＧＳＳ－ピージスと発音）と呼ばれる最新式の上空監視システムを使って、ベイルズ二等軍曹を見つけ出してほしいと依頼した。アフガニスタン戦争のために開発された持続地上監視システムは巨大な軽航空機で、熱気球よりも軽かった。およそ６００メートルの上空を飛び、光波カメラと赤外線カメラを含む高解像度画像システムを搭載していた。持続地上監視システムは、武装勢力を発見したり、追跡したり、場所を特定したりするという目的を担ったマンハッタン・プロジェクトの一環として２００４年に国防科学評議委員会が提案した要素だった。２０１２年、アフガニスタンにはおよそ60の軽航空機があり、カンダハール州からヘルマンド州に延びる危険な国道一号線と、南方のアルガンダブ川流域の村々を常に監視するために、そのうちの12機あまりが南部の上空を飛んでいた。

フィールズ大尉は、ザンガバッド基地の持続地上監視システムのオペレーターに、兵士たちが銃声を聞いた南側の地域を重点的に捜索してほしいと依頼した。「任務状況－居場所不明」の頭字語であるＤＵＳＴＷＵＮ状態のアメリカ兵を探すというのは通常ではありえない優先度の高い任務だった。午前4時15分、フィールズ大尉は「私たちが探している男は夢遊病かもしれない」と軽航空機のオペレーターに言った。ザンガバッド基地からキーボードとスクリーンを操作しながら、オペレーターは地域一帯をレーダーで監視していった。同時に、ベラムベイ基地から兵士たちが60ミリの照明弾を撃って捜索を支援した。海軍三等兵曹長のランス・アラードと緊急対応部隊は、ベイルズ二等軍曹を捜索するために基地を出る準備に取りかかった。

マサム・ガー前進作戦基地からようやく女性の医師がザンガバッド基地に到着し、胸を撃たれた少女の手当てを始めた。「私たちは胸部の外傷にチェストシールを貼り、胸腔ドレナージを行いました」と彼女は捜査官に伝えた。次に医師たちは、頭を撃たれ瀕死状態の小さな女の子の処置を再開した。「頭上には2、3センチの穴が開いていて、そこから中の脳が見えていました」と外科医は捜査官に言った。少女の身体はとても小さかった。救護センターには小児用の喉頭鏡がなかった。外科医は大人用の器具で少女に挿管しようとしたがなかなかうまくいかなかった。気管内チューブは大きすぎて入らなかった。少女の酸素レベルは危険なほど下がった。外科医の1人がなんとかチューブを差し込んで、もう1人の外科医が少女の呼吸を回復させた。最終的に、処置はうまくいった。

その頃になると、アフガン人の通訳たちは、運ばれた5人は民間の犠牲者を意味する、CIVCASだと確認していた。CIVCASという頭字語は、どんな指揮官にとっても、人道的な理由でも、法律上の理由でも非常に恐ろしい状況を意味した。しかしながら、医師たちにすれば、ＣＩＶＣＡＳに指定されれば医療行為をスムーズに行うことができる。ＣＩＶＣＡＳであれば、負傷兵救護ヘリ（メデバック）を優先的に使用することが可能だ。この場合、速度の遅い装甲車ではなく、ヘリコプターで負傷者をカンダハール空軍基地まで運ぶことができるのだ。カンダハール空軍基地にはワールドクラスの外傷センターがあった。ＮＡＴＯ軍ロール・スリー多国籍医療病院だ。しかし、冬の天候は悪い。また、よかったとしても、すぐに悪化する。ブラック・ホーク・ヘリコプターは基地から離陸できなかった。「ペイブ・ホーク・ヘリコプターなら視界が悪くても飛行できるので、私は陸軍にそのヘリコプターをパラシュートで救助を行うときのように使えばいいのではないかと提案しました」と外科医の１人が当時を振り返って言った。キャンプ・ブラウンの戦術作戦センターの最高指揮官はその要請を受け入れた。ペイブ・ホーク・ヘリコプターはザンガバッド基地に向かった。５人の被害者たちはみな助かるだろう。

「しかし、小さな女の子はその日からまったく話さなくなりました」と、ＢＢＣレポーターのマムーン・ドゥラニは２０１９年のインタビューの中でそう語った。

暗闇の中、武器を持ち、血まみれのベイルズ二等軍曹

ベラムベイ村セキュリティー・プラット・フォームでは、フィールズ大尉が、基地の南側を捜索する持続地上監視システムの、2人に増えたオペレーターと共に作業していた。熱センサーの技術を使うということは、オペレーターたちは地面からの熱反応を探していたということになる。午前4時36分、オペレーターの1人が人間の姿らしきものが農民の畑でかがみ込んでいるのを見つけた。

「熱のスポットがあるのがわかりました」と彼は犯罪捜査官に語った。「〝戻って。誰かがベラムベイ村に向かって移動しているよ〟と私は言いました」。

2人目のオペレーターはカメラを動かして、熱を発している姿に近づけた。男がうつぶせに横たわっていた。「隠れようとしているみたいでした」。男は「ライフルを持っているようで、暗視ゴーグルをしていました。そして、ショールのようなものを羽織っていたのです」。男は起き上がると動き始めた。オペレーターたちはカメラを使って前哨基地に向かって北へ歩く男の姿を追いかけた。即席爆破装置が埋められているだろう道を避けながら、男はずっと畑の中を歩いていた。

「ベラムベイ村まであと半分というところで、男は走り出してそのまま基地に到着しました」とオペレーターは犯罪捜査官に証言した。

　ランス・アラード海軍三等兵曹長と緊急対応部隊は、ベイルズ二等軍曹が暗闇から姿を現したとき、まさに基地から出発しようとしていた。アラードはそれから起こったことについてよく覚えていた。「門のところにいた私たちは、赤外線のストロボが西の方で光ったのを確認しました。ベイルズ二等軍曹の名前を呼ぶと、彼は返事をしたのです」。アラードはベイルズに、静止して武器を下ろすように命令した。

　ベイルズは暗闇の中で立ち止まった。ベイルズが明らかに血まみれであることが部隊の兵士たちにも見えた。「彼はマントみたいなものを羽織り、マルチカムパンツをはいていました。たぶん、Ｔシャツだったと思います」とアラードは捜査官に証言した。「彼はヘルメットを被っていて、それで彼だとわかり、確認できたのです」。ベイルズは検査を受けた。マントは犠牲者の１人の家から盗んだ布地だった。「彼は多くの武器を持っていて、すべて血まみれになっていました」とフィールズは捜査官に証言した。ベイルズ二等軍曹は武器を取り上げられ、作戦センターの中に移され、そこで監視された。

　アフガニスタンの村々における国防総省の治安作戦プログラムは、対反乱作戦において鍵となる要素だった。村人との親しい「雰囲気」や「信頼関係」を築く方法として採用された。アフガニスタン全土で、こうしたプログラムは始まった当初から失敗してきた。ベラムベイ村セキュリティー・プラット・フォームでは、アメリカの兵士たちがはじめて到着した日から銃による攻撃を受けた。機密文書によると、その後もずっと「兵士たちが外に出るたびに」すぐに発砲された。「これらの兵士は地域で活動するために、パトロールの一環として出かけたが、基地に戻ってくるためには毎日のように戦わなければならなかった」。

2012年には、アフガニスタン全土に90の村治安作戦拠点があり、そのどれもが遠く離れた紛争の激しい地域にあった。「対テロおよび対ゲリラ作戦と連動して」運営し、その使命は「アフガニスタン・イスラム共和国政府の統治を広げ、一般市民が武装勢力に協力しない環境を整える」というものだった。司法制度を支える取り組みだったのだ。しかし、3カ月間にわたる地道なパトロールを続けても、成功する兆し(きざし)は見えなかった。ベイルズが無許可で基地から抜け出し、最終的に16名と判明した市民を殺害したとき、その犯行を捜査する地元の法執行機関は存在しなかった。アフガン人の警察が担当するにしても、遠くカンダハール市から派遣されることになる。たとえて言うなら、地球の裏側ほど遠く感じられる。

ベラムベイ村セキュリティー・プラット・フォームから、グリーン・ベレーたちが、特殊部隊派遣アルファ7216に配属された。彼らはベイルズ二等軍曹が所属していた歩兵部隊のサポートを受けて活動していた。陸軍の文書によると、「歩兵部隊は〝ゲームチェンジャー〟で、より大きな、そして頑強な存在感を可能にする」とある。ベラムベイ基地で、ベイルズ二等軍曹は歩兵特別分隊の古参メンバーだった。彼の任務は基地の防衛、見張り担当、そして、基地の改善や拡大だった。彼はまた特別部隊の兵士たちのサポートで戦闘派遣隊として出動し、ＡＮＡと呼ばれたアフガン国民軍の兵士たちを支援した。38歳のベイルズはアメリカ同時多発テロ事件の後、陸軍に入隊した。２０１２年の時点で、すでに9年間陸軍に所属し、そのうちの３年半を戦争で戦っていた。今回が４度目の戦争区域への配属だった。

ベラムベイ基地の戦術作戦センターにて、監視された状態でベンチに腰かけていたベイルズは、被害者の血を浴び、呆然とした様子であった。「私たちは何が起こったのか最初から最後まで説明するように言いました」とフィールルズ大尉は言った。「ベイルズは何も話したくないと言いました。事実上、黙秘権を行使したのです」。彼はシャワーを浴びて着替えることができるかたずねた。どちらの希望も聞き入れられた。体をきれいに洗い、新しい服に着替えると、ベイルズは自分のパソコンを持ってきてほしいと依頼した。１人の兵士が彼のラップトップを手渡すと、ベイルズはそれを床に投げつけ、ブーツで踏み潰した。犯罪捜査官たちはのちに、ベイルズが戦争によって亡くなった人々の映像を観ていたことを突き止めた。

16人が犠牲になったカンダハールの虐殺／うち12人の身元が照合できないという現実

カンダハール空軍基地の上に太陽が昇った。時刻は午前6時23分、銃に撃たれた5人の被害者たちがザンガバッド基地の門の前に運ばれてから3時間が経過しようとしていた。ＣＩＤとして知られる陸軍犯罪捜査司令部が、公式に捜査を開始した。名前を編集で伏せられた1人の中佐が、公式記録に「アメリカ人の兵士がベラムベイ村セキュリティー・プラット・フォーム近くにて、数名の地元アフガン人を殺害、そして／または、重傷を負わせた」と書いている。

犯罪捜査司令部はアメリカ陸軍の主要な犯罪調査部門で、重犯罪や軍法違反を捜査する国防総省内に設置された機関である。よく陸軍の連邦捜査局と呼ばれている。この件について任命された責任者は、アリゾナ州フェニックス出身の文民警察官マシュー・ホフマンという人物だった。ホフマンとその同僚は当時、陸軍の憲兵として予備兵という立場でアフガニスタン南部に派遣されていた。「遺憾ながら、我々は陸軍の兵士を取り締まる陸軍の兵士なのです」とホフマンは２０２０年に語った。

ホフマン特別捜査官と一緒に仕事をするため、17名の犯罪捜査司令部捜査官が任命された。彼らが扱うのは、武器を持たない民間人を冷酷にも虐殺するという前例のない犯罪事件で、はっきりとした被害者の数もわかっていなかった。

カンダハールに住む地元のジャーナリスト、マムーン・ドゥラニが1本の電話で目が覚めたのは早朝のことだった。BBCパシュトウ語放送やAFPなどで戦場レポーターとして仕事をしていたドゥラニは、地元の警察署の知り合いから電話を受けたのだ。

「彼はすぐに来てくれと言いました。ひどいことが起きたと」。

ドゥラニはカメラとヴォイス・レコーダーをカバンに入れると、アパートを後にして車に乗り込んだ。彼はザンガバッドを目指して西に向かった。恐ろしい事件が起こった地区に到着すると、警察に止められた。

「これ以上先には行けない、安全ではないと言われました」。

しかし、ドゥラニにはタリバンの知り合いがいた。彼はその男に電話をかけ、ザンガバッドへ入る許可をもらった。

爆弾で穴だらけの道を進むと、ドゥラニはベラムベイ村セキュリティー・プラット・フォームに向かった。基地の中では、新たな事実が明らかになりつつあった。午前7時、戦術作戦センターで夜勤をしていた将校が恐ろしい事件の詳細をさらに知ることとなった。憔悴（しょうすい）しきったアフガン人の男が門までやってきて、通訳と話したいと言った。基地から100メートルほど離れたところに住んでいたその男は、家の中で4人が死んでいると言ったのだ。さらに男は、もう1つの村では家族全員が殺された家があるとも言った。カンダハール空軍基地では、午前8時5分、公式の文書には「被害管理」と書かれた緊急会議のために高級将校たちが集まっていた。ベラムベイ基地の門の周りには、200人のアフガン人の男たちが集まり、正義の要求を行っていた。状況はますます敵意と複雑さに満ちたものになっていった。カブールとカンダハールの米当局者たちは、コーラン焼却のときと同じような暴動が起きるのではないかと恐れた。ベラムベイ村周辺では、紛争の解決にはタリバン寄りの村の長老たちが対応していた。村人たちは、大虐殺の後始末について、自分たちにはよくわからない西洋式の司法制度ではなく、部族による裁きを要求した。集まった群衆は殺人を行った兵士を引き渡すようアメリカ側に要求した。絞首刑にしたかったのだ。

要塞化された駐屯地の中では、グリーン・ベレーたちが暴徒に備えて準備をしていた。「編成したチームはいつでも出動する準備ができていました」と、フィールズ大尉は捜査官に証言した。「2週間前にコーラン焼却の暴動が起きたばかりでしたから、それ相応の装備をしていました」。道の向こうでは、マサム・ガー前進作戦基地の陸軍将校が、ベラムベイ基地の外側で危険な状況の対応を任されていた。第25歩兵師団第一旅団ストライカーコンバットチームのトッド・R・ウッド大佐は、被害管理を任されていた。「我々の仕事は、暴力が起きている目の前に飛び出していくことです」と彼は言った。

事件の詳細がわかってくると、憎悪のレベルは当初考えられていた以上に大きなものになった。ベイルズはそれぞれ３つの場所で、合計16人に発砲し殺害していたのだ。そのうちの９人が子どもだった。さらに、12人以上の村人を負傷させた。２つの炉で遺体を燃やそうとした。少なくとも、牛１頭と犬１匹を撃って殺し火をつけた。捜査の対象となった主な現場は３カ所あった。通常、機能している刑事司法制度では、これほどの大きな犯罪であれば、現場を封鎖し法医学的証拠を徹底的に調べる。しかし、そこに警察署は存在しなかった。アメリカ人の犯罪捜査官にとって、そのあたりは危険すぎた。その後、22日間にわたって捜査官は現場に現れなかった。ジャーナリストのマムーン・ドゥラニだけが部外者として現場に入っていた。彼は遺体を見て写真を撮ることが許された。それらの画像はのちに世界中に配信された。事件があった現場はあまりにむごく、彼は一瞬プロとしての冷静さを失ったほどだった。

「殺害された少女はあまりに小さくて、私は泣き崩れました」と、彼は当時を振り返りながら２０１９年に私に語ってくれた。「村人たちは私が泣いていることが理解できませんでした。〝お前はこのあたりの人間ではないのに、なぜ泣くのだ？〟とずっとたずねてきました」。

午前11時20分、ウッド大佐と小規模な治安部隊を乗せた、耐地雷・伏撃防護・全地形対応装甲車である４台のＭ－ＡＴＶが到着した。大佐は装甲車から降りると、群衆に向かって歩き始めた。「彼らに近づくと、私は部族問題省のハジ・クダイダッドに目で合図を送りました」と彼は言った。「彼は私と話をしたがったので、手招きをしました。そこで、私は止まっていた車両に向かって移動しました、すると、最初の車両に私のことを知っているアフガンの国民軍兵士がいたのです」。

ウッド大佐は後ろの荷台が開いている4台のトラックを観察した。「我々がボンゴ・トラックと呼んでいる車に似ており、後ろの荷台に何でも載せることができるピック・アップトラックを改造したような車でした」と彼は言った。村の長老がもっと近づくようにと手招きをした。大佐が見られるように、山道に行列を作っていた人々が脇に寄った。村人の1人が遺体にかかっていたタープを持ち上げた。トラックのどの荷台にも、薪(まき)のように遺体が折り重なるように積まれていたことをウッドは覚えている。焦げた手足。血で染まった服。葬儀を行ってもよいという意味で、ウッドは部族のリーダーに向かって頷(うなず)いた。トラックは墓地へと向かった。殺害された犠牲者たちは埋葬され、その上には高く石が積まれた。

ウッド大佐が遺体を確認していたちょうどその頃、ベラムベイ基地の裏手に陸軍のブラック・ホーク・ヘリコプターが着陸し、犯罪捜査司令部の特別捜査官とキャンプ・ブラウン第7特殊部隊群の2人の二等軍曹が降りてきた。兵士たちはロバート・ベイルズ二等軍曹に手錠をかけ、カンダハール空軍基地へ輸送するために準備した。群衆によって撃たれる場合を想定して、ベイルズは軍服の上から防弾チョッキを着せられていた。

ウッド大佐は、カブールの国防総省の被害管理チームにベラムベイ基地周辺での様子を報告した。カンダハールの虐殺のニュースは瞬く間に世界中に広がった。アメリカの特別チームは、アメリカ人の犯罪捜査官と法執行機関の役人を３つの殺害現場に近づけることは非常に危険だと判断した。代わりに、カンダハール警察署長で、腐敗した官僚として知られていたラジック准将が、翌日アフガン人の警察隊を殺害のあった村々に派遣し、証拠を収集させた。

3月12日の朝、ラジックが送った警察隊が殺害現場に到着した。彼らの捜査は「1時間ほどで終わった」。彼らはアメリカ陸軍犯罪捜査司令部の捜査官に、ライフル銃から発砲された5つの薬きょうと、ピストルから発砲された３つの薬きょうの全部で8つを提出した。当初17人が犠牲になったと思われた３つの主要な殺害現場から集められたものだった。なぜそれほど少なかったのか？　ベラムベイ基地の兵士の１人が「どうしてなのかいくつか説明します」と、捜査官に証言した。「銃撃戦になると、アフガン国民軍の兵士たちが銃弾用の容器を持って待ち構えています。市場で売ることができるので、彼らは薬きょうの真鍮（しんちゅう）を拾っているのです」。

ダリ語から翻訳されたアフガン人の警察隊による公式なレポートには、殺害された人の身元が次のように記されていた。

―モハマド・ダウッド［氏名は編集された］の息子

—クダイダッド［氏名は編集された］の息子
—ナザール・モハマド［氏名は編集された］の息子
—パイェンドの娘（大人）
—ロビナ（不明）の娘6歳
—不明の客［氏名は編集された］の家族
—11名の［氏名は編集された］の家族の一員　身元は不明　多くは子どもで殺害された。

17名のうち、12名は名前がわからない犠牲者だった。つまり、彼らの身元はアメリカ陸軍にもアフガン警察にもわからなかった。犠牲者たちが一体誰なのかわからないという事実がこの悲劇をいっそう悲しくさせた。ラジック准将の警察隊が犠牲者の数を間違って数えていたことがわかると、さらに間違った情報が錯綜（さくそう）した。のちに、死亡者は17名から16名に減ったのだ。

アフガン1000のプログラムの目標が「アフガン政府が市民の身元を正確に照合することができるようになる」だったとしたら、ベイルズによる虐殺によってそれが希望のない夢物語だということがはっきりとした。タリバンが支配する土地に司法制度を実現することは、台風の中でマッチに火をつけようとするみたいなことだったのだ。

カブールではハミッド・カルザイ大統領が、捜査のために自らの代表団を送り込もうとしていたが、それにはさらに3日かかった。カルザイのアフガン国民軍の幕僚長シェール・モハマド・カリミ将軍と彼の部下たちがベラムベイ村に到着すると、彼らは銃撃戦の的となった。タリバンのスナイパーが将軍を護衛していたアフガン人の兵士を撃ち殺害したのだ。

即時の犯罪捜査の代わりに、そして、被害管理という目的のために、アメリカ陸軍の参謀総長は被害者の遺族に100万ドル（当時の相場で7800万円）の賠償金、つまり、哀悼の気持ちを込めて現金を支払うのが得策だと考えた。「この戦争において、金というのは最も重要な武器だ」と、当時陸軍大将だったデイビッド・ペトレイアスは、陸軍の『武器システムという金についての司令官のためのガイド（仮題・未邦訳）』の中で書いている。

ウッド大佐は司令官に、なぜ賠償金を払うことでその紛争が治まると考えるのかについて説明した。「要約すれば、私が言いたいのはKLE（鍵となるリーダーの関与）管理であり、被害管理のチームは［原文のまま］強引なところがあり、経験にもとづいていた」とウッドは言った。「我々はコーラン焼却から、矢面に立たされた状況をどのように切り抜ければよいかを学んだ。そして、我々はどうにか切り抜けたのだ」。

ロバート・ベイルズ二等軍曹は本国に送り返された。アフガン人の部族リーダーたちは紛争解決として無難な方法だとして、被害者たちの家族に賠償金を受け取るように説得した。「心のこもった見舞金を受け取ることで、家族は区切りをつけて前に進み始めた」とウッド大佐は公式レポートに書いた。

3日後の3月16日、犠牲者の家族の1人、ハビーブッラー・ナイムがカルザイ大統領と面会するためにカブールに向かった。ナイムは事件が起こった夜に、5人の犠牲者の命を救うためバイクに乗って基地までやってきた村人だ。壮大な儀式が執り行われ、ナイムはカルザイ大統領と代表団に向けて、自分が目撃した事件のあらましを語った。そのときの様子は撮影され、すべてのアフガニスタン人に向けてテレビで放送された。代表団は座って話を聞きながら、白い茶碗でお茶をすすった。

2012年3月23日、アメリカ陸軍は、正式にロバート・ベイルズ二等軍曹を、17名に対する殺人、6名に対する殺人未遂、合わせて23名に対する罪で起訴した。すべての被害者の氏名は編集され公表されることはなかった。陸軍が数え間違いをした殺害された被害者の数は、のちに16名に修正された。陸軍犯罪捜査司令部は犯罪現場を捜査しなければならなかったが、アフガン版の不十分な「公式」レポートを使用し先延ばしにした。

翌日、合計で97万ドル（当時の相場で7600万円）の賠償金が犠牲者の家族に支払われた。ウッド大佐は金の受け渡しに立ち会った。「我々はさまざまな情報源を駆使して、賠償金の受取人となりうる人々のリストを作成しました」とのちにウッドは捜査官に証言した。合計で22人となった犠牲者を代表して、4人の男が賠償金を受け取ることを、陸軍は最終的に受け入れた。「我々は金を持っていきました。それを箱に詰めて渡し、一緒に何枚かビニール袋もつけました……金の受け渡しが終わると、我々は名前が書かれたそれぞれの箱に封をしました」と、そのときのことを振り返りながらウッドは言った。カンダハール警察署のラジック准将が、立ち去る家族たちに付き添っていった。「アメリカ側はカンダハールの銀行に一緒に行こうかと家族らに伝えましたが、それは実現しませんでした」とウッドは言った。それでもなお、陸軍犯罪捜査司令部からは誰も到着していなかった。

カンダハールの虐殺後も続いた悲劇

悲劇はそこで終わらなかった。ハビーブッラー・ナイムがカルザイ大統領に会うためにカンダハールへ飛んだ後、彼は家に戻り、これまでどおりベラムベイ基地のそばの土地を耕していた。カンダハールの虐殺後、タリバンは周辺の村々により強力な足場を固め、地域一帯に即席爆破装置を埋め続けた。

「ハビーブッラーは自分の土地を耕す必要がありました」とマムーン・ドゥラニは２０１９年に私に説明してくれた。「だから、彼はタリバンのところへ行って、爆発物のチェーンからワイヤーを外す方法をたずねたのです」。本書のためにインタビューに応じてくれた持続地上監視システムのオペレーターは、それは珍しい出来事ではなかったと認めた。「上空監視という視点でその様子を眺めると、アメリカ軍からすれば、彼の行動は武装兵士そのものだったのです」とドゥラニは言った。ハビーブッラー・ナイムはターゲットとなり、2012年10月5日、自分の畑にいたところをアメリカ軍から空爆を受け殺害された。「彼はカンダハール虐殺について証言した勇気ある目撃者というだけでした。彼もまた、死んでしまった」とドゥラニは言った。ドゥラニはベイルズのことを指して、このアメリカ人の兵士がしたことは良心に照らしても受け入れ難いものだったと語った。また、それは「邪悪な心を持った、1人の男、1人の兵士」の行為に過ぎなかった。力を取り戻したタリバンがすること、今後しようとしていることは、それよりもはるかに悲惨なことだろう、とドゥラニは恐れていた。2020年、彼はカンダハール警察署で最近撮ったという写真を私に送ってくれた。写真には、彼が身元の特定を依頼された遺体が写っていた。外見がかなり損なわれていたので、これは一体どんな写真なのか私はドゥラニにたずねた。「タリバンは人々を生きたまま熱湯の中で煮るようになりました」と彼は答えた。

第８章　戦闘成果評価

アメリカ陸軍が最重要視した、戦闘成果評価と生体認証のデータ収集

カンダハールの虐殺が起きた数日後、ファースト・プラトゥーンはベイルズ二等軍曹が16名の村人を殺害したベラムベイ村から北西に18キロほどの非常に紛争が激しい地域へ送られた。彼らの新しい配属先はＡＪ検問所だった。誰も「ＡＪ」が何を意味するのか知らなかった。

「おそらく、ＡとＪは近くの村の名前の頭文字かなんかだと思います」とツイスト一等兵は考えていた。検問所は、アメリカ陸軍が統制に失敗した地域と隣り合わせの場所にあった。

「そのあたり一帯は、私たちが生体認証のホットスポットと呼んでいた場所でした」と、騎兵大隊情報部Ｓ２（訳者注：部隊の安全保障担当官）のグラント・エリオット中尉は説明した。「すでにタリバンと特定された多くの武装兵士たちが、寝る場所としてこの地域を利用しているのです」。

シャルカリ・カレーズ前進作戦基地の、エアコンの効いた戦術作戦センター内に設置された情報部は、紛争地域に住むなるべく多くの人々の生体認証データを入手したいと考えていた。AJ検問所周辺の地理的な特徴は、古代から利用されてきたカレーズ（編者注：地下用水路）と呼ばれる灌漑（かんがい）システムがあったことだ、とエリオットは言った。地下には水が流れるトンネルがあり、タリバンは武器の隠し場所として利用してきた。こうした武器には指紋やDNAが付着していた。それは、人々と事件を関連づけることができるデータであり、将来的に情報部が、即席爆破装置に関するネットワークの情報について、リンク解析図を作成するために役立つものだった。

「私たちの生体認証のホットスポットにおける目標は、武器の場所を突き止めること、そして、生体認証自動ツールや携帯身元検出装置に多くの人々を登録し、警戒リストに載っている潜在的なターゲットを特定することです」とエリオットは言った。ファースト・プラトゥーンの下士官であるパラシュート兵たちは、この陸軍情報部の取り組みには関与していなかった。ほとんどの兵士たちは生体認証の役割について理解しておらず、リンク解析という言葉さえ聞いたことはなかった。

陸軍と地元の住民との関係は、ベイルズによる虐殺事件の以前からぎくしゃくしており、その後は緊張感が高まっていった、とウィリアムズ二等軍曹は記憶している。ファースト・プラトゥーンが到着した直後、ウィリアムズは前任者から３つの忠告を受けた。

―決して夜間に出歩かないこと。

―装甲車以外の乗り物で出かけないこと。

―西へ２００メートル以上行かないこと。

検問所が粗雑に作られていることに兵士たちが気づくのに、それほどの時間はかからなかった。ウィリアムズ二等軍曹が別の下士官と話していたとき、ツイスト一等兵はタバコに火を点けて温かい冬の日差しを楽しんでいた。ツイストがヘスコ防壁（編者注：米ヘスコ社が考案した大型土嚢。筒状の金網に布を張って土を入れる仕様で、連結して使用する）の金網の壁に寄りかかったとき、倒れそうになった。

「土が半分しか入っていませんでした」とウォーリー一等兵は言った。

一部だけ土を入れたヘスコ防壁は危険だった。「防衛線に割れ目ができてしまいます」とウィリアムズは言った。タリバンの支配下にある土地で、外に出て壁の修復をしたいなどと思う者はいなかったが、修理する必要があった。そして、急いで終えなければならなかった。

「立ったまま下を向いて、ショベルで砂を掘っていたら、カラシニコフ自動小銃を持った武装兵士の格好の的になります」とヘルマン二等軍曹は言った。

ファースト・プラトゥーンのパラシュート兵たちは、バケツリレー方式で砂の入った袋を渡していった。手伝いを申し出た1人を除き、アフガン国民軍の兵士たちは近くに座ってその様子を眺めていた。

「アフガン人の彼はゲームをするように楽しんでいました」とトーマス一等兵は回想した。「彼が私に砂袋を投げて、それを私が次の人に渡して、それをまた次の人に渡すのです」。この作業を一緒にしたことで、トーマスはアフガン人とのパートナーシップについて楽観的な気持ちを抱いた。

「そう思えるか、あるいは、青に対する緑の攻撃を恐れて被害妄想に陥ってしまうかですね」とツイストは言った。

「彼の名前は憶えていないのですが、彼とは友だちになりました。あの日、彼は手伝う義務はなかったのに、そうしてくれたのです」とトーマスは言った。

18歳のザッカリー・トーマス一等兵は、プラトゥーンの中で最も若い兵士だった。テキサスで育った彼は、父親とシカ狩りに出かけ、その肉からソーセージを作った。

「私は子どもの頃から起業家でした。早起きして学校へ行く前にソーセージのサンドイッチを作って、それを売ったのです」とトーマスは言った。生徒、教師、バスの運転手など、みんなが彼のサンドイッチを買ってくれた。「1つ2ドルでした」。トーマスは1つのことに高い集中力を発揮することができた。高校では、コンパスと地図を持って長い距離を競うオリエンテーリング大会で優勝した。「勉強のように長期的な目標を立てるのは苦手でしたが、自分の目の前にあることは何でも限界まで挑戦しました。痛みは体ではなく、頭で感じるのだと自分に言い聞かせるのです」。彼のこのような考え方はアフガニスタンでは役に立った、と彼は言った。集中力を失ってしまえば、死ぬこともあるからだ。

配置されて間もない頃、トーマスは経験を通してそこから多くのことを学ぶことができると感じていた。兵士の仕事だけではなく、この不思議な異国の特質を持った人々、文化、地形などもそうだった。あるとき、パトロール中にアフガンのハリネズミを見つけた。赤みを帯び、長い耳をしていた。また別のときには、兵士たちが着ているようなカモフラージュの軍服と同じ模様のカエルを見つけた。AJ検問所の監視塔から警備を行っていたとき、彼は一緒に砂袋を運んだアフガン人の兵士の片方の手に指が6本あることに気づいた。

「銃を撃つときに大変ではないかと思ったことを覚えています」とトーマスは言った。2人は同じ言葉を話さなかったので、手振りを使ってあることを提案した。

「医者なら指を取り除いてくれるよ、と彼に伝えました。そうしたら、銃を撃つときも楽になると言いました」。しかし、アフガン人の兵士はトーマスの提案を受け入れなかった。「彼は怒っていました。ずっと空を指して、神がそのように彼を作ったのだと言ったのです。アラーがそうしたと。指を取り除くことはない、そんなことありえないと言いました」。

トーマスは話題を変え2人の兵士は黙ったまま見張りを続けた。アフガニスタンの夜空はすばらしかった。真っ暗な中に星がぎっしりと詰まっていた。

プラトゥーンがAJ検問所に到着してからしばらくたって、ウィリアムズ二等軍曹は、あることに気づいた。それは、プラトゥーンの兵士たちは、自分たちが考える兵士の仕事ではなく、実のところ別の任務のために駆り出されているということだ。

「嫌な気分でした」とツイストは言った。そのためにわざわざ波風を立てるより、「無視する方が楽」というものだった。

「めちゃくちゃでした」と特技兵のハガードは言った。

「ブラッグであれほど学んだ戦術はどうなったのだろう？　気にしても仕方ない。V字状に歩く訓練もしたよな？　もう必要ないよ。歩いて行うパトロールだからね。それも一列に並んで、といった感じでした」とツイストは思い出しながら言った。

「上層部は、私たちがタリバンに動揺を与えるだけでいいと思っている」とウィリアムズ二等軍曹は気がついた。「彼らを挑発し、銃撃戦を仕掛け……そして、BDAを行えというのが上層部の命令です」。

「彼らが気にしているのはそのＢＤＡだけなのです」とウォーリーも言った。

ＢＤＡとは戦闘成果評価のことで、戦場のターゲットにどれほどの損害を与えることができたかを評価するものだ。第二次世界大戦の頃の戦闘成果評価では、空爆作戦の後にデータを収集するために歩兵たちが送り込まれた。それは、将校や分析者が評価するために、空爆による損害のデータを集めるという考え方で、空爆が効果的だったのかを判断するためだ。21世紀の生体認証は、戦闘成果評価の概念を新しい領域へと移行させた。死んだ人間を損害評価に含めることになったのだ。

アフガニスタンで武装兵士が殺されるたびに、中央情報サポートチーム（ＣＯＩＳＴ）のメンバーは戦闘成果評価を行うように指示された。

「私が戦闘成果評価を行います」と、後にジェイムズ・スケルトンは軍事裁判官に証言した。「私はプラトゥーンの本部を構成する部署に所属する、中央情報サポートチームのメンバーでした……情報解析、戦闘成果評価、情報収集、生体認証登録などを行います。地元住民たちの情報を登録し、多国籍軍の記録に登録されていないか、善良な市民なのかそれとも悪い武装勢力なのかを確認するために、ＳＥＥＫ生体認証登録装置を持ち歩いていました」

戦闘成果評価と生体認証のデータを集める。それが２０１２年以降、陸軍が最も重要視したことなのだ。

きわめて重要……だが誰もやりたくない任務

中央情報サポートチームの仕事は2007年まで存在しなかった。積極的に物事を進める陸軍のハリー・D・トンネル・フォース大佐がその概念を発展させたのがその年だったのだ。そもそもそのような職が存在しなかったので、公式に訓練を行うプログラムもなかった。戦術、技術、そして、手順を学ぶ必要があり、カリフォルニア州フォート・アーウィンとバージニア州フォート・A・P・ヒルのナショナルトレーニングセンターで行われることになった。スケルトン一等兵とその他の中央情報サポートチームのメンバーがそこに行き、生体認証自動ツール、携帯身元検出装置、SEEK生体認証登録装置の使い方を学んだ。徒歩による巡回の後、ストーリーボード（絵コンテ）を書き、中隊の指揮官に提出するレポートを準備する手順を学んだ。

この仕事を任されたのは、反乱軍との戦いにおいて必要のなくなった仕事をしていた者たちだった。「ある兵士、例えば、化学作戦に任命された下士官です……化学兵器の戦争は起きていないので、現在主流となっているテロに対する世界の戦いにおいて、彼に仕事はありません」とエドワード・グラハム大尉は陸軍のレポーターに伝えた。このような人材が中央情報サポートチームのメンバーには理想的だった。「我々は、現在進行中の戦場の写真を撮り、戦況を理解し、すべての情報を把握して、さらなるターゲットを決めるために必要なすべての知識や道具を与えるのです」とグラハムは言った。「そうすれば、分析者になることに集中できます」。その任務は誰もがやってみたいと思うものではなかった。中隊の指揮官から下級兵士にいたるまで、生体認証や戦闘成果評価は、彼らにとってお役所的な厄介な仕事でしかなかった。「生体認証に対応することを求められました。しかし、実際には誰もやりたくないと思っていました」とスワンソン大尉は言った。

それにもかかわらず、組織のトップにとっての事実はまったく逆だった。中央情報サポートチームとチームが提供する情報は、大隊や旅団を率いる指揮官たちにとってはきわめて重要だったのだ。２０１０年1月、陸軍が中央情報サポートチームの最初のハンドブックを作成したとき、ジェイムズ・ヤーボロー准将は、中央情報サポートチームの仕事、そしてチームが収集の責任を負う生体認証のデータは、何世紀も続いた諜報活動における指揮系統をひっくり返すようなものになるかもしれないと警告した。中央情報サポートチームはヤーボロー准将が言う「下から上への情報」というものを創り出した。これからは、地上で作業する小部隊が「上官からの助言や情報についての分析や選別のサポートを受けることなく、重要な情報を集め判断するのだ」とヤーボロー准将は警告した。中央情報サポートチームのメンバーは実際に、指揮系統のだいぶ上の方にいる指揮官たちに対して「ほんのつかの間、彼らより早く状況を把握し、情報の優位性」というものを握っていると感じていた。

これがプラトゥーン内に摩擦を生み出した。ほとんどの兵士がより大きな観点から生体認証の収集が果たす重要な役割について理解していない状況で、スケルトン一等兵はその他多くの一等兵から見下されてしまった。戦闘歩兵小隊というのは、パラシュートを操る技術、武器を使いこなす能力、身体トレーニング、戦場での勇敢さなどに価値を置いていた。スケルトンはノースカロライナ州サザーンパイン出身の元交通警官だった。彼は太りすぎだと思われていたので、問題をより深刻なものにした。ケニス・フランコ先任曹長などはあからさまにスケルトンをからかった。

「彼のことをムカつく奴だと呼んでいました」とウォーリーは当時のことを振り返って言った。「フランコ専任曹長はスケルトンに、体にぴったりしたシャツを着るなと言いました」とウィリアムズも回想した。

すべての人が協力して働くことが奨励される同質グループでは、誰か1人が仲間外れにされると問題が生じる。

「スケルトンは自分のことしか考えない人間です」とウィリアムズが言った。「スケルトン第一主義なのです」。

即席爆破装置だらけの場所を「可能な限り徒歩でパトロールし人々との交流を持つ」

エリオット中尉は、振り返って考えてみると、そもそも官僚組織の不和が原因だったのではいかと言った。そのような状況下で、アフガニスタンにおける軍隊という組織の指揮系統が構築され編成された。「明らかに中央情報サポートチームの目的と役割に対して不信感がありました」とエリオットは２０２０年に語っている。「中隊レベル（つまりパトロールを行う兵士同士）では、彼らは敵の行動に対応する側です。情報部の騎兵大隊レベル（つまり、戦術作戦センターで作業する兵士たち）では、私たちは敵の行動を予測しようとしていました」。中央情報サポートチームは２つの異なる集団の間で連絡係の役割を果たさなければならない。下士官が灼熱の太陽の下で作業する生体認証ホットスポットと、情報部の分析者たちが働いていたもっと広くてもっと安全なエアコンの効いた作戦センターの間を取り持つということだ。

この２つのグループが働く現実の格差が、２０１２年４月第１週の歩兵たちによる徒歩パトロールの最中に顕在化した。ウォーリー一等兵は真夜中に検問所を出発したことを覚えている。フィッツジェラルド特技兵は、赤い帽子を被った人間を探すという捜索指令（ＢＯＬＯ）についての短い説明を聞いたことを覚えている。「年配の男。私たちに伝えられたのはそれだけでした。作戦を実行し、赤い帽子の男を見つけろと言われました」。トーマス一等兵は、パトロールはすぐに終わるはずだという印象を持ったことを覚えている。「私たちは基地から100メートルほど斜面を登って、誰かの敷地か何かで用を済ませ戻ってくるのだと思いました」。ウィリアムズ二等軍曹は、村のリーダーと会うことが、上からの指令だったと記憶している。「私たちはその男を探して、彼と彼の敷地内でシューラ（話し合い）を持つということだと思いました」。

パトロール隊は日の出の頃に村に到着した。すべては泥に包まれていた。泥レンガ造りの家、泥道、弾痕ででこぼこした土壁。ヤギや牛があちらこちらに見えた。どんなことがあっても踏んではいけないプラスチックごみ。枝を合わせて作った人形のように葉っぱのない木もいくつか立っていた。大麻とアヘンケシが植えられた畑。南東には、アルガンダブ川沿いに家々が建っていた。その向こうにはさらに砂があった。レギスタン砂漠はパキスタンまで続いている。

プラトゥーンのドッグハンドラーと爆発物探知犬は、先頭を歩いていた。太陽が照りつけていた。暑くなり、探知犬はすでに働きすぎていたので、間もなく嗅覚能力を失ってしまいそうだった。

「犬たちはいつも嗅覚能力を失っていました」とフィッツは回想した。「同じように地雷探知犬も、いつもスタミナを失ってしまうのです」。

地雷除去を行うマシュー・ヘインズ一等兵は、探知機を揺らしながら探知犬のすぐ後ろにいた。

「見つけるか、さもなければ死か！」と、ヘインズは即席爆破装置があちこちに埋まっているという不吉さを打ち払うように、ブラックジョークを明るく言った。よくよく考えてみれば、徒歩でのパトロールは死の行進というものだった。ヘルマンの響き渡る「注意しろ、さもなければ死ぬぞ」という言葉は、兵士たちが進む１歩１歩の大きな励ましとなった。こうしたパトロールは、２０１０年から11年に国際部隊の司令官を務めたデイビッド・ペトレイアス大将の思いつきだった。「歩くことだ。村々に立ち寄りなさい。車で通り過ぎるのはよくない」と、ペトレイアスは２０１０年に10万人の陸軍兵、海軍兵、空軍兵、海兵隊員、そして民間の軍事関係者に向けて作成したガイドブックに書いた。「可能な限り徒歩でパトロールを行い、人々との交流の機会を持ちなさい。サングラスを外しなさい……弾道用ガラスから離れたりはせず、オークリーの軍用サングラスを携帯することだ」。デイビッド・ペトレイアスは現在、中央情報局長官を務めている。しかし、実際に徒歩で歩いて村々を回るのは、ファースト・プラトゥーンの兵士たちだった。

ヘインズはフィラデルフィアの出身だった。魅力的で容姿端麗だったため、彼はジャスティン・ビーバーというあだ名をつけられた。フォート・ブラッグにいたときは、アメリカ政府のおかげで金を稼ぐことができるようになって感動した。また、両親の援助もあって車を買うことができた。「まぶしく輝く黄色のコルベットでした」とツイストは回想した。アフガニスタンに配属される前に、2人はデートしてくれそうな女性を探しに基地の周辺をコルベットで走った。

ヘインズの後ろを歩いていたのはフィッツだった。その日、この分隊に配属されたばかりだった。「私たちは赤い帽子を被った男を見ました」と彼は言った。「彼を追って丘を登っていきました。そして、彼を止めたのです。太ったティーンエージャーで、私たちが探していた男ではありませんでした。太っている子どもなんて、アフガニスタンでは変だと思いました」。

パトロール隊はさらに先を進んでいった。兵士たちは、ヘインズ一等兵の後ろに一列に並んでくねくねしながら歩いた。ついに、彼らは村のリーダーとの話し合いが行われる建物にたどり着いた。

「彼は年老いていました」とウィリアムズ二等軍曹は言った。「彼は反ソビエト時代にアメリカ人に訓練を受けたイスラム戦士だったと言いました」。それが本当かどうか証明することはできなかった。「どうでもいいことでした。彼は建物の中に私たちを招き入れました」。

「彼はお茶を入れて、足パンを作ってくれました」とトーマス一等兵は覚えていた。

「彼は焼く前に足で生地をこねたので、私たちは足パンと呼んだのです」。

昼食は無線から流れてきた指令によって中断した。それは戦術作戦センターのスワンソン大尉だった。

「ＰＫ機関銃を持った敵が近くの建物の屋根にいるところを持続地上監視システムのカメラが、発見したのです」とウィリアムズは言った。「私たちは外に出て、相手が攻撃してくるように仕向けなければなりませんでした。そうなれば、本部から迫撃砲を打ち込むことができるからです……そして、戦闘成果評価を行えと言われましたが、それにはまず本部が攻撃しなければなりません」。

兵士たちは、屋根の上で機関銃を持っている男がいるという建物に向かって進み始めた。ウィリアムズがそばまで行くと、「レポートが間違っている」ことに気づいた。屋根の上には機関銃ではなく、箒（ほうき）が散乱していただけだった。

しかし、手遅れだった。プラトゥーンは武装兵士たちに尾行されていた。無線機係と火力支援チームの技術兵として同行していたトーマス一等兵は、本部から届く情報を伝達した。

「伏せろ、伏せろ！」無線から聞こえてきた。「今すぐ伏せろ！」。

作戦センターでは、スワンソン大尉と本部のチームが持続監視カメラのライブ映像を観ていた。プラトゥーンは３方面から武装兵士たちに囲まれていた。

「伏せろ、どこかに身を潜めろ」という命令がプラトゥーンに下った。

前方にはワジ（訳者注：通常雨季以外は水のない川）があった。カレーズにつながる水を張った灌漑用の水路だ。反対側に隠れることができる場所があった。しかし、反対側へ渡るには赤いパイプの上を橋のように歩かなければならなかった。アフガンの国民軍の兵士の1人がウォーリーの前に割り込んできたとき、彼は動揺した。

「怒りが込み上げてきました」と、そのときのことを思い出しながらウォーリーは言った。そのとき、銃弾の音がした。そして、彼の目の前でそれが映像になった。銃弾がアフガン人の兵士の頭部に当たったのだ。男はワジの中に落ちた。「私が撃たれるところでした」とウォーリーは言った。「そんなふうにあっけなく」人生は終わっていただろう。仰向けに横たわって、死ぬ。地面になるべく体を伏せ、隠れることができる場所を探しながら、兵士たちは攻撃を始めた。

ウィリアムズ二等軍曹とラティーノ中尉は、プラトゥーンを自分の家の中で匿ってくれる農民を見つけた。中には子どもたちがいた。ウォーリーは3人か、4人の子どもたちがいたと記憶している。

「子どもたちはそれまでアメリカ兵を見たことがなかったみたいでした。私たちが何をする人なのか知りたがりました」。誰かがペンと紙を持っていたので、ウォーリーはパラシュート兵が飛行機から飛び降りるところを絵に描いた。「アニメみたい」と子どもたちは釘づけになった。そこに、国民軍の兵士たちが走ってやってきた。

「彼らはひどく怒っていました」とトーマスは言った。「そのうちの1人が〝俺たちの仲間をあそこに残してきたではないか〟と言いました。確かに彼らが言っていることは正しかった。私たちは銃撃戦をしていたので、あの兵士をワジに置いてきました」。

「彼は死んだよ」とウィリアムズ二等軍曹がアフガンの兵士たちに伝えた。

「彼はまだ生きている」とアフガンの兵士の1人が言った。

ファースト・プラトゥーンの軍医は、隊に配属されたばかりだった。フィッツは、軍医はまだ銃撃戦を経験したことがなかったのではないかと思った。「軍医は〝彼をここに連れてくれば、助けるために最善を尽くすよ〟と言いました」。

頭部を撃たれたアフガン人の兵士を連れてくるために、ウォーリーは他の兵士たちと一緒に行くことを申し出た。しばらくすると、彼らは男を運んできた。

「彼は死んでいました」とウォーリーは言った。

「しかし、軍医は彼がまだ生きていると思っていました」とウィリアムズが言った。

「彼らが兵士を農民の家の床に寝かすと、彼の身体が少し動いたのです。これはよく起こることでした。死前喘鳴（しぜんぜんめい）と呼ばれるものです」。

トーマス一等兵は、それが砂袋でヘスコ壁の修理を手伝ってくれたアフガン人の兵士だったことに気づいた。彼の友だちだ。

「私の膝に彼の頭を置きました」とトーマスは回想した。「軍医がヘルメットを外すと、彼の脳が私の手の中にあふれ出ました」。

本部からの呼びかけが無線から聞こえてきた。トーマスにはやらなければならない仕事があった。空爆によって武装兵士たちがいる建物を破壊する、CASと呼ばれる近接航空支援が行われようとしていた。まず、米国軍事用攻撃型ヘリコプターであるアパッチによる攻撃だ。それから、航空機がJDAM（ジェイダム）と呼ばれる230キロの衛星誘発爆弾を投下する。

ウォーリーはその日のことをよく覚えていた。「空からの攻撃を眺めていました……アパッチがあれほどの損害を与えるところをはじめて見ました。あのときの記憶を表現できる言葉はありません。最も恐ろしい光景を目にしていましたが、同時に、加害者側が自分たちの味方なので最高の瞬間でもありました」。2019年にその当時のことを語りながら、ウォーリーは自分の考えをまとめるために一息入れた。「あれほどの損害を与えることができるものがこの世に存在するのです。でも、実際に自分の目で見るまで、そんなことは想像もできませんでした」。

彼が立っていた場所からおよそ100メートル離れたところから、アメリカの航空機がどのように230キロの爆弾を落としたのか、ウォーリーは今でもよく覚えている。「それをデンジャー・クロース（訳者注：支援砲撃が近くに着弾するということ）と呼びます。あれほどの威力の爆弾は体の中から酸素を吸い上げてしまいます。周囲は真空状態になり、爆弾の金属片が空を埋めつくすのです。それで、あっという間に終わり、気がついたら地面に倒れているのです。空を見上げると、航空機はずっとずっと上の方にありました。空にアリがいるような感じです」。

ニコラス・カーソン一等兵はウォーリーと一緒にいた。2人はカールグスタフ無反動砲をタリバンに向かって撃つために、近くの建物を登って屋根に出た。相手に見つからないようにウォーリーたちはうまく隠れた。すべてはなんとも奇妙な感じだと思った。「藁の小屋に何匹かヤギがいました。吹き飛ばされた車。他にも歩き回る家畜。壁には落書きのように、何かが書かれていました」。彼には理解できない言語だった。すると、農民の家の中では、ラティーノ中尉とウィリアムズ二等軍曹が無線越しに本部と言い合いをしていた。

「戦闘成果評価はできません。まだ銃撃戦が続いています」とラティーノ中尉は叫んだ。

「戦闘成果評価を行うなんて不可能です」とウィリアムズ二等軍曹も言った。

「無線から言葉が返ってきました。〝我々は戦闘成果評価を行う〟と聞こえました」とトーマスは言った。

ウィリアムズとラティーノはどうにか引き延ばそうとした。暗くなるまで待てば、暗視ゴーグルが技術面での優位性を与えてくれる。

「しかし、本部はあきらめませんでした」とウィリアムズは言った。「彼らの命令は戦闘成果評価の一点張りでした」。

兵士たちは命令に従うものだ。それが戦争のやり方だ。プラトゥーンは班に分かれ、戦闘成果評価を何度か行おうとした。建物に近づく最初の試みは失敗した。兵士のグループが探知犬を連れて途中まで進むと、タリバンが射撃を開始し身動きが取れなくなったのだ。

試みはことごとく失敗した。暗くなってようやく戦闘成果評価を遂行することができた。ウィリアムズ二等軍曹とラティーノ中尉が、ヘビやカエルでいっぱいの灌漑水路を伝って兵士たちを破壊された建物の一部に先導した。爆発物処理技術者のヌアネス二等軍曹と中央情報サポートチームのスケルトン一等兵が評価を行う間、別の班が彼らの警護についた、とフィッツジェラルドは言った。カンダハールの研究所で分析するために、指紋とDNAを収集し、袋に詰め、ラベルをつけて送る必要があった。

「死んだタリバンから虹彩スキャンを取るだって？　半分の遺体には頭がなかったのです」と、そのときのことを思い返しながらウォーリーは言った。

フィッツジェラルドは、建物に残っていた遺体のほとんどが「原形をとどめないほどに焼けただれていた」ことを覚えている。「それにもかかわらず、スケルトンは自分の任務を遂行しました。みんな死んでいました。その匂いが本当に嫌でした」。

真夜中に、陸軍の前哨基地や検問所へ歩いて戻るなど、1つもよいことなどなかった。帰宅を急ぐあまり、ファースト・プラトゥーンはばらばらになってしまった。

「下士官たちは、川を通って基地まで帰ろうとしました」とウォーリーは言った。「私はヌアネスのそばにいました。彼は〝ついてきて〟と言いました」。

「爆発処理班はいつでもすべてについて最良の方法を知っているものです」とツイストが言った。重い武器を持っていたウォーリーとデイビッド・シロ一等兵は、ヌアネスの後に続いた。彼らは川の支流の縁を歩いてAJ検問所にたどり着いた。残りのプラトゥーンの兵士たちはワジの水路を通って、敵陣からこっそり脱出した。

「とうとう全員が基地に戻ると、私たちの服は乾いていましたが、彼らはずぶぬれでした。何でも知っている爆発物処理班がいないとそうなるわけです」とウォーリーは言った。

爆発物処理専門家・ヌアネス二等軍曹の死／目隠しをして地雷原を歩くようなもの

AJ検問所での任務は5週間で終わった。戦闘のリズムに慣れてきたところで、思いがけない計画の変更があった。ここから立ち退くことになった、とスワンソン大尉は部隊に告げた。

「第2歩兵師団の兵士たちが木立に手榴弾を投げて、1人の子どもを殺してしまいました」と、本書のためにインタビューを受けてくれたスワンソンが打ちあけてくれた。「もしかすると、母親も亡くなったかもしれません」。殺害は、基地から西におよそ30キロ離れた、ザリ地区のパエンザイという人里離れた紛争の激しい地域で起きた。

殺された一般市民の家族に対して「スコット・ハルステッド大佐は、大金を払ってなんとか状況を立て直そうとしました」とスワンソンは説明した。ベイルズ二等軍曹によって殺害された被害者の家族に対して払われたのと同じ賠償金、あるいは、見舞金だった。

カルザイ大統領は二度と一般市民の犠牲者が出ることはない、と国民に対して約束をしていた。それなのに同じことが起こってしまったのだ。アレン将軍はテレビに出演して、謝罪の言葉を口にした。

「プラトゥーンも第2歩兵師団と共に配属されていました」とスワンソン大尉は説明した。「事件後、歩兵団はそこから立ち退かなければならず、私たちがパエンザイを引き継ぐことになったのです」。

「第2歩兵師団が子どもを殺した」という噂はプラトゥーンにも伝わった。

「私たちは村人たちの怒りをなんとか抑えなくてはなりませんでした」とウォーリーは言った。

「暴動のようなものが起こらないようにするということです」とツイストは言った。

村人たちには、部隊ごとに分かれているアメリカ陸軍の兵士たちの違いなどわかるはずもなかった。誰もが同じカモフラージュの軍服を着ていた。同じヘルメットや防具を身につけていた。同じ武器を持ち歩いていた。

「アフガニスタンの南部では、人々は他の人々を部族として区別していました」とウォーリーは説明した。「第２歩兵師団はインディアンの頭部が描かれたワッペンを腕につけていたので、村人たちはインディアン・ヘッド部族と呼んでいました。特別部隊ですか？　あごひげを生やした部族でした。私たちは円と四角部族と呼ばれていました。すべてのアメリカ人を意味する２つのＡが並んだワッペンをつけていたからです。四角の中に丸みを帯びたＡが並んで円のように見えます」。

「私たちはインディアン・ヘッド部族ではありませんでした。私たちは円と四角部族で、タリバン部族から村人たちを守るために赴任したのです」とツイストは言った。

２０１２年5月12日、プラトゥーンは新しい前哨基地であるパエンザイ防衛拠点に移動するために準備をしていた。爆発物処理専門家のヌアネス二等軍曹は、アルガンダブ川で作戦を行っている別のプラトゥーンに同行していた。ファースト・プラトゥーンの兵士たちがＡＪ検問所を去るために荷物をまとめていると、ヘルマン二等軍曹がひどく悪い知らせを持ってきた。

「ヌアネスは死んだよ」と彼は言った。

「ヌアネスは即席爆破装置を調べるためにかがんでいましたが、顔に向かって暴発しました」とツイストは当時のことを思い返しながら言った。

ウォーリーはたった今聞いた話が信じられなかった。「30分くらいはさまざまな感情に押しつぶされそうになり、その後は放心状態でした。特に私はショックを受けていました。ヌアネスはとてつもなく知的な男でした。ものすごく勇気もある。私は他の誰よりも彼を尊敬していました。そんな彼が死んでしまったのです」。

爆発物処理専門家は何でも知っている。誰がヌアネスの代わりを務めればよいのか？　そして、新しい爆発物処理専門家は、イスラエル・ヌアネスと同じくらい優秀で忍耐強い人物だろうか？

しかし、ヌアネスの死後、ファースト・プラトゥーンに新しく配属された爆発物処理専門家はいなかった。ザリ地区のパエンザイ防衛拠点の周辺を徒歩でパトロールするというのは、目隠しをして地雷原を歩くようなものだった。最悪の事態が起こりつつあった。

PART 3

第9章　パエンザイ防衛拠点

ファースト・プラトゥーンが過酷な8時間の行進の末にたどり着いたパエンザイ防衛拠点

パエンザイ防衛拠点は、戦闘前哨基地や検問所と呼ぶには小さすぎた。三角形に建てられた駐屯地は、ヘスコ壁で組み立てられ、上部には蛇腹形(じゃばらけい)鉄条網が張り巡らされていた。電気、水道、電話線はなかった。兵士たちはウェットティッシュで体を拭いた。ファースト・プラトゥーンが到着したときは、眠る場所もなかった。アラスカテントと呼ばれる米軍の半円中型のテントもなかったので、どこまでも続く夜空の星を見上げながら、食料などの輸送に使われた木製パレットの上に寝た。

「アフガニスタンの夜空は思わず息をのむ美しさです」とアンソニー・レイノソ特技兵はそのときのことを思い出しながら言った。「戦争をしているなんて忘れそうになります」。誰もがあだ名を持っていた。レイノソのあだ名はレイレイ（訳者注・レイはスペイン語で王）だった。身体トレーニングでは、彼を超える者はいなかったからだ。

防衛拠点の角にはそれぞれベニア板とサンドバッグで監視塔が設置された。彼らが到着した日からそれ以降、それぞれの監視塔に少なくとも1人の兵士が見張りにつき、奇襲や攻撃の兆しがないか木々の間を観察した。３つのうち2つはアメリカ兵が受け持ち、最後の1つはアフガン人の国民軍兵士が受け持った。パエンザイ防衛拠点は、アフガニスタン全土に建設された700の陸軍駐屯地の1つだった。南部では、紛争が激しい地帯に強力なネットワークを張るように、要塞を機能させることがその目的だった。

ファースト・プラトゥーンは歩いてパエンザイ防衛拠点までやってきた。北西に1キロほどのガリバン防衛拠点から出発し、過酷な8時間の行進の末にたどり着いた。ほとんどの一等兵にとって、パエンザイは最終目的地だった。ガリバンは、中隊の指揮をするスワンソン大尉が、本部の部隊とセカンド・プラトゥーンと共に駐留する場所だった。合わせると、100名ほどからなるチェーンソー部隊だ。兵士たちはときどき装甲車で2つの駐屯地を行き来することがあった。ガリバンはアメリカが建設した高速道路一号線のそばに位置しており、配給ラインに近く、パエンザイよりももっと要塞化されていたこともあり、さらに安全だった。ガリバンは地域に住む村人の住居の周りに建てられた。一部の泥レンガの造りを組み込んで、その外側に新しい要塞を建てたのだ。庭には1本の木が生えていた。1つだけ実をつけるまで、それがリンゴの木だったとは誰も気づかなかった。たった1つというのは薄気味悪く、知識と悪という聖書的な意味合いを思い起こさせた。

ガリバン防衛拠点は、生体認証を収集した後の作業を行う場所でもあった。中央情報サポートチームのスケルトン一等兵は、疑惑の人物の情報を入手したら、ストーリーボードや経歴などの概要を記録した。ガリバンには電気が通っており、衛星中継もできたので、生体認証には安全な場所だった。極秘情報の取扱許可を持つ者しか入ることはできなかった。その他のプラトゥーンはそこで何が行われているのか知る必要はなく、釈然としないままだった。

戦争は、ワシントンでは「絶望的な失敗」と言われるようになっていた

防衛拠点という考え方は、古くからある要塞化の概念と関係がある。ジェフリー・デマレストは『反乱軍の戦争に勝つ（仮題）』の中で、アフガニスタン南部における要塞化の有効性について、第82空挺部隊の将校たちに要塞を使うことで対反乱軍戦争をどう方向づけたのか、質

問形式で言及している。マジノ・ラインだったのか、それともフォート・アパッチなのか？第二次世界大戦中に使用されたフランスのマジノ・ラインは、コンクリートでできた掩蔽壕であり、要塞であり、防衛ラインだった。ドイツが再び侵攻しないように、１９３０年代にフランス政府によって築かれた。マジノ・ラインは侵攻不可能なはずの要塞で、エアコンの効いた食堂など兵士たちのための快適な設備がついていた。それがどうなったのかは、歴史を見れば明らかだ。

アリゾナ州のフォート・アパッチは、１８７０年に建設され、何世紀にもわたりそのあたりに住んでいたアパッチ・インディアンに対する軍事作戦の要となった。１８８６年にアパッチ族のチーフだったジェロニモがアメリカ騎兵隊に降伏したので、フォート・アパッチは要塞のサクセス・ストーリーとしてたびたび描かれている。しかし、軍事歴史家のＴ・ミラー・マグワイアが１８９９年に書いたように、「一度包囲された要塞は、味方の野戦軍が包囲軍を打ち負かさない限り、必ず陥落する」。アメリカ陸軍はインディアンとの戦争において、自分たちが設定した条件でない限り、ネイティブ・アメリカンから奪われた１インチの土地もあきらめることはできなかった。アフガニスタンではそんな実情とはかけ離れていた。２０１１年には、首都ワシントンにおいてすでに戦争は「絶望的な失敗」と言われるようになっていた。

国家安全保障アナリストのピーター・ベルゲンは、世間の注意を引くために役立つある言い回しを紹介したときに、「カブールの政府は、腐敗し略奪が横行している、と我々は報告を受けている」と書いた。「アフガン国民軍はめちゃくちゃだ。国への忠誠心より、部族への忠誠心が勝る。タリバンが力を取り戻している」。同じ頃、ファースト・プラトゥーンのほとんどの一等兵は高校を卒業し、基礎トレーニングや空挺部隊の学校に入学するために準備を始めていた。絶望的な失敗という概念は、夕方のニュースのテーマになっていた。

農民と武装兵士を法医学的な証拠で見分けるための、生体認証の収集

パエンザイ防衛拠点では、徒歩によるパトロールと生体認証の収集がただちに開始された。パトロール中に出会ったすべての村人から、指紋と虹彩スキャンを収集することになっていた。その作業はいつもぎくしゃくしていた、とツイスト一等兵は記憶している。「それは民衆の心をつかむ作戦のはずでした」と彼は言った。「それなのに、誰かに〝目を大きく見開いてください……違います、もっと大きく〟などと言わなければなりません。これには少し違和感を覚えました」。

ダラス・ハガード特技兵も、やりすぎだと感じたことを覚えている。ハガードはオハイオ州

出身で、高校生のときはフットボールのスター選手だった。彼は涼しい顔で冗談を言い、深い忠誠心を頼りに行動するように心がけていた。怪我をしたら、肩で担いで安全なところまで運んでくれるのはハガードだった。2019年に彼に行ったインタビューで、「彼らはみな農民です」と言った。「日が昇り、日が沈む。彼らは育てているブドウの世話をしなくてはなりません。彼らにとって時間は重要です。私たちが指紋や虹彩を採取しなければいけないからといって、農民に1時間ほど作業を止めてほしいなんて言えますか？　彼らにすれば、ふざけるな、という気持ちでしょう」。

ヘルマン二等軍曹は、起こりうる結果をよく考えるようになった。「私たちは〝ちょっといいですか。目のスキャンと指紋を取らせてください〟と言います。彼らは嫌だと答えます。どこまで無理に進めるかという倫理的問題がありますよね？」

しかし、それを決めるのは一等兵ではなく、将校たちだった。少尉のジャレッド・メイヤーは、気がつくといつもその決定を下さなければならなかった。「どれほどの力を行使したかですか？　そうですね、〝さあ、手を上げてください。手はポケットから出してください〟といった感じです」。目を大きく見開いて。ブルカを取ってください。いつも板挟みの状態だ。「私たちは、警察国家を押しつけるつもりはありませんでした」。

「お互い確執を感じ取っていました」とツイストは言った。「彼らを助けるために、私たちはここにいると伝えるべきでしたが、そこには矛盾があったのです」。

アフガニスタンで司法制度のプログラムを確立するというのが、彼らがそこに駐留する理由だったはずだが、国防軍の部隊行動基準が変更になった。

「夜襲がなくなったのです」と、初期の配属で夜襲攻撃に参加していたジョシュア・ジアムベルカ二等軍曹は回想した。「兵士たちは、向こうから撃ってきたときだけ、武器を使って応戦してよいということになりました。それはまるで、片方の手を後ろで縛られているようなものでした」。

「村人がトランシーバーを使って話しながら、さらに指さしたり、隠れたりと、もう1つ疑わしい行動を取っていたら、私たちは攻撃することができました」とヘルマン二等軍曹は言った。

「私たちの作戦区域は576平方キロメートルと小さく、100名ほどの兵士がいました」とスワンソン大尉は言った。そして、パトロールを始めてから最初の数週間で、「その地域一帯に住むほとんどすべての人の生体認証を集めてしまいました」。

反乱兵士たちは柔軟に対応できる。彼らは対戦中の規模の大きな陸軍の戦術、技術、手法を観察し、それに臨機応変に対応する。夜襲が禁止されると、アメリカ陸軍の裏をかくために、タリバンはほとんどの作業を暗い時間帯に行った。

「暗視用の道具を使って、私たちは夜、監視塔から彼らの活動を観察しました」とメイヤー少尉は説明した。「夜になると、外国人たちがその地域までやってきて、朝になるといなくなってしまいました。彼らが銃や爆弾を運び込んでいることはわかっていました」。夜間は行動ができず、プラトゥーンは朝を待って、誰が関わっていたのかという情報を村人たちに聞きに行った。「私たちは彼らのところに行って、何か情報がないかたずねるのです」と彼は言った。「彼らは、〝うーん、何の情報もありません〟と答えました。つまり、〝何も聞かないでくれ。あなた方に教えたら、私たちに悪いことが起きる〟ということなのです」と、メイヤー少尉は村人たちの置かれた状況を強調した。

村人たちは教えることによって自分たちに何か悪いことが起こることを恐れていました。そして、私たちにも起こるに違いないと思っていたわけです。それは〝あなたたちは死にたくないだろう。私たちも死にたくないんだよ〟と言っているようなものでした」。

この果てしないやりとりにおけるジレンマは、他の問題にも波及した。

「しばらくして、手製の爆弾に触ったことのある村人が問題視されるようなりました」とウォーリーは言った。パエンザイ周辺を歩いて、エックスプレイを使ってすべての村人の指を調べると、ほとんど全員から手製爆弾に触れたことがわかる結果が出ました」。エックスプレイは、人の手から手製爆弾の痕跡を検出するために、陸軍が使用している道具だ。

「彼らの身になって考えてみてください」とツイスト一等兵はたずねた。「畑を耕すには、爆発物を解除しなければなりません。その場合、一体どうすればよいのか、と普通なら考えてしまいますよね？」

数キロ離れたベラムベイ村のハビーブッラー・ナイムのことを考えればすぐにわかる。自分の畑に仕掛けられた即席爆破装置のベルトをオフにし、またオンにしたことで、彼は空爆を受けて殺された。

戦地での生体認証作戦は、アフガニスタンの司法における法の支配についての議論を展開していくことを目的としていた。タリバンの即席爆破装置の製造者や設置者を西洋式の裁判所において刑事事件として扱うということだ。自分の土地にタリバンが爆弾を仕掛けることを強要された農民と、実際に活動している武装兵士とを見分けるために法医学的な証拠を使用することだ。これを行うためには、そうしなければ集めることのできない莫大な量のデータを、機械に通して読み取るしかないとアメリカ陸軍は信じた。国防科学評議委員会が国防長官にマンハッタン・プロジェクトのような生体認証のプログラムの創設を提案してから8年以上が過ぎていた。アフガニスタンでは、まさにそのプログラムが進行中だったのである。

しかし、その結果、新たに予期しなかった問題が発生した。指揮官たちがデータの洪水と呼んだものだ。

増え続けることが予想される対テロ世界戦争において、数え切れないほどのビジネスチャンスを生むデータ

それより3年前、アメリカ軍がイラクから撤退したとき、空軍幕僚副長デイビッド・デプチュラ中将は、仲間たちにこれからはデータの嵐というものが起こると忠告した。彼は「我々はそれほど遠くない未来に、センサーの中を泳ぎ、データの中で溺（おぼ）れるようになるだろう」と2009年に言及している。空軍はたった1年で、1人の人間が24年間まるまる1週間毎日24時間観ることができるほどの映像を撮影した。

問題は人材だった。イラク上空を飛ぶ無人航空機（ドローン）、飛行船、航空機によって長年監視ビデオが撮影されてきたが、何百万時間におよぶビデオテープが保管室のスペースを占領していった。これらのデータをどうすればよいか、誰もわからなかった。国防総省の膨大なデジタル記録をすぐに使用可能な諜報活動に利用するにはどうしたらよいだろうか？　パランティアテクノロジーズという民間のソフトウェア会社が、その解決法を提案した。

シリコンバレーに本社を構えるパランティアは、J・R・R・トールキンの『指輪物語』に登場する架空の物体から名づけられた。世界の別の場所で起こっていることを見たり予言したりすることができる水晶の玉だ。会社の創設者はスタンフォード大学の法律学部で出会った2

人の起業家だ。その1人がピーター・ティールで、それ以前はペイパルを共同で創立した人物だ。もう1人がアレックス・カープで、資産運用会社を経営していた。パランティアで2人は、非構造化データ、あるいは未加工データをふるいにかけ、その後、それらのデータを構造化し体系化して、ある程度検索と検出の機能を可能にするソフトウェアプログラムを構築した。この技術は簡潔に「データ・マイニング」と表現される。

「そうですね。私たちは2004年からスタートして、アメリカの情報コミュニティーにワールドクラスのソフトプラットフォームを提供するために、パランティアを構築しました。そして、現在西欧諸国の多くで採用されているPG（パランティア・ゴッサム）と呼ばれるプログラムを構築しました」と、2018年アレックス・カープは言った。「PGは諜報機関、国防総省、そして警察などの捜査官たちが、法にもとづいて、より正確にデータやデータの出所の追跡、また、彼らが追っている疑惑の人物の追跡を可能にします。その後、私たちはデータ集約領域で作業を行う、特別な任務を請け負っているオペレーターのためにプラットフォームを構築しました」。

「データ集約」とは、データに忠実な、あるいは構造化したデータをインテリジェンス製品に生かしていくという意味だ。この場合の「領域」は紛争地帯を意味する。パランティアが開発した、軍事用語で「データスライス」と呼ばれるデータのパッケージは、嵐のように送られてくるデータをどうすればよいのかについての解決方法を与えた。パランティアは洪水のようにあふれる情報を１つの流れ（ストリーム）に変えたのだ。軍隊と情報コミュニティーのパートナーが合法的に行動を起こすために、「すぐに使用可能な情報」となった。

パランティアテクノロジーズは、世界中の司法制度を構築する取り組みにおいて、国防総省と提携するチャンスだと考えた。イラクやアフガニスタン戦争を見れば、今後も対テロ世界戦争は無数に増え続けることが予想された。このデジタルの領域で、どうにか足がかりをつかむことは、機密分野と民間の分野の両方で、潜在的に数えきれないほどの新しいビジネスチャンスへの道を開くはずだ。

個人を検索し、場所を特定し、さらにその動きを時空を超えて追いかけるソフトウェア

「司法制度とその制度をコントロールする現在および将来的な能力は、人工知能とその（人工知能の）先駆者的な役割を果たす機械学習を利用し使いこなす私たちの能力によって決まります」とカープは言った。個別のリスク緩和には、可能なら生きているすべての人間を対象として、豊富なデータの収集が必要とされる。人間が一生かけても、パランティアのソフトウェア

のようにデータを集めることはできない。パランティアのソフトウェアは、個人を検索し、場所を特定し、追跡するために設計されたものだ。さらに、その個人の動きを、時空を超えて追いかける。しかし、誰が、あるいは、何がそれぞれの個人に対してリスク水準を割り当てるかは、まだ作業の段階で決定していなかった。

国防総省は、大量に保存された記録や高速度のデータは、解析者がデータ点の間に存在する関連性を解析できなければ使い物にならないと理解していた。パランティアのソフトウェアプログラムは、いくつかの単純なキー操作で、データを処理し、保存し、評価し、分析することが可能だった。植物学から隠喩を借りると、１つのラズベリーの実を想像してもらいたい。一般的にラズベリーは多くの個々のパーツからできている。それぞれのラズベリーは、茎、棘、根、葉、そして、小核果と呼ばれる実からできている。１００万個のラズベリーをバラバラにしすべての小核果を混ぜたら——もちろん隠喩的ではあるが、パランティアの優秀なソフトウェアは、特定して集計する。あるいは、もともと１つの実の部分だった小核果だけを特定するために、この１００万個のパーツを詮索する。

「だから」とカープは言った。「パランティアは情報コミュニティーの中で、ニッチプレーヤー、つまり、細分化された狭い範囲のニーズに特化したソフトウェアによって、市場で一定の地位を占める企業となりました。10年の間に、アメリカ国内外での極秘の情報を扱うコミュニティーにおいて、データの分析を行うプラットフォームと呼べるものを提供してきたのです」。カープが言う10年の8年目にあたる２０１２年までに、アメリカ軍とアフガニスタンの情報コミュニティーのパートナーは、反乱兵士たちを識別し、追跡するためにパランティアソフトウェアを使用してきた。そして、即席爆破装置を製造し設置した人物だと特定されると、多くの場合彼らは殺害された。

タリバンを排除できない／歯が立たない場所

パエンザイ防衛拠点の周辺の地形は、徒歩でのパトロールを毎日行うには過酷すぎた。想像を絶するほど暑かった。毎日のように一日中、風によって砂埃が舞い、あらゆる体の隙間や目や口などの開いている場所に入り込んだ。砂は鼻を詰まらせ、目に染みた。ザラザラした細かい埃（ほこり）が指にこびりつき、足の指から取り除くことはできなかった。即席爆破装置はその地域の道路やヤギの通り道のどこに仕掛けられていてもおかしくなかったため、プラトゥーンは、近くの村へ行く場合は農民の畑を通って行くように命令されていた。こうした土地に爆発物が仕掛けられる可能性は低いと考えられたからだ。農民の畑を横切るということは、ブドウ棚と呼ばれる1・5メートルから1・8メートルの壁を登ることを意味していた。

「拷問並みの運動を、毎日行っているようなものでした」とそのときのことを振り返ってツイスト一等兵は言った。「上に登る、壁を越える、下に降りる。その繰り返しです」。過酷な暑さの中、兵士たちは30キロ、あるいは、それ以上の荷物を持って歩いた。同時に、壁、ブドウ畑、または木の陰に隠れている反乱軍の狙撃者による射撃にも、いつも警戒していなければならなかった。

ＡＪ検問所近くのマイワンド地区では、農民たちはアヘンケシや大麻を育てていた。ザリ地区では、主要な作物はブドウだった。砂漠でブドウを育てるために、地元の人々がブドウ棚を考案した。その泥レンガで造った高い壁のブドウ棚がなければ栽培は不可能だった。これらの壁は何列も並び、その下に地下水が流れる溝が掘ってあった。

フィッツジェラルド特技兵は最初の印象を覚えていた。「はじめてそのブドウ棚を見ると、一体どうなっているのか、と思います。それから、これはすごいことだと気づくのです。彼らは川が流れて濡れている地面まで1・8メートルから2・4メートルほど掘ります。それが灌漑の仕組みで、日陰を作る方法なのです」。

ザリは作られた地区だった。２００１年後半にアメリカがタリバンからカンダハールを奪還するときに援護した地元の郡長への恩賞として、２００４年にカルザイ大統領が隣り合う地域を切り取ってザリ地区を作った。次の年にはタリバンが戻ってきた。それ以来、ザリ地区は依然として統治できない場所になっていた。隣り合う地区に駐在していたカナダの部隊は、西側の境界線をなんとかザリ地区まで広げることに成功して、それらの基地をアメリカに引き渡した。

２０１０年、アメリカ陸軍は自国に帰る準備を進めていた。引き渡しのとき、指揮官のフレデリック・ベン・ホッジス准将はレポーターたちに向かってこう語った。「ザリ地区の90％は紛争地域です。さもなければ、ずばりタリバンの支配下となっています。なぜなら、そこで一緒に戦う多国籍軍はなく、アフガンの治安部隊もそこでは機能しなかったからです」。

ザリ地区にファースト・プラトゥーンがはじめてやってきたとき、陸軍はすでに2年もの間、その地域に足がかりを築こうと奮闘したが成功しなかった。初期の試みの1つであるドラゴン・ストライク作戦は、タリバンの指揮官たちをターゲットにした「殺害か捕獲か」という注目を集める任務だったが、あまりうまくいかなかった。失敗した別の作戦では、陸軍は人々の畑や家を取り壊して、ザリ地区の南側の境界まで16キロメートルにわたるコンクリートの壁を築こうとした。村人たちは陸軍の民事部大隊から、申請すれば金銭的な補償をすると提示された。

地域一帯には案内が配られた。「土地の所有権を証明する書類を持って、センターまで申請してください」と陸軍ベンジャミン・ヘースティング少佐は言った。しかし、文字を読めるのは人口の15％以下だった。さらに、土地の所有に関する書類など存在しなかった。地区長のニヤズ・サルハディは、村人を代表してこの件について交渉した。所有に関する書類とは西洋の世界の考え方だ、と彼は陸軍に説明した。土地を失った村人たちに陸軍がお金を払うことができるように、村の長老たちが彼らの土地所有を認めて保証するならばよいという妥協案が採択された。

しかし、タリバンは命取りの即席爆破装置を次から次へと埋めて、いつまでも攻撃してきた。陸軍はザリ地区の紛争地域に、２つ目のコンクリートの壁を建てようとした。最初の壁よりさらに大規模だった。ドラゴン・ストライクを遂行するタスクフォースは、ブルドーザーで平らにした道に、高さ6メートルのコンクリート製の障壁を何百個も設置した。ときに、驚くようなスピードで、１日に30から40の障壁を設置することもあった。「彼らのこれまでの最高記録は68個でした」とアレン・アンダース中尉は、２０１１年にレポーターに語っている。しかし、壁ができてもタリバンを排除することはできなかった。

２０１２年5月、ファースト・プラトゥーンがはじめてこの地に足を踏み入れたとき、タリバンは支配を続けていたのだ。

日々収集される生体認証データ／それはいつの日か戦場を離れ、アメリカのある活動に関わっていく

パエンザイ防衛拠点では、来る日も来る日も、毎日のように、10時間を超える徒歩によるパトロールが実施された。警察官が毎日の見回りを行うように、ここではアメリカ陸軍が周辺のアフガンの村々をパトロールしていた。日の出と共に、まず1回目のパトロールが行われ、午後にもう1度行われた。兵士たちは村人たちとどうやって交流すればよいのかを学んでいった。その目的は彼らの力や存在感を示すことだった。村人たちとの交流は、友好的なものから敵意に満ちているものなどさまざまだった。しかし、すべての交流は取引だった。そのための見返りを用意していた。

「即席爆破装置を届ければ、金がもらえます」とツイスト一等兵は言った。

「米兵によって怪我をすれば、金がもらえます」とスワンソン大尉は言った。

「情報提供者として仕事をすれば、金がもらえます」とメイヤー少尉は言った。

「毎週開かれる会議（シューラ）に人々を誘って連れてきてくれれば、金がもらえます」とウィリアムズ二等軍曹は言った。「しかし、金を受け取る前に、村人は指紋と虹彩スキャンを取られます。頬の内側からＤＮＡを採取されるのです」。

こうした徒歩によるパトロールにおいて、兵士たちの間で高まりつつあった1つの怒りは、自分たちの動きを追跡して記録するGPS装置を携帯しなければならないという事実だった。旅団の本部は、パトロールごとに収集したデータを提出することを求めた。「正直な痕跡（こんせき）」とか、「正直なトラッカー」として知られる一連の作業なのだ。多くの一等兵たちは、この要求はまるで彼らの高潔さを侮辱しているように感じた。彼らは第82空挺師団のパラシュート部隊だ。陸軍のエリートなのだ。

「〝おまえたちが本当にパトロールに行ったのか、俺たちは信用していないのだ〟と言われているような気がしました」とツイストは説明した。

実のところ、このような正直な痕跡は、データに関わるまったく別の一部分であった。もっともっと何か大きな不可欠な部分だったのである。それは将来いつか戦場を離れ、アメリカ合衆国の法執行活動の一部となっていく、あるものに深く関係していた。

第10章　神の目の眺め

360度回転するメリーゴーラウンドのような地上監視気球

それは、パエンザイ防衛拠点から南西に3キロほどの、アルガンダブ川のすぐ近くだった。シーアチョイ戦闘前哨基地内に設置された鉄製コンテナの中で、持続地上監視システムを搭載した軽航空機オペレーターのケヴィン・Hは、農家の畑で用を足している男を観察していた。男は疑惑の人物で、情報機関の世界で新たに「活動基準情報（ABI）」と呼ばれるようになった方法を使って、ケヴィン・Hは彼の生活パターンを解析していたのだ。活動基準情報の第1の基礎は「どんな行動を取るかでその人の人格がわかる」と仮定することだった。

「強力な性能を誇る機器を使っていたので、すべてはまる見えでした」とケヴィン・Hは言った。神の目の眺めとも呼ばれる全能なカメラのことを指していた。「何か見過ごしたとしたら、それは映像を見ていなかったときだけです」。

ケヴィン・Hと持続地上監視システムのチームは、上空からファースト・プラトゥーンを見守ることに多くの時間を費やしていたが、このときは用を足している容疑者を観察する方が優先順位は上だった。用を足すためにしゃがんでいるのか、それとも即席爆破装置を埋めるためにかがんでいるのかについては、意見が分かれていた。

ケヴィン・Hが担当していた持続地上監視システム軽航空機は、防衛請負業者がニックネームとして22M（メートル）と呼んでいた長さおよそ22メートルの長い気球だった。それは飛行船ではなかった。つまり、自力で操縦することも、空中を航行することも不可能だったのだ。22Mはシーアチョイ戦闘前哨基地内の格納場所に、光学ファイバーとゴムとケブラー繊維でできた８００メートルほどのケーブルでつながれていた。格納場所の平台は自由に３６０度回転できたので、ケヴィン・Hはメリーゴーラウンドのようだと思っていた。「風を軽減するために、前後に旋回することができました。１２０日間ほど続く風が吹き始める夏の間、それは重要なことだったのです」。アフガニスタン南部を吹き抜ける非常に強い風は、ケヴィン・Hが育った南カリフォルニアに同じように吹くサンタ・アナの風を思い出させた。

気球に取りつけられた機器のおかげで、ケヴィン・Hは兵士たち、防衛拠点、そして、その周囲をはっきりと見渡すことができた。ほとんどの場合、パエンザイ防衛拠点の兵士たちは、一連の電気工学赤外線高解像度センサーとカメラが設置された軽航空機が、１日２回のパトロールでさまざまな村へ行くためにブドウ棚を昇り降りして作戦地域を歩き回っている自分たちの様子を観察することが可能だということには気づいていなかった。

「私たちの存在を誰にも知らせない、というのがそもそものアイデアでした」とケヴィン・Hは明らかにした。「たまにジョーの1人が」、ジョーというのは防衛関係者が仲間内で兵士たちを呼ぶときに使う名前だが、「通常は1人の下士官が、〝私たちはあなたがたを監視していますよ〟などと言うのですが、私たちはただ〝いや、いや、いや、そんなことしないでくれよ〟と答えるのです。基地まで村人がやってくることもあります。〝あなたたちが私たちを見張っていることは知っているよ。誰が私のヤギを盗んだのか教えてくれ〟と。これは実際にありました」。

軽飛行機の底部に搭載されたMX－15（ウェスカム）イメージングシステムは、ビーチボールくらいの大きさだった。重さは50キロほどで、情報、監視、偵察などを目的とした多くのカメラがついていた。AK－47自動小銃の銃床が独自に改造されていたら、それを3キロ先から確認することができるとケヴィン・Hは言った。気球は空気より軽く浮遊ガスによって上昇したので、撃ち落とすことは難しかった。武装兵士が球皮に弾を撃ち込んでも、気球を引っ張って下ろし、修理することが可能であった。

ケヴィン・Hが観察していた疑惑の男は、紫色の帽子を被っていた。ザリ地区では、紫はあまり見かけない色だったので、珍しい特徴となった。シーアチョイの持続地上監視システムのチームは、もう何週間もこの男を追跡していた。ケヴィン・Hは生活パターン分析における分野の専門家だった。それは、習慣の積み重ねから人物の身元を明らかにするという分野だった。監視チームは、紫の帽子の男は爆弾の設置者だと確信した。つまり、タリバンのために即席爆破装置を埋める作業を行っていたということだ。チームは彼が寝床としていた場所も特定していた。男は、南側の川向こうに住んでいた。ケヴィン・Hとチームがこれまで追跡してきた多くの人間と同じように、この武装兵士についてもまだ氏名などの情報は不明だった。

「一連の爆発物が起爆コードでつなぎ合わせてあり、毎朝彼は起きると、まず自分自身や周囲を守るために、即席爆破装置のベルトをオンにしました」とケヴィン・Hは言った。「それらの行動から、私たちは彼を429ステータスに引き上げました」。

429ステータスは、疑惑の人物が3回「地面と接触する」とつけられる状況だった。こうした行動を取ると、人々は民間人から武装兵士という立場に移行された。陸軍行動基準に従って、対象者となり合法的に殺害の対象となるのだ。

地面との3回の接触は非常に具体的だった。ケヴィン・Hは例を用いて説明した。「もし彼が地面と接触しているところを目撃し、圧力タンクが作動するのを目撃したり、あるいは、充塡（じゅうてん）しているところを目撃し、彼が電気コードをプレッシャー・プレートや電池に接続するところを目撃したら……私はそれを1、2、3と数えます」。これが上空からの持続監視によって得ることができる活動基準情報だ。

シーアチョイの軽航空機作戦のチームリーダーで、作戦管理官であるケヴィン・Hは、6人の監視チームを率いていた。1週間のうち7日間、1日24時間、チームは4つの歩兵小隊（プラトゥーン）が92平方キロメートルの地域に広がる20ほどの小さな村々をパトロールしている様子を「網羅」していた。持続地上監視システムのオペレーターたちが観察していたファースト・プラトゥーンとセカンド・プラトゥーンは、その4つの小隊の中の2つだったのだ。冬のはじめの頃は、チームが対象としていた地域は1600平方キロメートルだったが、5月になると動きが激しくなり、つまり危険になり、彼らが担当する地域はかなり狭くなった。パエンザイ防衛拠点やその周辺では「反乱活動が異常に激しくなった」とケヴィン・Hは記憶している。武装兵士たちが「絶え間なく」即席爆破装置を埋めるようになっていた。

生活パターン分析／アフガニスタンで人が畑にかがむのは、排泄か畑を耕すか爆発物を埋めるかのいずれか

シーアチョイでは、持続地上監視システムのチームは長さ4メートルほどの指揮統制施設の

中で作業していた。とはいっても、輸送用コンテナを指令センターとして利用していたに過ぎなかった。片側の壁には40インチのモニターが2つあり、MX－15から流れてくる映像を映し出していた。3つ目のスクリーンは気球を観察し、4つ目のスクリーンはすべての機能を左右する危険な落雷を監視していた。輸送用コンテナの電気の消えた暗闇の中で、オペレーターたちはひっきりなしにカメラの映像を見つめていた。重要な動きがあると、軍用インターネット・リレー・チャットを使って情報を共有した。あるいは、シーアチョイの第82空挺師団戦術作戦センターに電話をかけた。センターは反対側のおよそ縦300メートル、横400メートルの要塞化された前哨基地内にあった。

生活パターン分析の専門家として、ケヴィン・Hは1週間毎日1日12時間、民間人と武装兵士を見分けるために、村人たちが日々の生活を送る様子を観察した。生活パターン分析とは、見たところ危険とは思われない人々の行動や態度を何時間も観察しながら、疑いのある人物が少しでも変わった行動をしたときには決して見逃さないということだ。世界中の数十億人の人々が、一日の最初にやることの1つは排泄だ。西欧諸国ではこれはほとんど密室で行われる。なぜなら、西欧諸国のほとんどのトイレは壁で仕切られ、屋根のある場所に設置されているからだ。もちろん、上空監視カメラを使って写すことはできない。アフガニスタン南部には、ほとんどトイレが存在しない。これはつまり、ほぼすべての人が外で排泄することを意味する。

「私はまさにアフガニスタンで何千回も排泄の場面を目撃しましたよ」とケヴィン・Hは言った。そのときに注目しなければならないことは、疑いのある人物がしゃがんだ格好で、他に何かやっているか、やっていないかだ。「アフガニスタンで、人々が畑でかがんでいる理由はいくつかしかありません」と彼は説明した。「排泄するか、畑を耕すか、または、即席爆破装置を埋めるかですが、どれもかかる時間は同じくらいです。数分で済みます」。軽航空機の電気光学赤外線カメラに熱紋が記録されれば、生活パターン分析の専門家はさらなる手がかりをつかむことができる。「排泄物は体温が37℃くらいの体から出てきます。それはすぐにわかります。だから、ただの排泄行為だと考え、観察を続けなくてよいわけです」。しかし、かがんでいる人物が排泄しているのでなければ、その時点の監視の目的は、「この人物は土を使って何をしているのか？　何かを土の中に埋めているのが見えるか？　ワイヤーを何かにつないでいるところが見えるか？　と自問します」。軽航空機のオペレーターが正確に何を目撃し、正確に何を報告するかは非常にデリケートな問題だ。「ただ用を足している人間を殺したくはありませんからね」。

アメリカ連邦機関の中で最も恐るべき、そして最も謎に包まれた国家地球空間情報局

２０１２年、シーアチョイ戦闘前哨基地で働いているとき、ケヴィン・Hは、国防総省や情報コミュニティーをサポートするために「工学や技術サービス」を提供する防衛請負企業であるナブマール応用科学社の航空機関士だった。１９７７年の創業以来、同社が請け負ってきた事業はそのほとんどが機密だが、折に触れて、公に名前が伝わることがある。２０１７年、雑誌ワイアードが、ナブマールの極寒の環境下で大気テストを行う無人航空機、アークティックシャークを特集した。この記事で強調されたのは、気候変動分析のための大気データを収集することができる無人航空機の能力だった。測定・痕跡計測情報（ＭＡＳＩＮＴ）と呼ばれる情報分野だ。

測定・痕跡計測情報収集は冷戦までさかのぼり、１９５０年代に連邦捜査局のＵ－２偵察機から始まった。空気中から放射性粒子を計測して、ソビエトの原子爆弾実験の痕跡を見つけ出すために使用された。高く飛べる航空機の誕生により、人的情報（ＨＵＭＩＮＴ）が生み出した測定・痕跡計測情報収集によって、連邦捜査局のスパイが立証することのできなかった仮説を科学的に証明できるようになった。Ｕ－２に搭載されたカメラによって、画像から得られる

情報という意味で、画像諜報活動（ＩＭＩＮＴ）がさらに発展した。こうした防衛科学プログラムの全盛期に、連邦捜査局のパートナーとなっていた機関が、盗聴した暗号や会話から情報を得る、無線諜報（ＳＩＧＩＮＴ）を発展させたのである。

Ｕ－２による領空侵犯、そして、その後に続いたＡ－12偵察機による領空侵犯は、現代において国家安全保障の中心的存在として、さまざまな情報や諜報が発展する上で大きな役割を果たした。テロに対する世界的な戦争が始まると、地球空間情報（ＧＥＯＩＮＴ）と呼ばれる新しい情報の分野が発展した。地球空間情報の概念を公にしたのは、元アメリカ空軍のジェイムズ・Ｒ・クラッパー中将だった。彼によると地球空間情報とは、測定・痕跡計測情報、人的情報、画像諜報活動、無線諜報などを融合したものだという。２００３年、国立画像地図局の局長だったクラッパーは、こうした諜報活動の情報源やスパイ活動に必要なノウハウを1つにまとめ、国家地球空間情報局（ＮＧＡ）という強力な機関に統合する仕事に着手した。これは歴史上の決定的瞬間だった。国家地球空間情報局は現在アメリカ連邦機関の中で最も恐るべき最強の存在というだけなく、最も謎に包まれた機関なのだ。本書の読者のほとんどの人たちも、これまで国家地球空間情報局という言葉を聞いたことはないかもしれない。

国家地球空間情報局は、この地球上で起こる人間活動に関する一切を取り扱っている。国家地球空間情報局は国防総省の戦闘支援を行う機関だ。そのパートナーは、すべての情報コミュニティーに属するメンバーである。公開されていない要点説明資料によると、国家地球空間情報局は、地上にいるアメリカ兵たちに地理空間に関する9つの質問を自分自身に問いかけ、その答えを知るべきだと書いている。

1. 自分はどこにいるのか？
2. 自分の味方はどこにいるのか？
3. 自分の敵はどこにいるのか？
4. 彼らはいつ動くか？
5. 非戦闘員たちはどこにいるのか？
6. 天然あるいは人工的な障害物はどこにあるか？　自分はその中をどう進むか？
7. どのような環境か？
8. それは何を意味するのか？
9. そのような環境の影響は何か？

戦争や紛争地帯で、これらの質問に正確に答えることができるかどうかは、生存と死の間で大きな違いを意味する。アメリカ国防総省はこれら9つの質問に対して、地球空間情報というすぐれた技術システムによって対応しようとしている。地球空間情報は、進化してきた情報活動の中で最新の技術を誇るものなのだ。

地球空間情報の進化の歴史、その先の懸念／ずっと誰かを監視する世界

地球空間情報の基本的な用語を理解するためには、アメリカ独立戦争の地図を考慮してみるとよい。ジョージ・ワシントン総司令官は、部隊の移動に関する作戦を立てるために、道、川、野原などの情報が必要となったとき、兵士たちがそのあたりの地理や地形を理解するために、地図製造者や測量技師を招集した。その数十年後、トーマス・ジェファーソン大統領は、ネイティブ・アメリカンの部族たちが住む土地を自分たちの領土として広げようとしたときに、ルイスとクラークなどの冒険家を雇って地図を作成させ、西部に住む部族のリーダーたちの情報を収集させた。これは、初期の地球空間情報と人的情報収集だ。

１７８３年、フランスのジャックとジョゼフ・モンゴルフィエ兄弟が、世界ではじめて熱気球を飛ばすことに成功したとき、上空の視点から幅広いエリアをとらえるという情報収集の新たな局面を切り開いた。アメリカ南北戦争時には、この上空からの眺めが、重要な軍事情報をもたらすこととなった。北軍は地上からではわからない敵の動きを探るために、気象学者のダ

デウス・ローを雇って気球を製造した。気球のオペレーターが明らかにした情報から、南軍の部隊がバージニア州の北部で活動していることがわかった。上空からの情報という価値が具体化した瞬間だ。第二次世界大戦中、フィルム式カメラを搭載した航空機が開発され、情報収集における新しい時代が始まった。アメリカ軍のパイロットはさらに広い視点から、地上で何が起きているのか実際に眺め、記録することができるようになったのだ。こうして撮影された写真は画像諜報活動において非常に重要となった。画像解析者は時空を超えて、人々や対象物の地上での動きを追跡することができるようになったというわけだ。

第二次世界大戦中に生まれた科学や技術は、私たちが住むこの世界において、これまで想像もできなかった地球空間情報収集の道を切り開いた。1950年代、U−2偵察機が7万フィート（21キロ）離れた上空から、数百平方メートルにわたって広がるソビエトの領土を写真に収めることができるようになったのを契機に、科学と技術の画期的な進歩は次から次へと起こっていった。それまでソビエトの地形を見たことのある情報解析者などいなかった。今では、それを分類し、分析し、情報製品に変えることができる。次に、連邦捜査局のコロナ計画が登場した。160キロ上空から地球を周回し、世界中のすべての敵の軍事施設の偵察写真を、しかも目標物を正確に撮影した。続いて国家偵察局が、スクールバスほどの大きさのKH−9・ヘキサゴン衛星を開発した。非常に精密な地図用カメラを搭載しており、解析者たちは宇宙から撮影した映像から、2240万平方メートルの地形をしらみつぶしに調べ、ソビエトの爆撃機や潜水艦を数えることができた。

現在、アメリカ同時多発テロ以降は、軍事施設や軍隊だけでなく、個人の動向も視野に入れた新時代の情報収集方法が開発されている。個別のリスクに対応するためだ。プレデターやMQ－9リーパーなどの無人航空機の発明と配備によって、人々の居場所を特定し追跡する力が驚異的な速度で加速している。しかし、こうして集まったすべての画像はデータの氾濫（はんらん）を起こしている。1つの機関で処理するには、はるかに膨大な情報量なのだ。2003年後半、国家地球空間情報局は、地球空間情報データベースに収められたイラク情報のほんの一部を、紛争地域にいる陸軍の司令官たちと共有することにした。陸軍200台のコンピューターにデータのダウンロードを開始した。伝えられた話によると、将校たちは映像を観ることをかなり楽しみにしていたらしい。しかし、担当の准尉がとんでもない真実を明かしてすべての人の気力を削（そ）いでしまった。将校たちはとても忍耐強くなくてはならないことを知らされた。なぜなら、ダウンロードが完了するまでに、まるまる1年間かかると教えられたからだ。

次に登場したのが、フルモーションビデオ（FMV）と呼ばれる画期的な新しい技術だ。これまでの技術の後発品に聞こえるかもしれないが、まったく違う。フルモーションビデオは、時空を移動する人や車両の映像を撮影しながら、同時に地理位置データを地上制御システムへと送る上空監視システムだ。この技術はもともと、イラクとアフガニスタンで正確な絞り込みを行うためにデザインされた。データ処理が速くなり、データストレージが安くなると、ほとんどの場合は何も起こらない広域を監視して記録し、何か重要なことが起きるとその瞬間をビデオに収めデジタル記録する、持続監視と呼ばれる新しい手法が登場した。

２００８年、まったく縁のなさそうなところから、持続監視システムに画期的な出来事が起きた。ネバダ・ゲーミング委員会はラス・ベガスのカジノで、カードゲームのいかさまを取り締まろうと広域監視システムを利用していた。その「斬新な監視技術」を国家地球空間情報局員に紹介すると　情報国防次官室は「非正規な戦争における監視活動戦略」と呼ばれる機密白書を作成した。この白書で活動基準情報の世界的専門家パトリック・ビルトゲンは「地球空間情報分析者は、カジノのカードゲームでいかさまをする人物を捕まえるための同じ技術を、イラクやアフガニスタンにおける即席爆破装置を解明するために応用できるかもしれない」と、説明している。ゲーミング委員会は、犯罪者との関連性を見つけ、法執行関係者がラス・ベガスの犯罪者ネットワークを標的にして解体することを可能にするデータ・マイニング技術と、それに関するすべてのノウハウを共有することにした。当初、国家地球空間情報局はこれを地理空間マルチ情報融合（ＧＭＩＦ）と呼んでいたが、最終的に活動基準情報と呼ぶという案に落ち着いた、とビルトゲンは述べている。情報は議会制定法で定義されているが、そのための手法は違う。

ビルトゲンは機密軍事技術に従事した初期の開拓者だ。2011年、BAEシステムズ社で作戦上級エンジニアとして雇われていたとき、彼は国防総省のゴルゴーン・ステアプログラムの一部となったARGUS（アルゴス）－IS（自立型リアルタイム地上ユビキタス監視イメージングシステムの略）広域監視システムのデータを扱う仕事をしていた。アルゴスプログラムはその驚異的な技術的偉業によって賞賛される一方で、デジタル・パノプティコンを可能にしたとして、一部では批判の的になっている。

今日、ビルトゲンはこれらの技術と共に、社会がどこへ向かうのかという「懸念」を持っている。「我々は急速に、すべての人がずっと誰かに監視される世界に向かっている。ロンドンの街頭は防犯カメラであふれている。近所を見回せば、多くの家にモニターつきのインターホンが設置されている。そうなると、2002年に映画『マイノリティ・レポート』が予言したように、それほど遠くない未来に、すべての人はどこへ行っても多重センサーによってモニターされ、どこかにあるコンピューターにその行動のすべてが記録されるようになることを想像しなくてはならない」。

持続監視システムから得たデータで未来を予測する

持続地上監視システムのオペレーター、ケヴィン・Hは、その人生のほとんどを技術情報の分野に捧げてきた。この仕事に就くきっかけは、空を飛ぶこと、宇宙、そして、最先端技術に対する憧れを持っていた子どもの頃に芽生えた、あるインスピレーションだった。彼が8歳のとき、母と離婚して疎遠になっていた父がある日やってきて、ヘリコプターに乗せようとラス・ベガスまで連れていってくれた。ケヴィン・Hはちょうど映画館で『スター・ウォーズ』の映画を観に行ったばかりだった。「全部で10分くらいの飛行だったたと思います。よく覚えていません。しかし、そんなことはどうでもよかったのです。それは私の人生で最も刺激的な経験でした。私の人生を変えてしまいました」。それから父親は完全に彼の人生からいなくなってしまった。その後、父に会ったのはたった一度だけだった。しかし、そのときの経験がずっとケヴィン・Hの心に残り、将来進む道を決めた、と彼は言った。

ケヴィン・Hのように、技術情報収集の経歴を持つ生活パターン分野の専門家の多くは、機密情報ブログラムに従事している。これは、彼らがほとんどの場合、誰にも気づかれないで仕事をしているということを意味する。ケヴィン・Hはパエンザイ防衛拠点で何かを目撃した後、それまで彼を隠していた陰から離れて、公の場に出てくることとなった。ファースト・プラトゥーンに関する活動基準情報のデータが、アメリカ合衆国大統領の机の上にたどり着いたからだった。

子どもの頃、ヘリコプターでネバダ州上空を飛んだケヴィン・Hにとって、それは想像することも予測することもできなかった。人生は予測などつかない。ただし、パランティアのようなデータ・ソフトウェアの大手企業は、持続監視システムから得たデータを使うことで未来を予測できると信じていた。

「ある人の生活パターンを理解することで、解析者は可能性のある結果を導き出し、何が起きるか予測することができる」とビルトゲンは言及した。

戦場における活動基準情報は「どんな行動を取るかでその人の人格がわかる」という仮定のもとに始まったが、それが新しい領域へと推進されるようになった。海外の紛争地域だけではなく、アメリカ国内でも使われるようになっていった。今ではこんな言い方がされるようになった。「あなたが何をしたか知っているので、あなたが次に何をするか私たちはわかると思う」と。

疑惑の人物を「パンくずが少しずつ落ちていく跡を追っていく」ように追跡し、殺害する

2012年のアフガニスタンで、シーアチョイ戦闘前哨の持続地上監視システムのチームは、特別な作戦を監視する必要がない場合、紫の帽子の男など疑いのある人物を観察していた。3回「地面と接触する」行動を待ち、さらに観察することで、疑いのある人物には429ステータスがつけられる。その基準に達したらすぐに、チームはシーアチョイの情報部のS2（安全保障担当官）に通知することになっている。するとS2は疑いのある人物の行動を、40インチのモニターの1つに映し出されるフルモーションビデオを監視しながら追い続けるのだ。同時に、軽航空機の航空機関士が数分前に撮影された映像を再度確認する。

「3回地面と接触しているところをスナップ写真に撮るために、映像を巻き戻します」とケヴィン・Hは言った。

429ステータスになると、空爆によってその人物を殺すことになるので、法的必要条件を満たさなければならない。証拠としてフルモーションビデオをスナップ写真に収める。こうした作業が進む中で、オペレーターたちはターゲットから目を離さずに観察を続けるが、同時に急いですべてのデータを入れたパワーポイントを作成する。S2情報担当官に送るためだ。S

2は早速パワーポイントのファイルを確認し、戦場にいる大尉に情報を送る。

「その情報を持ち出して、パランティアのデータベースと照合します」とケヴィン・Hは説明した。彼は極秘情報取扱許可を持っているが、持続地上監視システムのオペレーターはパランティアのデータベースにアクセスすることはできなかった。「それはS2の機能なのです」と彼は説明を続けた。生活パターン専門家の仕事は「誰が誰」で、「誰が何をやっている」のかを突き止めることなのだ。誰が誰を殺害するかを決める権限は持っていない。

「軍部がパランティアのプログラムを使用しているのは最高なことです」とケヴィン・Hは言った。「まったくすばらしいことです」。パランティアは、この技術についてよく知らない人なら驚くような方法で、個人に関するデータを検索し、統合することができる。しかし、アメリカ合衆国の法執行機関がパランティアのプログラムを国内でますます使用するようになってきていることは、警戒するべきだと彼は考えている。

「360度の角度から情報を収集できるタイプですから、アメリカで実際にパランティアを使用するという動きが計画されている事実は、極めて悪いことだと思います」とケヴィン・Hは警告した。「私は何も〝実は、ビッグ・ブラザーが怖いのです〟なんて言っているわけではありません。そう思っているわけではありません。ただ、それこそまさにパランティアの技術をもってしたら可能なのです」。

２０１２年、生体認証に関する限り、地球空間情報との間にはまだギャップがあった。持続地上監視システムのオペレーターは身元のわからない疑わしい人物を特定し、追跡することができた。身元確認のできていない武装兵士たちだ。その行動から監視の対象になった人々だ。これとは別に、国防総省は自動生体認証識別システムを保持していた。アフガニスタンの数百万人の生体認証データが含まれ、中にはすでに最重要指名手配されているテロリストも含まれていた。２０１２年には、両者のギャップを埋める技術的な方法が存在しなかった。つまり、ＭＸ－カメラは虹彩スキャンなどの生体認証を使って登録された地上の身元不明の人物をその場で識別することはできなかったのだ。

「Ｓ2経由で、〝これが怪しいと考えている男だ〟とパランティアから一部のデータを渡されます。情報部の依頼は〝その男を探してほしい〟ということなのです」。パランティアのデータには男の顔画像が含まれている。「そこで私は、昔、男が通っていた学校、犯罪者の顔写真が載ったファイルなどから、男の写真を探します。また、男の関係者を何人か調べたり、よく行き来していたと思われる場所などを特定したりします」とケヴィン・Ｈは言った。彼が「関係者」と呼ぶのは、疑惑の人物とつながりがあったり、一緒に行動したり、知り合いだとわかっている人たちのことを指している。パランティアの強みは、人間が行えば解明するまでにとてつもない時間がかかる莫大なデータの中から人々を検索し、パターンを分析し、関係性を即座に調べられることだ。「たまに、私も疑惑の人物と関係のある男を1人か2人見つけて、写真を撮ることがあります」。

パランティアのアルゴリズムはある人物の過去の行動に関するデータを集めることができるので、2012年時点で、システムは同じ人物の将来の行動をどのように予測するかを「学んで」いた。関連する人物の画像に加えて、ケヴィン・Hは対象者が「次にどこに向かうかおおまかな地域」をしばしば予測することができた。

持続地上監視システムチームが疑惑の人物と思われる男を実際に見つけるとすぐに、「私たちはセルフチェックのようなものを行い、彼の追跡を始めます」。つまり、初期の捜索はコンピューターで始めるが、その後、人間によって事実確認が行われるということを意味する。「基本的にこれは私の仕事です。男が寝起きしている場所まで追跡します。彼が立ち寄るすべての建物を追跡します。そして、男の1日の生活のパターンを特定するのです。彼はいつ祈っているか？　いつ食事をするか？　いつトイレに行くか？　いつ起きるか？　いつ眠るか？　パランティアから受け取ったほんの少しのデータは、パンくずが少しずつ落ちていく跡を、私が追っていくようなものです。同時に、そのとき何かを目撃すれば、私が報告書を書きます。そして、それがパランティアのデータの一部になるのです。さらなるパンくずが痕跡として残されるというわけです」。

紫の帽子の男のように、ある人物が即席爆破装置の設置者だと特定されると、429パッケージと呼ばれるものが発動され、アメリカ陸軍がその際に取る2つの行動のうち、まず1つ目が実行される。「もし、攻撃が可能なら、例えば付近に近接航空支援がいるなら、ターゲットを殺害するチャンスです」。近接航空支援がない場合、疑惑の人物はシステム上、死の標的として記録される。「臨機目標になれば、すぐに殺害を実行します。もう一度許可を取る必要はありません」とケヴィン・Hは説明した。「429パッケージが優先されます。だから、臨機目標と呼ばれているのです。そのチャンスが来たら、ターゲットを撃つのです」。つまり、殺害するということだ。

コンピューターの認識ミスで民間人を殺害してしまう危険

ある朝、ケヴィン・Hは指令センターに出勤した。夜勤のチームが興奮していた。その中の1人が、「ちょうど紫の帽子の男を殺すところだ」と言った。

ケヴィン・Hは自らこの男が即席爆破装置を埋めるところを目撃していた。「また、彼が他の者たちに爆弾を設置する訓練をしているところも観察しました」と彼は言った。

ケヴィン・Hはスクリーンに近づいた。「彼はどこにいる?」と同僚にたずねた。

同僚はスクリーンを指さした。

「ここだよ、この農民と話をしている」と答えると、トラクターに座っている男を指さした。

ケヴィン・Hは画像を確認した。トラクターに乗っている男は、農民のように見える年配の男と話をしていた。ケヴィン・Hは紫の帽子の男をじっと眺めた。カメラから800メートルほど離れたところにいたが、解像度は鮮明だった。

「彼が座っているのはマッセイ・ファーガンのトラクターだね」とケヴィン・Hはスクリーンを指した。

「そうだね」と同僚は答えた。

2020年にケヴィン・Hは、2012年当時、彼の頭の中をどんな考えがめぐったかについて説明してくれた。「男はテロリストの下部組織のリーダーだったので、見つけ出して殺害するために、私は多くの時間と努力を費やしました。その顔がわかっていました。歩き方も知っていました。彼の体つきも知っていました。どんな外見かわかっていたし、紫の帽子を被っていることも知っていました。彼が白と黒の伝統的な服を着ているのも知っていました。彼のショールや体に巻いている小さな布の色も知っていました。それに、どこに住んでいるかも知っていたのです」。

シーアチョイの指令センターのスクリーンの前に立っていると、「彼を撃つ準備をしているところだよ」と同僚が言った。「今、近接航空支援が向かっている」。

ケヴィン・Hはトラクターに座った男をじっと見た。

「あれは彼ではない」とケヴィン・Hは言った。「あれは絶対にあの男ではない」。

ケヴィン・Hは確信していた。「私は思いました。うわ、あれは彼に似ていると。しかし、それは彼ではないと思う何かを感じたのです。それにはたくさんの理由がありました。第一に、彼は労働者ではありません。悪い奴です。悪い男たちはトラクターに乗って農民の真似事などしません。武装兵士たちはならず者です」。確かに、男が乗っていたトラクターは正規の高価なトラクターだった。本当の農民しか持っていないはずだった。「なぜ彼はトラクターに乗っているのか?」とケヴィン・Hは自問した。「彼はなぜ年配の男と畑で話をしているのだろう?」。

紫の帽子の男を見れば見るほど、ケヴィン・Hはますます何かがおかしいと感じるようになった。「ますますわからなくなってしまったのです。自分に言いました、〝あー、なんてこった。彼に見えるけど、やっぱり違うんじゃないか〟と」。

大きなストレスを感じたことを、ケヴィン・Hは覚えている。「間違いないと思いました。紫の帽子の男には死んでほしかった。今でもそう思っています。しかし、私たちは1人の人間の命を奪う話をしていたのです。ボタンを押すことができる場所にいたのです。それが民間人を殺すことになったらどうしようか？　私はそれを望んでいませんでした」。

ケヴィン・Hは指令センターを飛び出し、反対側の前哨基地に向かい、戦術作戦センターへと入っていった。「私はS2に空爆を中止しなければならないと伝えました。〝あれは彼ではない〟と部隊の指揮官に言いました」。

騎兵大隊情報部S2のグラント・エリオット中尉も、紫の帽子の男のことは覚えていた。グラント・エリオット中尉は、数キロ北にあるパサブ前進作戦基地の旅団本部の戦術作戦センターは空爆を許可したと言った。そして、すでに近接航空支援が向かっていると伝えた。「〝私は彼ではないと確信しています〟と言いました。中尉は〝5分しかない。その間に私が間違っていることを証明しなさい〟と言いました。だから私は、〝わかりました、そうします〟と答えました」。

ケヴィン・Hは指令センターに走って戻った。「すぐにカメラを彼が寝床にしている場所に向けました。彼は川の向こうに住んでいましたから。私は待ち続けました。その時間は30分くらいに感じました。おそらく実際には数分のことだったと思います。とうとう、彼が出てきたのです。すぐに彼だとわかりました」。

ケヴィン・Hは紫の帽子の男を見ていた。彼こそ、下部組織のリーダーをしている武装兵士であり、その生活パターンを何百時間も追跡した相手だった。

「寝床から出てくると、彼は用を足しに行きました。それから手を洗って、体を伸ばしていました。私はこの目で男の所在を確認したのです」。

S2は空爆を中止した。

ケヴィン・Hとチームは、トラクターの男がもう1人の農民と話を終え、自分の畑を耕し始めるところを眺めていた。

「コンピューターがトラクターの男に対してアルゴリズムを行っていたら、コンピューターはおそらく彼だと特定していたかもしれません。紫の帽子を被った武装兵士です」とケヴィン・Hは言った。「しかし、私はもう何カ月もこの男を監視していましたから、彼ではないとわかりました」。つまり、まだ人間が最終的に認識しなければならないということだ。「私たち人間は顔を認識する力があります。遺伝的なものです。何千年もの間、狩猟と採集を行ってきたのですから、認識できる特徴を見分けることができるわけです。私は彼の顔を知っていました。コンピューターは信用できませんでした。そして、私の方が正しかったのです」。

そもそも、どうしてトラクターに乗った男は、紫の帽子を被った下部組織のリーダーと見間違えられたのだろうか？　空爆が中止となり、トラクターの男が処刑を免(まぬが)れた後、持続地上監視システムのオペレーターたちは、何が起きたのか確認するために映像を見直した。そこから学ぶことがないか確認するためだ。

「それは彼の帽子でした」とケヴィン・Hは説明した。「夜明け頃、日が昇るときにほんの少し時間があるのです」と彼は言った。そのとき、画像システムには日中に「見える」色とは違って見えるのだ。この少しの時間帯に、農民の帽子が紫だと間違って特定されてしまい、その間違った情報をもとに作戦が立てられてしまったのだ。

アメリカですでに使用されている持続監視システム／管理するのは一部の人間で、ほとんどの人は技術さえ理解できない

しかし、情報部が誤って紫の帽子の農民を殺害してしまったらどうなるのだろう？　そして、またしても民間人の犠牲者が出て国民の反感を買ってしまうという恐れから、問題のデータが消去され、決して公になることがなかったとしたどうなるのだろうか？　そうなるとある疑問が生まれる。パランティアのデータを保存したり、削除したりするボタンをコントロールしているのは誰なのか、ということだ。

「私ではありませんね」とケヴィン・Hは言う。「それはＳ２の仕事です」。

防衛のために利用することができるデータを含め、有力な証拠としてどのデータが保存され、

どのデータが削除されるかを決めるのは誰なのだろうか？　何も知らされないまま市民が持続的に監視され、自分たちに関して収集された情報に誰かがアクセスすることができるとなったら、司法制度はどうなるのだろう？

戦闘システムは極秘情報だという理由から、国防総省はこれらの疑問に答えることはないだろう。しかし、これからわかることだが、持続地上監視システムと似たような持続監視システムは、アメリカ国内でアメリカ人を観察しデータを収集するためにすでに使用されている。この膨大なデータシステムは一部の選ばれた人間だけが管理し、また、それを理解できるのはさらに限られた少数だ。これは市民に対する政府の不公平で違法な活動の可能性を増幅させる。なぜなら、ほとんどの人が開発された技術について理解できないからだ。あるいは、市民はただシステムが正しいとすることを鵜呑みにして受け入れてしまう可能性があるからだ。

第11章　アブドゥル・アフド

「魔法の弾」とされたアイデンティティ情報

ファースト・プラトゥーンがパエンザイ防衛拠点の要塞壁の中にアラスカテントを張り終えたとき、アフガニスタン戦争はアイデンティティの探求となっていた。統合参謀本部は、いまや武装兵士たちの「本当の正体を特定すること」で、アフガニスタンにおける状況を一変させ、戦争に勝つことができるという考えに固執していた。この目的を達成するために、アイデンティティ情報（I2）と呼ばれる包括的な情報概念が生まれた。「I2作戦によって、本当の正体を特定するという結果につながるだろう」と、まるでアイデンティティ情報が魔法の弾だと言わんばかりに、統合参謀本部議長は宣言した。味方と敵を、村人と農民を、市民と反乱兵士を区別するための完全に信頼できる方法というわけだ。

ファースト・プラトゥーンの兵士たちにとっても、戦争はアイデンティティを見つけることだったが、統合参謀本部が考えているようなものからはほど遠かった。若い兵士たちにとってアイデンティティとは、大人になるということだった。プラトゥーンの友愛を通して、自分は何者なのかを学ぶことだったのだ。

「自分の人生を振り返るきっかけになります」とウォーリー一等兵は当時のことを思い出しながら言った。

「本当の友だちが誰なのかわかります」とトーマス一等兵は言った。

「自分は一体何者で、この世界のどこに属しているのかということも」とツイスト一等兵は回想した。

これら2つのまったく異なるアイデンティティの探求において、さらに奇妙な現実の1つは時間というものだった。ファースト・プラトゥーンがパエンザイに配属された期間は3カ月に満たなかった。パエンザイ周辺で国防総省が追跡していた多くの武装兵士たちは、すでに2005年には自動生体認証識別システム（ABIS）に登録されていた。

アイデンティティ情報においては、人々の本当の正体を特定するために、「個人をその他の人物、場所、出来事、資料、生活パターン分析と結びつけながら」複数の情報源から得たデータを使用する、と統合参謀本部は書いている。生体認証、法医学、公文書からのデータ、さらに、村人から聞いたエピソードまでも収集して情報の成果とし、それらは生体認証情報分析レポート（ＢＩＡＲ）と呼ばれた。このレポートは極秘情報、あるいは、トップシークレットに分類され、きわめてまれな場合を除いて、国民の詮索を受けることはない。

最重要指名手配人物〝アブドゥル・アフド〟に関する2つの記録

２０１２年夏、パエンザイ村やその周辺における作戦で最重要指名手配されていた人物は、アブドゥル・アフドという名の男だった。彼に関する生体認証情報分析レポートは、陸軍の憲兵司令官が「公共にとって重要な事柄」だと決定し機密解除された。私はそのレポートを丹念に調べ上げた。本書が出版されるまで公になっていないが、この男の本当の正体の特定がどのように行われたのかを知ることができれば、国防総省の極秘生体認証プログラムの実態を明らかにし、今後アメリカ合衆国における司法制度の未来を予測することができる。アブドゥル・アフドは、プラトゥーンの複雑に絡み合った物語に類（たぐい）まれな実に奇妙な役割を果たしている。

アブドゥル・アフドがはじめて国防総省に注目されるようになったのは、カンダハール州ザリ地区のとある場所で、２００９年3月11日のことだった。彼のケース・ファイル、あるいは、生体認証情報分析レポートには、彼が最初に逮捕され拘束されたときの記録が２つ存在する。

1つ目の記録には、対即席爆破装置部隊が監視所に向かっているとき、別の部隊が銃撃を受けているという無線通信を受け取ったとある。部隊は応戦し、1人の武装兵士が撃たれて拘束された。記録には「交戦中に敵1名が負傷」と書かれた。対即席爆破装置部隊は信管のついた2つの対戦車地雷を発見し回収した。また、「アイコムスキャナー」と呼ばれる、タリバンが仲間と連絡を取る際に使用しているハンディラジオ、携帯電話、3900ドル（約38万円）分のパキスタン通貨を回収した。多額の外国通貨を持っているということは、テロ集団の中でリーダー的な存在だということを示唆した。2009年当時のアフガニスタンの平均年収は200ドル（約2万円）程度だった。拘束された後、男の名前はアブドゥルハット・アブドゥルハットと記録された。

対即席爆破装置部隊の兵士の1人が、DNAサンプル用の口腔内細胞を採取するために、テロ容疑者の頰の内側を綿棒でこすった。爆弾製造の材料も収集され、証拠として袋に詰められ、ラベルがつけられた。そして、分析のためにバクラム空軍基地の陸軍法医学研究所へ送られた。2009年、この研究所はまだ公式には複合爆発物対処セルと呼ばれていた。国防総省がイラクに建設した際に、連邦捜査局の特別捜査官スコット・ジェシーが支援したのと同じ施設だ。

男のDNAサンプルは、アメリカ合衆国の国軍DNA識別研究所へ送られた。この生物サンプルにもとづいて、男にはDNAプロファイル2009X06332−0001Aが割り当てられた。男が生きている限り、この英数字の数列によって彼を特定し追跡するために使用される。

機密解除された2つ目の記録にはあまり動的な描写はなく、男がどのように拘束されたのか別の説明が記されていた。「対象者は、信管のついた対戦車地雷2つ、アイコムスキャナー1つ、携帯電話1つを持って、多国籍軍の監視所に徒歩でやってきた。多国籍軍は対即席爆破装置部隊が到着するまで、対象者を前哨基地に拘束した」。

アフガニスタン戦争では、村人が金銭的報酬を得るために、即席爆破装置を届け出たいと前哨基地まで歩いてやってくることは珍しいことではなかった。陸軍もそれを奨励し、即席爆破装置1つにつき、50～100ドルを払った。元国際治安支援部隊の指揮官だったデイビッド・ペトレイアス大将が考えた「武器システムという金」戦略におけるプログラムの一環だった。その基礎となる原理は、金の力を使ってタリバン支持者をアメリカ寄りの協力者に変えることができるというものだった。しかし、アフガニスタンでは即席爆破装置の届け出もまた問題を引き起こした。タリバンの指揮官たちが、アメリカの基地を偵察する方法になってしまったのだ。のちに行う奇襲や攻撃の下準備のために、武装兵士が村人を装って、すばやく簡単に基地のセキュリティ対策を破る方法を探るために訪れたのだ。

逮捕された男のどちらの記録が正しかったのか、依然として不明である。しかし、最終的な結果は同じだった。彼は拘束され、さらに規模が大きいシャルカリ・カレーズのラムロッド前進作戦基地に送られた。ここで生体認証自動ツールと携帯身分検出装置を使って、男の完全な生体認証データが記録された。記録によると、1人の兵士が男の10本の指の指紋、2つの掌紋、2つの虹彩スキャン、そして、3つの顔画像を取った。追加情報によると、男の身長は160センチ、体重は51キロ、髪は黒色で瞳はハシバミ色だった。彼はパンダアアッカ部族の出身で、1974年生まれだったので、2009年には35歳ということになる。機密解除となった顔画像を確認すると、外気にさらされて年老いた顔はもっと年配に見えた。もしかすると50歳くらい、あるいは、60歳だとしてもおかしくなかったかもしれない。

2日後の2009年3月13日、アブドゥルハット・アブドゥルハットはアフガン国家保安局に移送された。2002年に設立されてから、国家保安局はアフガニスタンの国内外に関する情報機関だった。アメリカの連邦捜査局と中央情報局を1つにしたような存在だ。2009年当時、国家保安局はかなり腐敗していたようだ。何のお咎めもなく好き放題に振る舞っていると言われていた。拘束者を拷問にかけたり、逃がしたり、金を払って密告者として使ったりしていた。彼の生体認証情報分析レポートによると、アブドゥルハット・アブドゥルハットは4日間、国家安全局に拘留された。そこで、新しい情報がわかる。男の名前はアブドゥル・アフドといい、ザリ地区出身のハジ・パヤンドと呼ばれる男の息子だった。

２００９年3月17日、アブドゥル・アフドは再びアメリカ軍に引き渡された。そこから彼は北部パルヴァーンの拘置施設に送られた。コーラン焼却の失態が起きた場所だ。記憶をたどると、アメリカ軍が管理していたその刑務所は、バグラム空軍基地のすぐ西側にあった。司法制度の枠組みにおいて、法執行機関、裁判所、そして、矯正施設の関係はその基礎をなすものだ。司法制度の基本理念は、この３つのシステムが相互的に機能するかどうかにかかっている。つまり、すべての人々や団体は、公正に適用され施行される同じ一連の法律の支配下にあり、またその法律に対して責任を負っているということだ。アフガニスタンでは、国中が戦争下にあり、タリバンの武装兵士には保釈金を支払うというような考え方はなかったので、４つ目の要素、留置がつけ足された。そこで、アブドゥル・アフドはパルヴァーンの拘置施設に送られたのだ。彼はそのままそこに留置されたのである。

９カ月後の２００９年12月31日、アブドゥル・アフドの生体認証が再び登録された。デジタルデータは同じままだったが、追加情報に変更があった。新しい記録によると、アブドゥル・アフドの身長は２・５センチ低くなって１５７・５センチとなり、体重が12キロ近く増えた。そして、ハシバミ色ではなく、黒い瞳に変更された。背が低くなったのは、最初の測定のときに慌てて測ったせいかもしれないということになった。体重が増えたのは、刑務所は気前よく豊富な食事を提供しているからで、違う目の色は光の関係だったかもしれないということに落ち着いた。アブドゥル・アフドは他には名前はないと言い、そのときもパンダアアッカ部族の出身だと言った。しかし、本当は14歳年上で、１９６０年生まれだと言った。だとすると、彼は当時49か50歳だった。両親はすでに死んだと、彼は言った。アブドゥル・アフドの生体認証を記録していた兵士は、彼の腕にタトゥーがあることに気づいた。そして、１つ重要な違いがあった。新しい記録には、アブドゥル・アフドは右目が見えないと書かれていた。彼の指紋、虹彩スキャン、掌紋、そしてＤＮＡはすべて同じだった。国防総省の自動生体認証識別システムのデータベースに永久に保存されている。データベースの能力とサイズは急激に巨大化していた。アブドゥル・アフドには国防総省から、英数字を組み合わせた生体認証識別番号Ｂ28ＪＭ－ＵＵＹＺが割り振られた。未来永劫、彼だとはっきり特定することができる番号だ。

誰が即席爆破装置を作っているのか？生体認証、電子工学、情報の３つの研究分野で徹底的に調査する

その一方で、アブドゥル・アフドから２００９年3月に回収した即席爆破装置の部品は、バグラム空軍基地の極秘法医学研究所に送られた。複雑なコードを入力しないと開かない茶色いドアの向こう側で、12人の兵士と契約業者の３人からなるチームが、アフガニスタン複合爆発

物対処セル（CEXC－A）の一部として、24時間体制で働いていた。このチームは戦闘生体認証、情報、電子工学、爆発物処理、そして、写真術の分野で訓練を受けた専門家で構成されていた。

アブドゥル・アフドに関係する即席爆破装置が到着してすぐ、爆発処理担当の技術者は爆発物が残っていないかを確認するためにすべての部品を調べた。これには材料や部品をX線装置に通すことも含まれた。爆発物の安全性が確認された後、本体と付属品、ワイヤー、信管、テープ、電池をさまざまな角度から写真撮影した。部品1つひとつは記録され、目録が作成され、写真に収められ、追跡が可能になるようにバーコードが割り当てられてデータベースに入力された。

バクラムのアフガニスタン複合爆発物対処セルには、生体認証、電子工学、そして情報の3つの研究所があった。生体認証研究所の技術者たちは、それぞれの部品や材料に対して別々の方法を用いながら、アブドゥル・アフドが持っていた即席爆破装置から潜在的な指紋を採集した。法医学の専門家が指紋を調べるときには、段ボール、紙、木片などの浸透性のものと、電池、ワイヤー、電線絶縁用テープなど非浸透性のものとを分けている。一方、電子工学研究所の技術者たちは、即席爆破装置がどのように組み立てられたかについて調べた。どんな手法で組み立てられたのか、すでにわかっているザリ地区の即席爆破装置製造者につながる手がかりはあるかなどを調べるのだ。情報研究所の分析者たちは、手がかりを求めて、徹底的に上がってきたレポートを調べた。チームの1人ひとりが同じ目標を分かち合っていた。戦場から即席爆破装置を取り除くために、誰が爆弾を作っているのか突き止めることだ。

アフガニスタン複合爆発物対処セルは、アブドゥル・アフドに対し、刑事裁判に使用することができる証拠を集めるために日々力を注いでいた。地球の反対側のアメリカ合衆国では、一連の別の取り組みが始まろうとしていた。多くの連邦機関で、生体認証の専門家チームが連邦政府のデータベースから、アブドゥル・アフドの指紋とDNAの照合を行っていた。2009年には、こうした取り組みは生体認証識別管理局が担当していた。テロに対する世界戦争の初期に、もともとジョン・ウッドワードが指揮していた生体認証管理室の新しい名称だ。

11カ月が過ぎた。2010年11月17日、多国籍軍の部隊がザリ地区のチャハルシャカ村の近くをパトロール中に、無線操作の即席爆破装置に「巻き込まれた」。後に機密扱いから外された記録には、多国籍軍の兵士たちが手足を失ったのか、それとも殺されたのかについては言及していないが、2つ目のプレッシャー・プレートを使った即席爆破装置が発見され、爆発物処理技術者によって回収されたことが書かれている。手作りの爆弾に使われていた、9ボルトの乾電池3つ、電線絶縁用テープ1巻き、電球1つ、そして、大量のワイヤーが回収され、記録され、袋に詰められ、新しくカンダハール空軍基地に設置された法医学研究所に送られた。

カンダハールに最初の法医学研究所を建てたエド・トイ大佐は、２０１９年、このときの取り組みについて私に詳しく語ってくれた。トイ大佐は南部地域指揮センターの対即席爆破装置作戦の責任者を務め、カンダハール空軍基地のパラディン共同タスクフォースの副司令官だった。紛争地域で犯罪科学研究所を建設し、運営するというのは生涯忘れることはない経験だ、と彼は言う。

「その場所全体が、メル・ギブソンが出演した映画『マッドマックス』のワンシーンのようでした」とトイ大佐は言った。

「ですから、そんな世界で犯罪科学の調査をするところを想像してみてください。当時、調査に必要な道具や機器はあまり揃っていませんでした。12メートルのコンテナが立ち並び、証拠品がぎっしりと並べられていました。透明のビニール袋、プレッシャー・プレート、そして、簡易物爆発を回収した部隊から送られてくるありとあらゆる爆弾の部品です」。

爆弾製造者は手がかりを残す。「それは製造者がどのようにワイヤーを巻いたかとか、どうやってサーキットボードに部品をはんだづけしたのかとか……または、製造者はかなりの熟練者でこれまで数百の爆弾を作ったのではないかとか。彼らは独自のやり方を身につけています」と、爆弾製造者が残す痕跡についてトイ大佐は説明した。「中には油断してずさんな仕事をする爆弾製造者もいます。簡単に特定できる指紋や、顎ひげの毛を残す者さえいます」。証拠を記録し、レポートを書き、必要な証拠をまとめて提出し、さらにまとめ直して提出するという作業を繰り返す、常に正確さが求められ、たくさんの人員を要する仕事だと彼は言う。「犯罪科学の証拠が集まった仮想工場で、我々はこの作業を毎日、1日数十回繰り返すのです……自動車組み立て工場の比ではありません」。

科学によって正体が明かされる即席爆破装置の製造者

トイ大佐の任務は2008年から2009年にかけてだった。国防に数百万ドルがつぎ込まれ、急速に新しいプログラムが導入されていった。2010年になると、DNAに新たな重点がおかれるようになった。2つの対戦車地雷と3900ドル相当のパキスタンの通貨を持ったアブドゥル・アフドが、ザリ地区の前哨基地で拘束されてから20カ月の間に、国防総省から資金援助を受けた微生物学者のリチャード・セルデン教授とそのチームの研究のおかげで、戦場のDNAテストと照合の技術は飛躍的に進歩した。2010年11月、チャハルシャカ村の近くで回収された即席爆破装置の部品は、カンダハール空軍基地に新しくできた移動式のおしゃれなDNA検査室へとすぐさま運ばれた。

アフガニスタンにできた陸軍の移動式のＤＮＡ検査室は、一見の価値がある。運搬できてすぐに設置可能で、それぞれ輸送コンテナほどの大きさだった。そして、強力瞬間接着剤のようなありふれた道具から5万ドル（当時の相場で約４２０万円）するレーザーまで装備されていた。「これらの検査室はアメリカにある犯罪科学研究所と同程度の機能を備えていました」と、匿名の陸軍上級ＤＮＡ検査官は陸軍の報道発表で語った。アフガニスタンに前方展開している犯罪科学者は、ジョージア州アトランタの国防科学捜査センターからアフガニスタンに赴任していた。カンダハールのＤＮＡ検査官は二次汚染を防ぐためにあらゆる措置を取りながら、アメリカ国内と同じ高い水準を保ちながら任務にあたっている、と陸軍は報道した。検査官たちは白衣を着用し、マスクとゴム手袋をして、作業台は常に漂白剤で拭いて作業していた。「サンプルに別のものが付着したらそれで終わりですから、慎重に作業をしています」。

チャハルシャカ村で見つかった爆弾の部品を検査しているＤＮＡ検査官たちの、証拠を捜し出す挑戦が進んでいた。彼らは、電線絶縁用テープやワイヤーに、使えそうなＤＮＡの痕跡はないか確かめた。皮膚の細胞や1本の髪の毛で十分なのだ。サンプルが抽出できれば、それらをいくつかの検査にかけ、「その結果、ＤＮＡ分子（1本鎖ＤＮＡ）に16の塩基配列を示すグラフが表示される」。

数十年の間、この多段階プロセスには何カ月も要した。検査官はサンプルを処理して、生データを評価し、レポートを書き、他の研究員に再考察してもらうためにそのレポートを提出する。他の研究員による相互評価は歴史的にも非常に厳格に行われたので、最も時間がかかるのは往々にして最後の段階だった。「少なくとも、他2名の犯罪科学者が結果を受け入れなければならない」と陸軍は話す。しかし、戦場では、待っている時間などあまりない。戦闘生体認証は自動化を取り入れることで迅速化を図った。２０１０年、移動式の研究室では、ＤＮＡの鑑定結果は32時間ほどで完了していた。５日間かかったサダム・フセインのＤＮＡ鑑定よりははるかに速い。結果が出ると、国防総省のデータベースに保管されている数百人分のＤＮＡと比較することができる。

６週間後の２０１１年1月18日、犯罪科学分析者たちは、アメリカ合衆国の国防軍ＤＮＡ情報研究所と共に、一致するＤＮＡを見つけることに成功した。２０１０年11月17日に発見された即席爆破装置から採取したＤＮＡは、ＤＮＡプロファイル２００９Ｘ０６３３２－０００１Ａと一致したのだ。機械によって収集され人間によって分析された圧倒的な量のデータによって、この即席爆破装置はアブドゥル・アフドによって製造されたという結論を導いた。これはまさに、２００４年にマンハッタン・プロジェクトのような数十億ドル規模の生体認証プログラムが提案されたときに、このように機能することが期待されて計画されたのだ。証拠は覆すことはできない。「一致したＤＮＡは爆発物につながっていたワイヤーから採取され、アブドゥル・アフドが拘束されたときに採取されたDNAと一致した」。彼はテロリストの爆弾製造者だったのだ。科学によってその正体が明かされ、彼はもはや無名の人物ではない。俗に言われるように、指紋も嘘をつかない。「DNAは99・9999999％正確ですよ」とリチャード・セルドン博士は言う。

アイデンティティ情報は最重要指名手配テロリストを拘束する

アブドゥル・アフドは交戦規則に従って、戦場において拘束されていた。犯罪科学は彼を犯罪と結びつけた。パルヴァーンの拘置施設に隣接する司法センターのアフガン人弁護士たちは、新しく建設された西洋式の裁判所で、彼に対して法医学的証拠を使うことができた。テロに関する犯罪で起訴された場合、アブドゥル・アフドはアフガン人の裁判官から判決を言い渡され、アフガニスタンの刑務所に収監される。ただし、DNAが一致する18日前の大晦日に、アブドゥル・アフドはアフガニスタン版のグアンタナモ基地の刑務所から釈放されていた。彼の生体認証情報分析レポートには、どうして釈放されたのかという記述は見当たらなかった。もはやアメリカ陸軍ができることといえば、再びアブドゥル・アフドとばったり会う機会を待つしかなかった。

2カ月後、別の痕跡が見つかる。アフガン人の警官が、即席爆破装置のターゲットになった、と記録にある。今回も誰かが殺されたり、手足を失ったりしたかについては何も書かれていなかった。手順に従って、証拠は収集され、袋に詰められ、ラベルがつけられ、カンダハールの研究室に送られた。アブドゥル・アフドの関与を示す2度目のＤＮＡ一致となった。アブドゥル・アフドはタリバンのただの爆弾製造者ではなく、即席爆破装置を管理するグループのリーダーだったのだ。「対象者は即席爆破装置の製造者であり、爆発物の製造における手法を含む、これまで使用された戦術、技術、手順についての知識を持っている可能性がある」。彼の個別のリスクのレベルは引き上げられた。アブドゥル・アフドは最重要指名手配犯となった。

カンダハールの研究所では、生体認証の専門家たちがアブドゥル・アフドに関する即席爆破装置識別関連性分析と呼ばれる図表を作成していた。この「クモの巣」グラフは、彼が誰に報告し、誰が彼に報告し、どれくらいの頻度でパキスタンを訪れ、どんな武器を購入し、どんな武器を売却したか、そして、過去に彼が攻撃した多国籍軍の基地などを書き込んでいく。機密解除となった記録で明らかになっているように、分析者は彼が寝泊まりしている場所を特定し、地図の中のその場所に十字線を入れた。２０１２年の冬になると、アブドゥル・アフドは合同重点影響リスト（ＪＰＥＬ）の中に加えられた。国防総省が空爆によって殺害、あるいは地上軍によって捕獲する意向がある人物の極秘リストだ。

テロに対する世界戦争において、数多くの殺害リストが存在していたし、現在も存在している。それぞれのリストは機密かどうかにかかわらず、異なる法的な制約によって運営されている。統合特殊作戦コマンド（ＪＳＯＣ）によって管理されている合同重点影響リストは、その全能的な範囲によって、特に議論を巻き起こす的になった。対反乱作戦におけるペトレイアス大将の元アドバイザーだったジョン・ナグルは、ＰＢＳテレビの番組フロントラインで、合同重点影響リストについて「ほぼ工業規模の反テロリズムの殺人マシンだ」と語った。

ファースト・プラトゥーンがアイデンティティ情報を駆使して、アブドゥル・アフドや彼につながるその他の武装兵士たちの動きを止めるとしたら、こうした最重要指名手配テロリストたちを拘束することができるはずだ。それが狙いだったのだ。

第12章　3つの即席爆破装置

〝みんながみんな無事に戻ってくるわけではない〟即席爆破装置に吹き飛ばされる兵士たち

ウォーリー一等兵はメンソールを吸っていたが、常に十分なストックがあった。配属された当初、カンダハール空軍基地では1カートン5ドルだと知って、彼は10カートン購入した。他にメンソールを吸っていたのは特技兵のブライアン・バイネスだけだったので、アフガニスタンにいる間、ウォーリーがタバコを切らすことはなかった。「喫煙はほとんど義務みたいなものでした。それまで吸わなかった人も、あそこにいたらおそらく吸うようになったでしょう」とウォーリーは言った。特技兵のアラン・グラッドニーは、タバコは吸わなかったが、パイプを吸っていた。

２０１２年5月30日、ファースト・プラトゥーンはシーアチョイ近くの作戦に行くセカンド・プラトゥーンを装甲車両で送っていく任務を任された。ウォーリー一等兵とツイスト一等兵の2人が運転することになった。カラスが飛ぶのであれば、ガリバンからシーアチョイまではおよそ4キロの距離だったが、アメリカ陸軍が道路を進む場合、6・5キロくらいの道のりに感じられた。高速道路一号線からシーアチョイに向かう主要な供給道路は、即席爆破装置が無数に仕掛けられていたのだ。この道路はヴィクトリア道路という名前だったが、持続地上監視システムのチームはヴィッキー道路と呼んでいた。このチームの任務の1つは、道路のどこに即席爆破装置が埋められているか、旅団長に最新の情報を伝えることだった。

「すべての即席爆破装置は地図上にデータ点としてマークされていました」とケヴィン・Hは当時のことを振り返って言った。それは彼らが定期的に更新していた地球空間情報のことを指していた。持続地上監視システムのチームの誰でも、武装兵士が爆発物を埋めているところを確認したら、「私たちはその場所に印をつけ、S2情報担当官にデータを送り、そこで1つの巨大な地図に記入されるのです」と彼は説明した。

それぞれのプラトゥーンが活動を行っていた地域に埋められた即席爆破装置の正確な座標情報を陸軍が持っていたという事実は、公にはあまり知られないようになっていた。殺害、または、手足を失うかもしれない強力な即席爆破装置の情報も、陸軍は把握していたのだ。

「爆発物の情報をジョーたちに伝えるのがその目的です」とケヴィン・Hは説明した。徒歩によるパトロールを開始する前に、下士官や少尉が「〝今日はこの道を行くよ。この村を訪れる予定だ〟と言ってくれれば、〝それなら、印がついているこれらの爆発物に気をつけるように〟、と私たちは返信を送ります。ところが、どういうわけか兵士たちはこうした情報を聞き流してしまったり、忘れたりすることがあります」とケヴィン・Hは言った。

本書のためにインタビューを受けてくれた下士官の中で、このような形の報告制度があったと覚えている者は1人もいなかった。「その前に戦術作戦センターに配属されていたので、持続地上監視システムのような上空で活動を行っている部隊がいるというのはなんとなく覚えています」とウィリアムズ二等軍曹は言った。

ケヴィン・Hは悪夢のような話を語ってくれた。

「すでに8カ月前からその存在を知っていた36キロの即席爆破装置を、私も確認していました」。来る日も来る日もパトロールの任務にあたっていたプラトゥーンの兵士は、その爆発物を避けていました。そんなとき、「新しいプラトゥーンがやってきたのです。指令センターに行くと、監視カメラを通して彼らがその大きな爆発物に向かって進んでいくのを見ました。そのときの私は〝おい、彼らを止めろ! 情報部に連絡しろ。あいつらを止めなければならない。その上を歩いてしまうぞ! ああ、手遅れだ〟」。

ケヴィン・Hは36キロの即席爆破装置を踏んだアメリカ兵の様子を目撃したことについて、

それ以上の詳細を明かすことはなかった。

「残念ながら、任務を遂行するには、そうしたことにも慣れなければなりません。私の仕事は戦場に情報を伝えることです。ですから、プラトゥーンの兵士が道を間違えそうになったら、〝ちょっと待て、そのまま西に5メートル行ったら、10キロくらいの爆発物が埋まっているぞ〟と伝えるだけです」とケヴィン・Hは言った。

しかし、とにかく管理するデータがあまりにも多すぎた。そして、目的や計画があまりにも錯綜していた。デイビッド・デプチュラ中将が言ったように、陸軍は「検出器の中を泳ぎまわり、データの中で溺れていた」のである。

何かが起これば、持続地上監視システムのオペレーターたちは自分のスケジュール帳にメモを書き残すようにしていた。「民間人の犠牲者（CIVCAS）など、弁護士が知りたいかもしれない」何かを書き留めておく、とケヴィン・Hは明らかにした。即席爆破装置に吹き飛ばされるアメリカ兵は「起こりうる」何かであった。もしこのような言い方が冷淡だと思うなら、それは戦争のせいだ。

スワンソン大尉には、指揮系統の上から来る命令には二重基準が用いられているように思われたという。命令は旅団長を務めていたブライアン・メネス大佐から伝えられた。「メネス大佐の態度は、我々が即席爆破装置でやられたとしたら、それは〝敵が我々より上手に立ち回ったということだ〟という感じでした。実際に、彼はそう言いました」。

ヘルマン二等軍曹は言った。「一等兵たちにこう言うわけです。〝しっかり注意を払え〟配属する前に彼らにはさまざまな訓練を受けさせ、〝みんながみんな無事に戻ってくるわけではない〟と伝えます」。

〝敵をかき乱す〟パトロール／合法的に応戦することが可能になる

ウォーリーとツイストは、シーアチョイ近くで作戦を行う場所に向かってセカンド・プラトゥーンの兵士たちを装甲車両に乗せて走っていた。ウォーリー一等兵は、その地域について嫌な予感がしたことを覚えている。「それは早朝のことでした。まだ夜明け前で、真っ暗でした。ドアの向こうから女性や子どもたちが外を覗(のぞ)いていました。まるでホラー映画のような雰囲気で、カエルの鳴き声までも聞こえていました」。

ツイストは「そのあたり一帯が呪われているような気がしました」と言った。

川に近づけば近づくほど、ますます多くの人々が様子を窺(うかが)っていた。人が増えれば増えるほど、ますます目に見えない脅威が広がっていく。ジャレッド・メイヤー少尉はセカンド・プラトゥーンの小隊長だった。メネス大佐がプラトゥーンに計画した、包括的な作戦について当時のことを語ってくれた。「私たちがやりとげようとしていた目的は、〝敵をかき乱す〟ことでした。相手を動揺させることです。必要なら発砲しても構いませんでした。部隊行動基準がある以上、ただ現地に行って人々を拘束することはできません。私たちが行動に出る前に、彼らが先に攻撃してくる必要がありました。あるいは、彼らが何かをしているところを捕らえるとか、密告者が必要だったのです。パトロールに出て、敵をかき乱すことで、こうしたことをすべて達成することが可能になります」。

上空監視からの視点や、指揮系統のトップの立場からすると、この作戦には他にも目標があった。陸軍の情報部は、タリバンが人々を拷問するために使っているという閉鎖されたモスクに関する情報が欲しかったのだ。「私たちはこの場所を何十時間も重点的に監視しました」とケヴィン・Hは言った。「タリバンが占拠していたので、本当の意味で閉鎖されたとは言えませんでした。彼らは地元の人たちを捕まえて、即席爆破装置を埋める訓練をしていました。拒めば、自動車のバッテリにつないだりしていました。そのようなことが行われていたのです」。

情報担当官は、地上からそのあたりの画像を欲していた。上空の持続地上監視システムのカメラでは見ることができない場所や空間のデジタル写真を必要としていた。建物の中や隅や壁の裏側の画像だ。また、その村の疑惑のある人物のデータも必要だった。将来的に活用できるように、指紋、虹彩スキャン、顔画像、ＤＮＡを自動生体認証識別システムに登録するのがその目的だ。

「部隊行動基準によれば、私たちは交戦することができないのです」とメイヤー少尉は説明した。「だからこそ、パトロールに行くことがメネス大佐の目標を達成する回りくどいやり方でした」。プラトゥーンは必ず攻撃を受けたので、部隊行動基準に従って、彼らは合法的に応戦することができたというわけだ。

その1カ月前、すでにそのあたりはプラトゥーンを出動させるには致命的だということが証明されていた。持続地上監視システムのチームはその様子をライブ中継で見ていたが、ニコラス・ディックハットという二等軍曹が殺されたことを、ケヴィン・Ｈは記憶している。ロイター通信のカメラマン、バズ・ラトナーはプラトゥーンに従軍し、世界中の新聞に載った印象的な写真を撮影した。その中の1枚によって、アフガニスタンにおける戦争がどれほど時代錯誤なのかとショックを受けた読者から多くのコメントが寄せられた。最新式の軍装を身にまとったアメリカ兵たちが、ブドウ小屋と呼ばれる、ブドウをレーズンにするために農民たちが使う小屋を取り囲んでいる。手で積み上げられた泥レンガの壁、形の異なる窓、横から飛び出した曲がった木の枝。ブドウ小屋は石器時代のものに見えた。持続地上監視システムのチームは、タリバンがそこからアメリカ兵を狙って撃ったり、武器の隠し場所にしたりしているのを知っていた。バズ・ラトナーはアメリカ兵たちがブドウ小屋を占拠した後、中の安全を確認しているディックハット二等軍曹の写真を撮影した。その後間もなく、ブドウ小屋を取り返そうと襲ってきたタリバンに殺されて、ディックハットは死んだ。

「私たちはこの小屋を〝ブドウ小屋の悲しみ〟と名づけました」とケヴィン・Hは言った。

ニコラス・オリヴァス特技兵が即席爆破装置を踏んだ

再び、セカンド・プラトゥーンは地域を偵察し、村人たちの生体認証を集めるために、そこへ向かって進んでいた。今回、陸軍はこれまでとは違う戦術で接近することにしていた。パトロール隊は、70トンの大型ブルドーザーキャタピラーD9の後ろを歩いていった。D9は戦闘用に設計され、携行式ロケット弾をかわすために装甲がついていた。

「5車線の高速道路を作るような勢いで整地することができるブルドーザーでした」とメイヤー少尉は回想した。

村までの地形は、メイヤーの父が住んでいたアイオワ州のような、アメリカ中西部の町を思い出させた。「大きな畑が広がっていました」。土地は開けていて平らだった。兵士たちはブルドーザーの後ろから、汗まみれになりながら、1歩1歩ゆっくりと慎重に地面を踏んでパトロールを続けた。覚悟をしていた。緊張でドキドキしていた。

村外れまで来ると、そこで行き止まりとなり、ブルドーザーはそれ以上進めなかった。メイヤー少尉は兵士たちにそのまま前進することを命じた。ニコラス・オリヴァス特技兵は彼と共に先頭にいた。

メイヤーは言った。「彼は25歩くらい進んで、左へ行くべきか、それとも右かたずねるように、ブルドーザーが停まったあたりまで進みました。私は右だと合図を送りました。彼は1歩前へ出ました。その1歩が」、どの兵士にとっても悪夢となった。

「ニック（ニコラス）は土の中に埋まっていたプレッシャー・プレートの即席爆破装置を踏んでしまいました」。

その爆発によって、秒速４９０メートルほどの速度で爆風が吹いた。時速１６００キロだ。爆風は半径７・５メートル以内にいたすべての兵士たちを吹き飛ばした。破片があちこちに飛び散った。程度はさまざまだったが、兵士たちの肺、耳、腹部、内臓に超過気圧によるダメージを与えた。脳震盪（のうしんとう）を起こした。

ニコラス・オリヴァスは土の上に横たわっていた。左足は腰のあたりから千切れていた。身体の右側はずたずたに引き裂かれていた。いたるところに血が飛び散っていた。プラトゥーンの仲間たちは彼に駆け寄り、断端（だんたん）（編者注：切断後、残った部分）に止血帯を取りつける作業を始めた。しばらく気を失った後、メイヤーは意識を回復した。

「私はニックの手を取り、すべてはうまくいくよと伝えました」。

ニコラス・オリヴァスはオハイオ州フェアフィールド出身だった。20歳だった。高校ではレスリングのスター選手だった。フェイス・コンプトン・オリヴァスと結婚していた。5カ月になる男の子の赤ん坊コナーの父親になったばかりだった。元町長の父アドルフォ・オリヴァスと郡保安官代理の母マリオン・オリヴァスの息子だった。彼は今にも死にそうだった。1人の兵士が緊急無線で負傷兵救護（メデバック）ヘリを要請した。他の兵士たちは傷口を押さえて直接圧迫を続けた。

「なんとかなる」とメイヤー少尉は自分自身に言い聞かせたことを覚えている。ヘリコプターが向かっていた。このままの調子で物事が進めば、オリヴァスは十分ゴールデンアワー（編者注：生死を左右するとされる1時間）以内にカンダハール空軍基地の外傷センターに到着するはずだった。この指令はゲイツ国防長官によって定められた。受傷後1時間以内に手術台へ運ぶというもので、この方針によって多くの命が救われてきた。しかし、オリヴァスは手術台の上で亡くなった。外科医たちが処置をするために、大腿動脈（だいたいどうみゃく）の止血帯をゆるめたとき血が逆流して、オリヴァスは大量出血で亡くなった。

「誰もがニックは助かったと思っていました」とメイヤーは言った。「私たちはそのまま作戦を続けました」。そのような知らせは、通常指揮官から知らされるものだった。メネス大佐は、プラトゥーンの兵士たちが仲間の死によって動揺してほしくなかった。そのため、その知らせは翌日の夕刻に告げられた。その頃には、セカンド・プラトゥーンは敵のブドウ小屋の中に戦術作戦センターを設置していた。

シーアチョイの戦闘前哨では、持続地上監視システムのオペレーターたちは、毎分メガバイトのデータを受け取り、さらに届くデータを待ちながら、プラトゥーンの動きをサポートしていた。建物のデジタル画像、村人の生体認証データ、武器倉庫の犯罪科学データなど、中央情報サポートチームが地上でしか手に入れることができない情報だ。パエンザイ防衛拠点では、オリヴァスが残したものを回収するために、ウィリアムズ二等軍曹が装甲車両でシーアチョイまで兵士のグループを連れていくように命じられた。

走行中、誰もが黙ったままだった、と彼は記憶している。装甲車両には、前方に地ならし用ブレードがついていた。即席爆破装置に当たったたら爆風を吸収するためだ。兵士たちがやってきた目的である「それ」に気づくと、ウィリアムズは気分が悪くなった。

「すべては黒いゴミ袋に入っていました」と彼は言った。「一等兵たちはみなそれが何だかわかっていましたが、誰も何も言いませんでした。彼らはみなニックの友人でした」。

ウォーリー一等兵はずたずたに切り裂かれたような気がしたことを覚えている。「レイノソと一緒に30分ずっと泣き続けました。それから、すべての感覚を失いました」。

即席爆破装置工場での爆発による犠牲／ウォーリー一等兵が負傷

オリヴァスの死はファースト・プラトゥーンに大きな影響をおよぼした。すべての村にパトロールに出かけるたびに、彼らは脅威を感じていた。6月1日、トーマス一等兵が19歳の誕生日を迎えた。法的に酒が飲めるようになるまで、あとたったの2年だった。彼は仲間のプラトゥーンたちにつかまれて、シロー一等兵に腹を19回叩かれた。

2012年6月4日は、ウォーリーの20回目の誕生日だった。その日、プラトゥーンはアフガニスタン南部で2番目に重要とされていた指名手配犯の生体認証データを収集した。スワンソン大尉は、拘束されたこの男の手続きを行ったことはうっすらと覚えている。実際には、タリバンのナンバー2を捕まえることはそれほど珍しいことではなかった、と彼は言った。ナンバー2の地位に上りつめる「別の武装兵士がいつも存在した」からだ。

6月6日は他の日と同じように始まった。午前4時半に起床。水を飲む、あるいは、リットイット（訳者注：エナジードリンクの一種）を飲む。携行食（ＭＲＥ）を食べる。事前ブリーフィングで、兵士たちはその日防衛拠点から７００メートル北のムラー・グル・シンに近い廃村を偵察することになっていることを知った。村にはL字型2階建ての建物があり、タリバンはそこを寝床にしていると言われていた。

「何度もそこに行かせるので、本当に嫌でした」とヘルマン二等軍曹は言った。「そこには何もありませんでした」。ただし、他の犯罪現場で確認された法医学的証拠がそこで収集されていた。

ムラー・グル・シンに接近したとき、ツイスト一等兵はトールを背中に担いでいた。トールは無線操作の即席爆破装置をモニタリングするものだ。近接航空支援が近くを飛び、武装兵士を発見したと報告してきた。武器を持っている可能性があり、野原に隠れているという。キース・アイレス一等軍曹が排水溝の中で武器の隠し倉庫を発見した。指紋とＤＮＡ採取のために、武器を証拠として袋に詰めてラベルをつけるようにと中央情報サポートチームに要請した。1人の男がバイクに乗ってやってきた。アイレスは男を制止した。中央情報サポートチームは男の指紋と虹彩スキャンを取った。一致する情報はなかった。しかし、男はびくびくした様子で怪しかった。

「アイレスは男にさっさと失せろ、と言いました」ウィリアムズ二等軍曹はそのときのことを思い返しながら語った。

アイレスと情報サポートチームが武器の倉庫に取りかかっている間、武器班はＬ字型の建物に向かって歩いていった。

「発砲が始まりました。私たちも応戦しました」とウィリアムズは言った。それからまた静かになった。ウォーリー一等兵は分隊支援火器を持って前方にいた。彼は１週間前にハガード特技兵とポジションを交代していた。ハガードはブドウ棚を登り降りしながら、プラトゥーンの後方にいた。

「建物の窓には木の格子がついていました」とウォーリーは記憶していた。「それまで１度もアフガニスタンでそのようなものが窓についているのを見たことがありませんでした」。木材は高価だった。貧しい村では貴重な材料で珍しかった。

そのときウォーリーは開けた場所にいた。バイク１台なら通れるほどの道があった。でこぼこの道だ。

「私たちは坂を上っていき、今度は下って、土でできた建物の裏手のドアへと回り込みました。入り口と思われるそのドアのところにあったものをどかしました」とウォーリーは言った。中央情報サポートチームの１人が、ジョセフ・モリッセイ一等軍曹、レイラー・レオン特技兵、そして、ツイスト一等兵を建物の別の場所へ送った。ウォーリーは建物の中の小さな部屋までたどり着いた。彼は1人だった。

「壁の隅に燃えた跡を見ました」と彼は言った。「彼らは爆発物を作っている、と思いました。あまり切れそうにないナイフがありました。自家製爆弾（ＨＭＥ）を作るときに使うようなナイフです。部屋を出ました。壁にはワイヤーが吊るされていました。ドアにもワイヤーがかかっていました」。

ウォーリーはウィリアムズ二等軍曹を大声で呼んだ。「今すぐここに来てくれ」と言った。

ウィリアムズは近づいてくると、同じ光景を目にした。壁のワイヤー、ドアのワイヤー。

「即席爆破装置工場の中に立っていたというわけです」とウィリアムズは言った。

モリッセイとレオンは、地雷除去装置を持っていたので呼ばれた。

「そこにいたのはツイストと私とウィリアムズ二等軍曹でした」とウォーリーは言った。「私たち3人はまさにその場所に立っていました」。

ウォーリーはバイクがやってくる音を聞いた。そして、バイクと運転手の姿も確認した。

「ウィリアムズ二等軍曹を見ると、私に向かって頷いたのです。その表情から、彼を殺せ、と言っているようでした」。

この即席爆破装置工場にいる者は誰でも脅威だったので、部隊行動基準によって制圧しても構わなかった。ウォーリーはもう一度建物の中の様子を思い返したが、かなり多くのものがあると思った。あちこちにワイヤーがあった。あれは自家製爆弾用のブロックだったのか？

「振り返ってウィリアムズ二等軍曹を見ました」とウォーリーは言った。その間も、バイクの運転手から目を離さなかった。「彼はまた頷きました。仕留めるには十分の距離に入ってきた、という意味でした」。

ウォーリーは男の方へ近づいていった。「アイツを殺す」と彼は心の中で考えていた。「それから……彼らは爆発のスイッチを入れたのです。即席爆破装置が私の目の前で爆発しました」。

ツイストはウォーリーのすぐ近くにいた。彼は覚えている。「とても天気のよい日でした。空は真っ青で、乾燥した日でした。私はウィリアムズ二等軍曹を見ていたのです……」。

ツイストは爆風で壁に叩きつけられた。「耳鳴りがしていました。一瞬何も聞こえなくなりました。一体何が起こったのか？　サム（・ウォーリー）が叫んでいました。彼が大量に出血していると気がついたのはそのときです。なんてことだ、これはまずい、と思いました」。

ツイストは武器を下ろした。

「なんとかしろ。一体何が起こったんだ？　叫んでいる。サムのところまで行くんだ」と思ったことをツイストは記憶している。そして、彼は走り出した。「本当のところ、一体何が起こっているのか理解していませんでした」。

ツイストはウォーリーに向かって走った。２メートル、４メートル、６メートルと開けた場所を横切っていった。

「とにかく彼を穴の中から助けなくてはと思いました。それでもまだ何が起きているのかよくわからない状態でした。ウォーリーが着ていたベストの後ろ側をつかみました。彼の左腕はめちゃくちゃになっていました。右足は脛骨と腓骨が見えていて、その下はありませんでした。いわゆる脱手袋損傷で骨がむき出しになっていたのです。ナイフの先のように見えました。脚はそこにあるはずですが、少なくとも脚の一部はまだありました」。ツイストは頭の中で「急げ」という言葉を繰り返していた。煙や埃が少しずつ収まってきていた。「止血帯を出せ」とツイストは自分に命じた。彼は多くの止血帯を持っていた。「実際、私は他の兵士たちより多く止血帯を持ち歩いていたのです。そこで、お前の友だちに早く止血帯を当てろ、と自分自身に言い聞かせました」。

ツイストはかがみ込んだ。ウォーリーを穴から強く引っ張り上げたとき、心の中でつぶやいた。「ああ、あそこに足がある。そして、ブーツも。ぽつんと、あそこに」。

ウォーリーの切断された脚からはどんどんと血が流れ出していた。ツイストは急いで止血帯を3つ取り出した。「なんとか手当てをしていました。しかし、感情的には精一杯でした。自分の仲間が即席爆破装置を踏んでしまったとき、自分はどうなってしまうのかという訓練は受けていませんからね。もちろん、ブラッグではブタを使った訓練は行いました。しかし、実際には大量の出血を想定した訓練などできません。その瞬間、心が折れてしまいました。それでも、止血を続けました」。

即席爆破装置は土の中に深く埋められていた。そのため、直径2メートル、深さ1・2から1・5メートルの穴ができていた。ツイストはウォーリーを穴から引っ張り出した。ウォーリーの意識ははっきりしていたが、最初は何も見えなかった。それから見えるようになった。ウォーリーは意識を失っていなかったのだ。「ジョー」［モリッセイ］がオリンピックのハードルの選手みたいに、ブドウ棚を飛び越えて走ってくるのを見たよ」と言った。ウォーリーはツイストがじっと自分の顔を覗き込んでいることに気づいた。

「ツイストの目を見ていたら、自分は死んだのかと思いました」とウォーリーはそのときのことを振り返って言った。「それから、ああ、俺は生きているじゃないかと気づいたのです」。

ウィリアムズ二等軍曹はウォーリーの頭を自分の膝に置き、彼を励まし続けた。ツイストは切断された脚の上に止血帯を巻いていた。すべてが血だらけだった。

ウォーリーは思わず本音をつぶやいた。「畜生、なんで俺なんだ？　なんで俺なんだ？　なんで俺なんだ？」

ウィリアムズ二等軍曹はそのときのことをはっきりと覚えている。「彼はずっと、なんで俺なんだ、と繰り返していました。かける言葉が見つかりませんでした。だから、〝俺もわからないよ〟と言いました」。

あたりには木が多く生えており、ブドウ棚が続いていた。そして、いつものようにアフガニスタンの真っ青な空が広がっていた。ウォーリーは「負傷兵救護ヘリが着陸できる場所はない」と思ったことを覚えている。

「私は祈りました。神様お願いです。ここから助け出してください……とね」と彼は言った。

ウィリアムズ二等軍曹は緊急無線を使って、負傷兵救護ヘリを要請した。ウォーリーの右脚はそのほとんどが切断されていた。また、左腕の下の方がなくなっていた。残っていた左脚はずたずたに切り裂かれていた。ウィリアムズはヘリ要請の理由を「3カ所の切断者」と伝えた。

あれから何年もたった今でも、ウォーリーは負傷兵救護ヘリのパイロットが狭い場所に完璧に着陸したときのことを考える。間違いなく、そのパイロットによって彼の命は助かったのだ。

「ヘリコプターの回転翼が木の枝を切り落としているところを見ていました。オリヴァスが助からなかったことは知っていました。だから、俺も間に合わないだろうな、きっと死ぬんだろうなと思っていました」。

ヘリコプターは着陸した。ツイストはまだ止血を続けていて、やめようとしなかった。

「私たちはサムを中に運びました」とウィリアムズは言った。

ツイストは友だちのウォーリーに付き添うと言って、ヘリコプターに乗り込もうとした。しかし他の兵士たちが引き留め、行かせてもらえなかった。負傷兵救護ヘリはカンダハール空軍基地に向けて出発した。

爆発のその後

「一体何が起きたのか？」と思ったことをツイストは覚えている。「本当にあんなことがあったのだろうか？」と２０１９年になってもツイストは思うことがある。「同じことを何度も何度も自問しています。真夜中のときもあります。パズルのピースをはめるように、あの日何が起きたのか思い出そうとするのです」。ずっと後になって、それがＰＴＳＤ（心的外傷後ストレス障害）なのだとツイストは気づいた。「座ったまま、頭の中で覚えていることを、最初から思い返してみるのです。昼間に考えることもあります。一晩中考えることもあります。何が起きたのか？　どのようにして起きたのか？　なぜ起きたのかと」。同じことを延々と問い続ける。「決して頭から離れません」。

ウォーリーはヘリコプターの中にいた。兵士たちは歩いてガリバン防衛拠点まで戻らなければならなかった。

「拘束した敵を連行していました」とウィリアムズ二等軍曹は言った。「彼と一緒に歩いて戻ったのです」。中央情報サポートチームが拘束者の生体認証を取り、武器倉庫やバイクの運転手の情報、そして、ウォーリーが吹き飛ばされた場所の写真と一緒にデータベースに登録した。ウィリアムズ二等軍曹はやっといくらか水を飲むことができて、服についた血を洗い流した。その後、スワンソン大尉が、情報サポートチームが撮影した即席爆破装置でできた穴の写真を彼に見せた。

「大きな穴でした。サムのブーツが見えました。千切れた脚が入ったままでした」。

カンダハールへ向かう飛行中、サミュエル・ウォーリー一等兵は、看護兵の顔をずっと触ったままだった。外傷センターの手術台では、医師たちの目をじっと見つめていたことを覚えている。彼らの目は大きく拡大していて、「外科手術用のマスクの向こうから、私を見つめていました」。彼は痛みも覚えている。というのも、心拍数が「すでにあまりに低すぎたので」、麻酔が使えなかったからだ。カンダハール空軍基地の外傷センターで彼に起こったことは、「人間に起こりうる出来事の中で最も恐ろしいことでした。彼らは私の左腕の残っていた部分を切断しました。そして、ゴミを捨てるように医療用ゴミ袋の中に捨てました」とウォーリーは言った。

ウォーリーが即席爆破装置の犠牲になったことは、ファースト・プラトゥーンに暗い影を落とした。ツイストは、すべてのことが、もうどうでもよいと感じるようになっていたという。ウィリアムズは、兵士たちが兵士の任務を行うように導くのは自分次第と考えていたという。毎日が無限のループだった。徒歩によるパトロール。真面目に出動する。基地を出て村人に会いに行く。自分たちは彼らを助けるためにいるのだと説得する。村の重要な指導者たちをもてなす。ただで薬をあげて、代わりに指紋と虹彩スキャンを取らせてもらう。その繰り返しだった。

　レイノソはさらに懸垂（けんすい）をするようになった。バイネスはウォーリーのメンソールのタバコを吸った。特技兵に昇格したデイビッド・ゼッテルとマシュー・ヘインズは、ハンモックを吊るしてヘミングウェイを読んだ。トーマス一等兵と他の兵士たちは、架空のお金でドミノやトランプゲームを行った。誰が誰にいくら払うのかメモに記録することも忘れなかった。誰かが蹄鉄（ていてつ）投げゲームをはじめた。それはばかばかしいゲームだったが、別の兵士の母親が芝生用のゲームを送ってきたのだ。結構な重さがあったので、蹄鉄投げゲームをはじめたのだった。ゲームをすると、彼らは故郷のアメリカとつながっているような気がした。故郷で彼ら1人ひとりを待っている別の人生とのつながりだ。ヘルマン二等軍曹はエアコンの効いた耐地雷・伏撃防（ふせうち）

護・全地形対応装甲車の中で、本を読み続けた。一晩中読んだこともあった。

ブドウ畑での爆発／カーナー一等兵とラティーノ中尉が負傷

6月13日もいつものように1日が始まった。午前4時半に起床。コントロール・ポイントに整列。水を飲む、あるいは、リットアップを飲む。携行食を食べる。徒歩によるパトロールへ向かう準備をする。今回は数百メートル先のパエンザイ村が目的地だった。パエンザイ村といえば、第2歩兵師団が子どもを撃った場所だ。

「私たちは道路につながるブドウ棚の手前のナナカマドを栽培している棚で、1人の男が土を掘り返しているところを目撃しました」とフィッツジェラルド特技兵（フィッツ）は回想した。「村の長老に会いに行くように、とラティーノ中尉から言われました」。

パトロール隊は、必ず即席爆破装置が埋まっている道路を避けて進んだ。彼らは土に覆われた場所や大麻の畑を横切り、ブドウ畑へと向かっていった。

「アニスのような匂いが充満していました」とフィッツは言った。「アニスは野草で、ブラック・リコリスのような香りがします。今日その匂いを嗅いだら、気持ち悪くなると思います。

燃えた硝酸エステルアニス。パエンザイ周辺はその匂いしかしませんでした。家に戻ってから、一度アニスのお酒を飲みました。すぐに気持ち悪くなって吐きました」。

フィッツはマーク・カーナー一等兵の前にいた。カーナーの後ろにはラティーノ中尉が、そして、その後ろにはトーマス一等兵がいた。それぞれの兵士は3メートルから4メートルの間隔をあけて進んでいた。

「私たちはブドウ棚の中にいました。他の兵士たちが通ったばかりの場所で、カーナーが何かを踏みました」。トーマスはそのときのことを覚えていた。「ボンと大きな音がしました」。

ハガード特技兵もボンという音を聞いた。「誰かが〝くそっ〟と言いました」。

「ヒューズが濡れていたのかもしれません。だから、少し時間があったのです」とフィッツは言った。

カーナーはそこに立ちつくしていた。足はプレッシャー・プレートの即席爆破装置の上に乗っていた。

「みんな固まりました」とトーマスは言った。

「私は持っていたM14自動小銃を両手にしっかりとつかみました」とフィッツは言った。「爆風が起こると覚悟しました、カーナーの目をじっと見つめたとき、彼は〝なんてこ……〟と言ったのです」。

そのとき爆発が起こった。トーマス一等兵はブドウ棚の壁に吹き飛ばされ、強い衝撃を受けて気を失った。フィッツも同じだった。「吹き飛ばされて、ブドウの木の間に倒れたのを覚えています」とフィッツは言った。「私が救急箱を持っていました。それに、バックアップ用の担架も。カーナーから60センチくらいのところに倒れていましたが、その場所から動くのが本当に怖かったです」。

トーマス一等兵はおよそ1、2分気を失っていたが、すぐに意識を取り戻した。「気がつくと、みながあちこち動き回っていました」。

カーナーは尻の大部分を失っていた。ラティーノ中尉は顔と首から血を流していた。「大きな金属の破片が中尉の首から突き出ていました。おそらく頸静脈（けいじょうみゃく）から数センチのところです」とハガードは言った。

「一体何をどうすればよいのか誰にもわかりませんでした」とフィッツはそのときのことを振り返って言った。「すると、衛生兵のローズ医師が歩み寄って、ラティーノ中尉の首から金属片を抜きました」。

トーマス一等兵はまだ仰向けに横たわり、空を見つめていた。強い耳鳴りがして、誰が何と言っているのかまったく聞き取ることができなかった。「まず沈黙があって、その後にものすごい耳鳴りが始まりました。それから少しずつ耳鳴りが治まってくると、兵士たちの話している声が聞こえてきたのです。少しずつ、何を言っているのかがわかってくるという感覚でした」。トーマスは立ち上がった。そして、自分の腕と脚を見た。「自分はまったく無事だったと気づいた瞬間でした」。カーナーの千切れた臀部があちこちに飛び散っていた。ブドウの枝に血が飛び散り、葉っぱが燃えていた。

誰もが機敏に動き回っていた。ガリバンに無線で連絡を入れるのはトーマスの仕事だった。「部隊から連絡です！」彼は叫んだ。そして、自分たちがいた場所の座標を伝えた。しかし、ガリバンはもっと正確な座標が必要だと言った。ヘリコプターが着陸できる場所でなければならなかった。カーナーは出血がひどく、とても動かせる状態ではなかった。ラティーノ中尉は放心状態で歩き回っていた。ヘルメットを失い、頭から血が流れていた。ハガードが指揮を執ることになり、トーマス一等兵とヘインズ一等兵に、来る途中で通った大麻の畑まで戻るように言った。

「彼が何を言っているのかわかっていましたが、そのときのことを振り返ると……というのも、いつもそのときのことを考えてしまうのですが、〝本当にあんなことが起こったのだろうか？〟と不思議になるのです」とトーマスは2019年に話してくれた。

ヘインズは地雷探知犬を連れていたので、トーマスの前を進んでいた。「あまりにもケガをした同僚のことが心配で、探知犬を使いませんでした。私たちはただ走っていきました。ヘインズは探知犬の手綱を持っていましたが、ものすごい勢いで走っていたので、探知犬を使う余裕はありませんでした。私たちは来た道をただ、ただ走り続けました。何も感じていませんでした。まるで、他のことには何も気づくことができない状態です。あるいは、大麻の畑に着くまで、他のことは何も考えることができなかったと思います」。

トーマスは座標を知るために、防衛高度GPS受信機（DAGR）を持っていた。ガリバンはその座標なら大丈夫だと伝えてきた。開けた大麻の畑なら負傷兵救護ヘリが着陸できると言った。再び2人が戻るために走り出したとき、トーマスは自分たちが置かれた状況をはじめて理解した。「私たちはアフガニスタンの非常に危険な場所に、2人だけでいました。交戦にならないようにと心の中で祈っていました。つまり、即席爆破装置を踏むようなことになれば、私たちは死ぬしかありませんでした。爆発が起こった場所から少なくとも600メートルは走ったと思います。もしかしたら、もう少しあったかもしれません。後は無事に仲間のところまで戻ることでした」。

2人が爆発の場所に戻ると、兵士たちがカーナーの処置を終え、ハガードが彼を背負っていた。ハガードはそのままブドウ棚からヘリコプターが着陸できる大麻の畑まで、カーナーを運んでいった。

「狼煙を上げると、ヘリコプターがやってきました」とハガードは言った。

「顔中に爆弾の金属片が刺さっていましたが、ラティーノは部下である一等兵や二等兵のことを心配していました」とトーマスは言った。誰もがいつか自分の子どもが欲しいと思っていたのだ。

パエンザイ防衛拠点では、ツイストが爆発の詳細を聞いて、「まったくの無力感」を抱いたことを今でも覚えている。この３週間で、３回の爆発が起きていた。４人の兵士たちが巻き込まれていた。ラティーノとカーナーは重傷を負い、ウォーリーは手足を失い、オリヴァスは亡くなった。

「配属される前に、アフガニスタンの戦争に関する本を何冊か読みました」とツイストは言った。その中に『スリー・カップス・オブ・ティー（３杯のお茶）』という本も含まれていた。アメリカ人の登山家がパキスタンで迷子になり、親切な村人に助けてもらったことをきっかけに、パキスタンとアフガニスタンに60の学校を建てる話だった。他に、『アフガン、たった一人の生還』という本も読んだ。アフガニスタンで海軍特殊部隊の兵士がタリバンの奇襲攻撃から逃れ、命を救ってくれた親切なアフガン人の村人に匿ってもらう話だった。

「自分たちがやっていることは、そんな話とは程遠いものでした」とツイストは言った。「アフガン人は私たちを憎んでいます。アメリカ兵を歓迎してくれる人などいませんでした。それは明らかでした」。

PART 4

第13章　プラトゥーンを得る

アフガニスタンで戦闘経験のない中尉、クリント・ローレンス

戦場でアメリカ兵が殺されたり、負傷したり、手足を失ったりしたときには、代わりに別の兵士が投入される。これが戦争のやり方だ。２０１２年6月、第82空挺部隊はファースト・プラトゥーンのリーダーとして、ドミニク・ラティーノに代わる中尉を選ぶ必要があった。これまでアフガニスタンで戦闘経験がなかったクリント・ローレンスという若い将校が、自分にこの役目が回ってくると知ったときには興奮した。陸軍将校の間で、これは「プラトゥーンを得る」と呼ばれていた。その数週間前、ローレンスは、パサブ前進作戦基地の戦術作戦センターからどこにも配属されることなくアメリカに帰ることになりそうだと、カタリーナ・ルーカス少尉に不平を漏らしていた。そうなれば、有刺鉄線の外側に一歩も出ることはなく、アフガニスタンにいる間に戦闘歩兵バッジを得ることもないからだ。

「同じ中尉の仲間たちが実際にプラトゥーンを指揮しているのに、自分は連絡将校なんてつまらない、と彼は何度か口にしていました」と、のちにルーカスは軍事裁判官に証言している。

カタリーナ・ルーカスは陸軍情報将校で、騎兵大隊の情報部に配属されていた。4月、戦場がマイワンドからザリ地区へと変わると、その移行期間をサポートするために、ルーカス少尉は騎兵大隊の安全保障担当官補佐に任命された。部隊がザリ地区へと移動するまでの3週間、彼女はパサブで情報連絡将校を務め、その後、残りの騎兵大隊が駐留するシーアチョイへと移動した。彼女がローレンス中尉と一緒に仕事をしたのは、このパサブでの3週間のことだったのだ。

「私たちはほぼ毎日、彼に会っていました」とルーカスは軍事裁判官に証言した。「旅団の戦術作戦センターに行くと、彼から騎兵大隊に関する最新の情報を聞きました。夕方には一緒に戦闘最新情報報告会に出席しました。時折、前進作戦基地で一緒に昼食を取ることもありました」。

昼食を共にしたとき、陸軍レンジャーのワッペンを持っていないことで他の将校たちからバカにされることに腹が立つ、とローレンス中尉はルーカス少尉に話していた。カタリーナ・ルーカスはそれが重要な問題だとわかっていた、と捜査官たちに証言し、そんなジレンマを抱えていたローレンスに共感を示した。

「戦闘に関わるほとんどの少尉や中尉は、レンジャーのワッペンや戦闘歩兵バッジを持っていないと、同僚たちから後れを取っていると感じるのが当たり前になっています。他の仲間と同じレベルにいないと考えてしまうからです」とルーカスは言った。

クリント・ローレンスは熱中症のため、フォート・ベニングで受けていたレンジャーの訓練コースから脱落した。翌年の寒い時期にもう一度コースを受講することも可能だったが、それには少し遅すぎた。配属される部隊自体が次第に減ってきていたのだ。当時の配置予定表を見れば、ローレンス中尉が戦闘歩兵バッジを受け取る絶好のチャンスは足早に遠のいていると、2人にはわかっていた。彼にとって「またとないチャンスをもらえるまでに残された時間はたった5週間ほどでした」とルーカスは証言した。

その後、2012年6月15日、ローレンスは結局「プラトゥーンを得る」ことになったと知った。彼はそのうれしい知らせをルーカス少尉と分かち合った。「ローレンスはプラトゥーンを指揮することへの情熱にあふれていました。そして、タリバンを殺すという強い願望を口にしていました」と、のちにルーカスは犯罪捜査官に証言した。

情報部では、カタリーナ・ルーカス少尉は、持続地上監視システムのチームから送られてくる地球空間情報を扱っていた。ルーカスの仕事は「パエンザイ周辺の戦場を監視する」ことで、それが何を意味するのか、彼女は軍事裁判官の前で明確に説明した。「私たちの作戦地域は、多くのタリバン兵士がこの地域の出身ではないという意味で、同じ旅団の他の作戦地域とは少し違っていきました。私たちの部隊が移動したとき、多くの武装兵士たちが他の作戦地域へと散っていきました。特に、東や南へと移動しました。したがって、兵士たちは私たちの作戦地域にこっそり出たり入ったりしていました。アルガンダブ川を南へ渡り、東、つまり通常はパキスタン側から作戦地域へ侵入していたのです」。武装兵士たちは夜の間にさまざまな場所へと移動した。そして、夜が明けないうちに、オリヴァス特技兵が爆破されたブドウ棚や、ウォーリー一等兵が重傷を負ったムラー・シン・ガルの建物などを後にするのだ。

バイクには同時に2つの役割があった

ルーカスの任務の中に、プラトゥーンのリーダーが敵の最新の活動状況について知ることができる、グラフィック情報要約と呼ばれる情報を将校たちに送るというものがあった。6月、プラトゥーンを指揮することになったローレンスは、ルーカスにメールを送りグラフィック情報要約を依頼した。ローレンスはアフガニスタンに配属されてからずっと、エアコンの効いた戦術作戦センターで、持続地上監視システムの軽航空機やその他の上空監視機器から送られてくるライブ映像を観察してきた。それが今、激しい戦闘の中に送り込まれようとしていた。

「私が送ったグラフィック情報要約に対して、彼はメールを送ってきました」とルーカスは軍事裁判官に証言した。「そして、彼は私が送った要約がよかった、参考になる情報がたくさんあったと言っていました。また、メールの最後に〝警戒者リスト〟を送ってほしいと書いてありました」。BOLOと呼ばれるこのリストには、自動生体認証識別システムから要注意人物として生体認証対応警戒リストに入り、さらにその中で指名手配犯となっている武装兵士たちの情報が載っていた。

ローレンスはまた「価値の高いターゲットリスト」も依頼したが、ルーカスはそのリストも送ったと言った。このリストは多国籍軍がこの地域で「破壊する」ことが可能だと思われるすべての情報を詳しく説明するものだった。タリバン兵士や他の武装兵士を意味する「作戦地域の人物リスト」に加え、「武器システムや車両など、多国籍軍が占領または破壊すれば、私たちの作戦の成功に役立つと思われるものがすべて記載されていました」とルーカスは証言した。

このターゲットリストは一連の「識別子」を絞り込むことができた、とルーカスは説明した。つまり、システムに記録されたすべての情報は「戦場で起きた爆発や交戦など、過去に起きた出来事とのつながりをさかのぼったり、その関連性を見つけたりするために利用することができたのです」。この、つながりをさかのぼるという概念こそ、統合参謀本部が追求するアイデンティティ情報の中核を成すものだった。それには「個人をその他の人物、場所、出来事、資料、生活パターン分析と結びつけて」考察する。ローレンス中尉はバイクに興味を示していた、とルーカスは軍事裁判官に証言した。なぜなら、「自動二輪車は1つの識別子と考えることができるからです」。しかし、ファースト・プラトゥーンがいた作戦地域では、自動二輪車の情報は矛盾していた、と彼女は言った。バイクには同時に2つの役割があったのだ。

「私たちの作戦地域では、特に赤いバイクは、即席爆破装置を埋める役割の者たちが乗っていました」とルーカスは証言した。タリバンは「バイクである場所まで行き、そこで爆発物を設置するか、すでに置いてある爆発物を作動させ、再びバイクに乗って去っていきます」。矛盾というのは、赤いバイクはごくありふれた日常の風景でもあったというところだ。「赤いバイクは、タリバンも、地域で暮らし仕事をしている罪のない一般市民もよく使っていました。タリバンに最もよく使われていた乗り物は赤いバイクとトヨタのカローラだったので、作戦に出かける準備をしているときに、これら2種類の車両を見つけるのが今日の任務だなどと、私たちは冗談を言うようになったのです」とルーカスは証言した。

その地域で暮らし、活動を行っていた「価値の高いターゲットリスト」の1人が、アブドゥル・アフドだった。その「正体」がまさに今、ファースト・プラトゥーンの物語に複雑に絡み合ってくる男の名前だ。彼も赤いバイクに乗っていた。この男の正体についての議論が、アメリカ合衆国大統領の机の上にまで届くとは、２０１２年6月にはほとんど誰も想像することはできなかった。そして、そんなことが起こったという事実さえ、これまで公になってこなかったのだ。

機密解除となったアブドゥル・アフドの生体認証情報分析レポートによると、２０１２年6月、アメリカの情報分析者たちが彼を即席爆破装置の製造者でタリバンの指揮者だと判断してから、17カ月が過ぎていた。彼の生体認証対応警戒リストのステータスは「レベル２：出くわしたら職務質問をかけろ」となっていた。国防総省の「ネットワークを攻撃しろ」という手法の観点からすると、アブドゥル・アフドは、死んでいるより生きている方が価値は高い。「彼は即席爆破装置のさらに大きなネットワークと関わっている」というのが、分析者たちが出した結論だった。

開示されたアブドゥル・アフドの生体認証情報分析レポートを見るだけで、即席爆破装置との関係を示した彼の身元に関するリンク分析チャートなどから、国防総省のアイデンティティ情報がいかに強力なものなのかがわかる。彼や彼の仲間についてつかんでいた情報の範囲と特異性は注目に値する。アブドゥル・アフドは、少なくとも15人のタリバンの指導者と直接コンタクトを取っていた。国防総省はこの15人全員の名前を把握しており、そのうちの6人は合同重点影響リストにも登録されていたので、当然殺害の対象でもあった。アブドゥル・アフドは少なくとも20人のタリバン兵士を直接指揮していた。そして、ムラ・アガとアブドゥル・アガという兄弟の資本家と直接やりとりを行い、即席爆破装置の製造者や設置者たちも指揮していた。アブドゥル・アフドは地域一帯のアヘンケシ収穫税を徴収し、ザリ地区の戦闘前哨への攻撃を計画した。それには、パサブ前進作戦基地へのロケット弾攻撃、司法機関へのタリバン裁判官の任命、マイワンドの知事に立候補したハジ・カラ・カーンの殺害を目的とした攻撃などが含まれる。また、彼は定期的にパキスタンを訪れていた。

彼に関する個人的な情報も、同様に具体的だった。アブドゥル・アフドは「脚に問題があり、歩幅が小さかった」。「左手の内側に円のタトゥーが2つ」あった。「黒いトーブに緑色のベスト、ターバンは巻かずにカンダハール帽子、そして、白いセイコーの時計を」身につけていた。彼は「2人のボディーガード、82ミリの迫撃砲、中国製のカラシニコフ銃」を持ち、「およそ20センチで、長いアンテナと上部に4つの黒いつまみがついた黒色のラジオ」を持ち歩いていた。そして、彼は「赤いバイク、新車、中国製、フロントガラスなし、メーカーホンダ」に乗っていた。

しかしこのような情報のほとんどは、地上で歩兵隊を指揮するプラトゥーンのリーダーには余分な詳細だった。アフガニスタンでは、まるで2つのまったく異なる戦争を同時に戦っているようなものだったのだ。1つはデジタル戦争。データによって動かされていた。上空から、神の目を通して見ていた。地球空間情報、アイデンティティ情報、そして、リンク分析チャートによる戦争だ。もう1つは人間による戦争。肉と血と骨によって動かされていた。歩兵たちとアフガン人の村人たちが地上で行き合い、絶望的な失敗である戦争に巻き込まれていた。ローレンス中尉はそれまで完全に、最初の世界で戦争を経験してきた。そして、今、2つ目の戦争へと進んでいたのだ。どれだけデータがあっても、ギャップを埋めることなどできなかった。赤いバイクに乗っているすべての男を撃ち殺すことはできない。それは、紫の帽子を被ったすべての村人を殺してしまうのと同じことだ。それは戦争犯罪だ。

村人と話しているとき、何者かが至近距離で銃を乱射した

クリント・ローレンス中尉がファースト・プラトゥーンを指揮するために戦場へ向かおうとしていた頃、パサブ前進作戦基地では、兵士たちはもう1つの悲惨な喪失感を経験していた。その邪悪さに押しつぶされそうだった、とツイスト一等兵は回想した。それは6月23日のことで、兵士たちは徒歩によるパトロールを行っていた。防衛拠点からおよそ600メートル先の

サレンザイ村に、ちょうど立ち寄ったところだった。

「私たちは座って村人たちと話をしていました」とハガード特技兵はそのときのことを思い返しながら言った。

「村の人たちが何を必要としていて、どうしたら助けてあげることができるか理解しようとしていたのです」とツイストは言った。

「あぐらをかいて座っていたアイレス一等軍曹は、通訳を介して話をしていました」とトーマス一等兵は言った。

ハガードはタバコに火を点けた。トーマスは無線係だったので、アイレスのすぐ隣に座っていた。

「私はただそこに座って自分だけの世界に浸っていました。気がついたら、銃声が聞こえました」とトーマスは記憶していた。

「誰かがすぐそばからヘインズを撃ったんです」とハガードは説明した。「まさに5メートルくらいの至近距離から」。

「男は銃を乱射すると消えてしまいました」とウィリアムズ二等軍曹は言った。

カーソンは手榴弾のピンを外して、男がいた場所に投げた。泥レンガの壁の一部が吹き飛ばされた。トーマスは立ち上がると、ヘインズの方へ走っていった。

「ヘインズはただ横たわっていました。まっすぐに空を見つめていました。首の弾痕からは血が流れ落ちていました」。

ジョセフ（あだ名ドック）・フィルドヘイム特技兵は、救急箱を開けると、気管切開用のナイフを取り出した。

「ドックの手はものすごく震えていました」とトーマスは言った。

「自分の親友に気管切開手術を行わなければならなかったのです」とハガードは言った。

ウィリアムズ二等軍曹は、ドック・フィルドヘイムに向かって大声で命令を下した。「今はおまえの友だちではない。彼は気管切開手術を受けなければならない1人の兵士だ」。

トーマス一等兵はヘインズの手を取った。「そこにただ横たわっていたので、彼はひどく状態が悪いのだと思いました。ドックはチューブを挿入するために、喉を切りました。私たちは彼を押さえていましたが、まったく抵抗しませんでした。それで、こんなふうに切られているのに、彼はまったく動かないと気づいたのです」。同時に他の兵士たちも、銃弾がヘインズの脊椎（せきつい）を傷つけたことに気がついた。彼は麻痺状態に陥っていたのだ。

「ドックが切開を行っていると、ヘインズの目から大粒の涙がこぼれるのを見ました」とトーマスは言った。「涙は彼の頬を伝って流れました。彼は何も言葉を発しませんでした。その口は開いていました。たぶん、口の中には血が溢れていたのだと思います。そして、彼の涙は横に落ちていったのです。彼がかわいそうでなりませんでした。そして、どうなってしまうのかと本当に心配でした」。

その日、担当していた兵士が担架を持ってくるのを忘れていた。ウィリアムズ二等軍曹は激高した。トーマスと数名の兵士たちが２本のライフルとジャケットを使って、即席の担架を作ろうと試みた。ウィリアムズ二等軍曹はアフガン国民軍の兵士たちをサレンザイの村人の家まで走らせた。彼らは担架として使っているドアを持って戻ってきた。ヘインズが撃たれた後、一体何がどうなったかについて、その場にいた者たちの記憶はぼやけている。即席爆破装置は邪悪だ。しかし、サレンザイ村で兵士たちが座り込んで年配の村人たちと話しているときに、誰かがすぐそばから銃を乱射してきたとなれば、それは新しいレベルの不信行為であり、だまし討ちだ。

トーマス一等兵は、座標を伝えるために無線で連絡したことをまったく覚えていない。「おそらく私が連絡したと思うのですが、本当に何も覚えていません。あのときは本当に、本当にうろたえていましたから」。

兵士たちはヘインズをヘリコプターに担ぎ込んだ。鳥のように、ヘリコプターは飛んでいった。

クリント・ローレンス中尉〝プラトゥーンを得る〟

6月27日、クリント・ローレンスはパサブ前進作戦基地から出発した。彼が前年の2月にアフガニスタンにやってきてから、堅固に要塞化された軍事基地の壁の外に出るのは、それがはじめてのことだった。地ならし用のブレードがついた装甲車両の一群と共に進みながら、即席爆破装置の攻撃を恐れて緊張した、と彼はのちに弁護士たちに語った。そして、「体と、絶えず考えが浮かぶ頭をリラックスさせようと試みたが」できなかった。

およそ西に30キロ離れたカンダハール市で連続して起こった2つの自爆テロに、彼はだいぶ動揺していた。そして、そのことが頭から離れなかった。23人の死者と50人の負傷者を出したこれら2つの攻撃には、バイクを運転する自爆テロ犯が使われた。ルーカス少尉にグラフィック情報要約を依頼したのは、これが理由だったとのちに証言している。パサブで読んだ情報レポートから、第82空挺部隊が展開する地域、つまりザリ地区全域では、バイクが絡んだ自爆テロは起こっていないことは知っていた。そして、5月26日から、バイクが関係する爆発事件は1件しか起きていないことも把握していた。それでも、彼はバイクに注目していた、と述べている。

ローレンスの乗った装甲車両がシーアチョイに到着すると、彼はそのことを報告するためにルーカス少尉に連絡を入れた。彼はプラトゥーンを得ることにとてもワクワクしていると彼女に話した。それから彼は、旅団長のジェフリー・L・ハワード中佐に到着の報告を行った。そこで、任地の変更に関する書類に記入した。6月29日、ローレンスは装甲車両でガリバン防衛拠点へ護送された。そこに到着したとき、壁についた「大きな穴、迫撃砲によって開いた穴、そして弾痕」を見て大きなショックを受けた、とのちに弁護士たちに語っている。

彼はガリバンで、これから彼が報告する将校であるスワンソン大尉に会った。そして、パエンザイでプラトゥーンに所属するアイレス一等軍曹に会った。スワンソン大尉はローレンス中尉にパラシュート部隊に会いたいかとたずねた。そのときファースト・プラトゥーンの兵士たちは全員がガリバンにいたからだ。ヘインズが撃たれて麻痺状態になった後、プラトゥーンは休養のために数日間前線を離れていたのだ。パサブから心理カウンセラーがやってきていて、希望する兵士は誰でもカウンセリングを受けることができた。4週間足らずの間に、プラトゥーンから5名の犠牲者が出ていた。

ローレンスはすぐに兵士たちに会いたがった。彼は夜遅くまで、兵士の1人ひとりと個別に話をした、と彼は言った。彼らのよいリーダーになろうとしていたのだ。そのつもりだった。翌朝、装甲車両がプラトゥーンをパエンザイ防衛拠点まで送っていった。そこでまた、彼らは徒歩のパトロールを行い、村人たちの生体認証を集めるのだ。

ファースト・プラトゥーンの若いパラシュート兵たちは、これ以上悪いことが起こるなんてありえないと思っていたが、小隊は誰も予測することなどできなかった最悪の事態へと巻き込まれていくことになる。

第14章　Cワイヤー

兵士に対して友好的な、たった1人の村人に対するローレンス中尉の脅し

ガリバン防衛拠点からパエンザイ防衛拠点に向けて、ファースト・プラトゥーンを乗せて走っていた最初の装甲車両は、6月30日午前7時を少し過ぎたころに到着した。ツイスト一等兵は、他の4人の兵士と共にローレンス中尉の装甲車両に同乗していた。エントリー・コントロール・ポイントに止まると、ツイストは小さな子どもを連れたアフガン人の農民に気づいた。「彼はとても小さい子を連れていました。すごく小さい子でした」とツイストはのちに軍事裁判官に証言した。「戦争地域で人の年齢を当てるのは難しいですが、その子は1人で歩いていたので、3、4歳だったと思います」。

この親子を除いて、パエンザイ防衛拠点の周辺はゴーストタウンのようだった。ヘインズ特技兵のことがあったので、みな端の方に立っていた。見えない即席爆破装置は人に恐怖を与え、

彼らは自然と体を隠すようになる。兵士たちは名前のわからない敵を責めることはできるだろう。それはタリバンだ。ファースト・プラトゥーンが村人と一緒に座って話をしているときに、1人の村人がすぐ近くの物陰からヘインズの喉を撃ったというのは、背信行為に他ならない。これまでに考えられなかった新しい次元の狡猾(こうかつ)さと不信だった。そして、その感情はアフガンの人々にとっても同じなのだとツイストは気づいた。彼は言った。「彼らの身になって考えてみてください」。

農民と小さな子どもの話を聞くために、ローレンス中尉は通訳を呼んだ。ツイスト一等兵、バイネス特技兵、マシュー・W・ラッシュ特技兵が見張りに立ち、いつでも撃てるように機関銃を構えた。そのように屋外にいたら、兵士たちは危険にさらされる。アフガン人の通訳ファワッド・エルビス・オマリが、国民軍の兵士と一緒に防衛拠点の中から出てきた。早朝にもかかわらず、気温はすでに37℃に達していた。その日はツイストの誕生日だったが、厳密に言えばもうティーンエージャーでないということで何か違う感じがするものなのか不思議に思った。

アフガン人の農民はオマリの通訳を介して、自分のブドウ畑に行くために蛇腹形鉄条網（兵士たちはCワイヤーと呼ぶ）をどかしてもよいかローレンスにたずねた。ローレンスは強い日差しの中に立ったまま、農民の依頼について思案していた。

「農民たちはCワイヤーを動かしてもよいかたずねるために、出入り口にしょっちゅう来ていました」とツイストは当時のことを振り返って言った。あるとき、1頭の牛が有刺鉄線に引っかかって抜け出せなくなった。牛は痛がってのたうち回り、1本の脚からは血が流れ出していた。ツイストと数人の兵士たちは、牛を解放するために農民の手助けを申し出た。農民はとても感謝していたことをツイストは覚えていた。数日後、農民は兵士たちのために生肉を届けてくれたのだった。兵士たちはバーベキューをした。厳密にはバーベキューをすることは許されていなかったが、彼らはとにかく肉を焼いて食べた。2019年、ツイストの脳裏にそのときのことは強く焼きついていた。トーマスも「生肉をバーベキューしたこと」をよく覚えていた。

農民は小さな子どもとそこに立ちつくし、ローレンス中尉の返事を待っていた。

「Cワイヤーを動かしてみろ、おまえを殺すからな」とローレンスは答えた。すると、ツイスト、ラッシュ、バイネス、そして彼らが構えていた機関銃に向かって頷いた。

ツイストは、中尉の脅し文句を訳すことをためらっている通訳を見ていた。部隊行動基準は、兵士が脅し文句を使うことを禁止している。その農民は何度かエントリー・コントロール・ポイントまでやってきたことがあった、とツイストはのちに犯罪捜査官に語った。パエンザイ村で兵士たちに対して友好的な村人は1人しかいなかった。そして、ツイストは小さな子どもと目の前に立っている農民こそ、その人に違いないと思っていた。

ローレンスは農民をじっと見た。「取引してもいいぞ」と彼は提案した。「もしおまえが即席爆破装置を持ってきたら、Cワイヤーを動かす件について話を聞いてやってもいいぞ」。

通訳はローレンスが言ったことを訳した。

通訳によると、農民は「それはとんでもなく危険だ」と言った。また、訓練も受けたことがない者が、即席爆破装置を分解して持ってくるなど、死にも等しいと言った。「私はそんなことはしない」と農民は言った。

「それでは、爆発物がどこに埋まっているのか教えてもらおう」とローレンスは食い下がった。

「即席爆破装置を持ってくるか、さもなければ、国民軍の兵士におまえの家族を殺させる」。

「これは彼が言ったそのままの言葉です」とラッシュ特技兵は軍事裁判官に証言した。

バイネス特技兵は農民の様子を眺めていた。

「私は即席爆破装置のことなど知らない」と農民は主張した。

ローレンス中尉は子どもを指さした。彼は言った。「おまえは自分の子どもが成長する姿を見たくはないのか?」ツイストはのちに軍事裁判官に証言している。「彼は子どもを指さして、もう一度言いました。〝国民軍におまえを殺させるからな〟と」。

通訳は、この新しい中尉のさまざまな脅し文句を訳してしまってよいのかと戸惑っていた。

「通訳は、ローレンス中尉が話していることを、本当に言いたくなさそうでした」とツイストは記憶している。

ローレンスは農民に、金曜日の朝9時に始まる村の会議に来るようにと言った。そして、20人の村人を連れてこいと言った。アフガン人の農民は小さな子どもと帰っていった。

その日の午後、ローレンスはプラトゥーンの兵士たちを全員集めた。タリバンに戦略で勝つために、ガリバンから3つのアイテムを持ってきた、と彼は言った。レイヴンと呼ばれる小さなドローン、ケルベロス監視カメラ、そして爆弾探知犬チームだ。フィッツジェラルドはドローンのテスト飛行を申し出た。ウィリアムズはカメラをポールに取りつける兵士たちを集めた。ローレンス中尉は、監視塔の1つにいたハガードとカーソンの様子を見にやってきた。

「彼はそこから村を眺めていました」とハガードは記憶している。「彼は、もし村人たちが何かおかしなことをしたら、また兵士の誰かが怪我をしたら、そのときはナチスのやり方で懲らしめてやる、と言っていました」。

その日の夜、ツイストはエアコンの効いた快適な装甲車両の中で、タバコを吸いながら、そして『きみに読む物語』という映画を観ながら、20歳の誕生日を祝った。

無許可の即席爆破装置の破壊

翌朝、徒歩によるパトロールは午前7時に始まった。その日のプラトゥーンの作戦は、「出くわすかもしれない敵の兵士たちの活動を阻止するために」北へ歩き、村を巡回し、防衛拠点に戻ってくることだった。2012年7月1日は、「アフガン人が先頭に立つ」という全国的なプログラムが始まる日だった。アフガニスタン全土で、国民軍の兵士たちは従うのではなく、自らリーダーとなって行動するようにと命令が下った。2002年12月にアフガン国民軍の陸地戦支部が創設されてから、彼らはずっとアメリカ兵の後ろを歩いていたが、今後パトロールにおいても、国民軍の兵士たちがアメリカ兵の前を歩くことを意味していた。

その日は前日よりさらに暑く、すでに40℃を超えていた。兵士たちは次々とコントロール・ポイントを出て、ブドウ棚へ向かっていった。爆弾探知犬のジャーマンシェパードは1・6メートルの壁をよじ登ることも飛び越えることもできなかったので、虫が這(は)いツタの絡まる泥レンガの壁を兵士たちが交代で抱きかかえて運んだ。ようやく村に到着すると、ローレンスはアメリカ兵たちを制止し、アフガン兵と地雷探知犬をそのまま進ませた。彼はアフガン兵たちに、廃墟となった建物の1つを偵察してくるように命じた。数分後、数人のアフガン兵が戻ってきた。

通訳を通じて、国民軍の兵士たちは建物の入り口に即席爆破装置を見つけた、とローレンスに報告した。ブライアン・ピーターズ二等軍曹が確認に行ったが、それはただのドアの側柱で即席爆破装置ではなかった、と彼は犯罪捜査官に証言した。それは「金属ゲートを地面に固定するために使われる大きな金属製の柱で」、間違いなく爆弾ではなかった。「側柱は硬くなった土の下に埋まっており、即席爆破装置だと判断する別の部品などもありませんでした」とピーターズは明確に説明した。

「ローレンスはどちらにしても、それを吹き飛ばすと言いました」とピーターズ言った。それを聞いて彼は動揺したという。なぜなら、プラトゥーンのリーダーが即席爆破装置を破壊することは許可されておらず、さらに、それは向こう見ずでかなり危険なことだったからだ。仮に、その物体が即席爆破装置だった場合、爆発物処理の技術者が安全化するというのが手順として定められていた。ピーターズは兵士の中に爆発物処理ができる者はおらず、ガリバン防衛拠点にも常駐していない、とローレンスに伝えた。さらに、もし即席爆破装置でなかった場合、プラトゥーンを誰からも見える場所に立たせ、不必要に村人の土地を破壊することは無謀で違法だということも伝えた。ピーターズ二等軍曹は犯罪捜査官にも「それが即席爆破装置ではないことを確かめるために、それを踏んでみせました」と証言した。ローレンスがばかなことを言っていると示すためでもあったのだ。

それでもなお、ローレンス中尉は側柱を爆破すると主張した。彼はグラン・アリ軍曹についてくるように命じた。「ローレンス中尉に腕をつかまれて連れていかれました。安全が保てる位置まで進むと……彼は携行式ロケット弾を金属製の側柱に投げろと命令したのです」とアリは捜査官に証言した。携行式ロケット弾は肩に担いで発射できる対戦車兵器で、高性能な弾頭が装備されている。装甲車両を破壊するために考案された携行式ロケット弾は、建物の入り口を跡形なく吹き飛ばした。あたりに広がった煙が晴れると、ローレンスは基地に戻る時間だとプラトゥーンに告げた。ブドウ棚ではなく、道路を通って防衛拠点まで戻ると兵士たちに伝えた。

爆弾探知犬は疲れ果てて鼻が利かなくなっていたので、地雷除去装置を持った兵士が先頭になった。その後ろを歩く兵士は、3メートルの間隔を保ちながら、安全な通り道にベビーパウダーを撒いていった。防衛拠点から数百メートル手前で、武装兵士たちが北側の木立から攻撃を開始した。兵士たちは物陰に隠れて地面に横になった。順番に応戦しながら、1人ずつ防衛拠点のエントリー・コントロール・ポイントまで走って逃げた。銃弾を浴びた者は1人もいなかった。

防衛拠点の中に戻ると、ヘルマンはカールグスタフ無反動砲で攻撃する許可を求めた。カールグスタフは携帯式対戦車兵器で、その威力は携行式ロケット弾をしのぐ。ローレンスは許可を与え、ヘルマンは木立に向かって発砲した。探知犬は水を飲んだ。非番の兵士たちは少し眠ることにした。ローレンスは即席爆破装置の破壊や拠点近くでの小型武器による敵からの間接的な攻撃など、パトロール中に起きた出来事を1つずつ説明しながら、重要活動レポートを書いた。このレポートが事実ならば、彼は戦闘歩兵バッジを授かる一歩手前にいた。

一般市民を威嚇（いかく）射撃する命令

夕方5時ごろ、ローレンスは第二監視塔についてたずねるために、ウィリアムズ二等軍曹のところへ行った。ウィリアムズは、警衛先任陸曹として一日中無線通信をモニタリングしていた。また、1人でケルベロス監視カメラの使い方を学んでいた。暗視装置がつき、2キロ先の対象物までズームインすることが可能な、高性能な監視機器だった。ケルベロス監視カメラは防衛拠点の中央に立つ12メートルのポールに取りつけられていた。誰がカメラを使用しても、基地の様子を360度の眺めから観察できる。

「ローレンスは私のところにやってきて〝第二監視塔は、パエンザイ村を一望できる見晴らしのよい場所か?〟とたずねました」とウィリアムズはのちに軍事裁判官に証言した。

見晴らしはよいと答えたウィリアムズに、「何人くらい上がれるのか?」とローレンスはたずねた。

「ヘスコ壁のところに、2、3人は上がれるのではないか」とウィリアムズは答えた。

ローレンスはウィリアムズに分隊の選抜射手(マークスマン)を見つけて、監視塔にいる自分のところまで来るように伝えてほしいと言った。

ウィリアムズはラッシュ特技兵の分隊長クリストファー・マレーを見つけ、第二監視塔にラッシュが呼ばれていることを伝えた。ウィリアムズはその後、新しいカメラの使い方をさらに学んだ。

ラッシュは寝ていたところをマレーに起こされた。

「彼はローレンス中尉が監視塔で私を必要としている、と言いました」とラッシュは軍事裁判官に証言した。

ラッシュは通称M14と呼ばれるMk強化型バトルライフルをつかみ、「装備を身につけ、監視塔に向かいました」。

もう1人の選抜射手であるゼッテル特技兵も、監視塔に向かった。

監視塔の中で、ローレンスはラッシュに何をしてもらいたいか簡単に説明した。「私たちがそこに呼ばれた大まかな任務は、地元の人たちが会議に参加するように呼びかけることだとローレンスは言いました。監視塔に来てもらった理由は、私たちがそこから村人に向かって撃てば、どうして自分たちに向けて発砲したのか不思議に思い会議に参加するように仕向けることができるからだ、と彼は言いました」。これは発砲による偵察ということになる。部隊行動基準では、これは法的行為として認められていない。

「彼は監視塔に登るように指示しました」とラッシュは法廷で証言した。「彼は、どうして自分たちは狙われているのだろうと住民が関心を抱くようなターゲットを決めて、私に指示すると言いました」。ラッシュは強化型バトルライフルと7・62×51ミリNATO弾を持っていた。ローレンスはM22双眼鏡を持っていた。「まだ明るくて、よく見えました」。

ローレンスは「うつぶせの構え(プローン)」をするように命じた。そうすれば、2人で「射手と観的手(かんてきしゅ)のチーム」を組むことができた。

ゼッテルは1発も撃たなかった。「私は南側の壁で、自分たちが撃たれないように見張っていました」と、ゼッテルは2019年のインタビューでそのときのことを詳しく話してくれた。

防衛拠点からパエンザイ村の最も近い場所までおよそ130メートルだった。「姿を隠すためと、太陽光を避けるために、私たちはギリーネットを被っていました」とラッシュは説明した。「ギリー」とはゲール語でカモフラージュを意味した。

ローレンスはラッシュにパエンザイを歩いている村人に向けて発砲するように命じた。「そのあたりを歩いている一般市民を撃てという意味です」とラッシュは明確に説明した。つまり、年寄りや女性や子どもも含んでいたのだ。ラッシュは特に2人のターゲットについて覚えている、と軍事裁判官に証言した。1人は畑で作業している農民だった。

「もう1人も一般市民でした。彼は監視塔から150～200メートルのところにいました」とラッシュは言った。「彼は村の外にいて、基地の壁に沿って歩いていました。すると、ローレンス中尉は男の足元から25～30センチ手前を狙って撃てと言いました。私がそうすると、彼は立ち止まりました。彼はくるりと背を向けると、反対側へと歩いていきました。さらに、ローレンスはもう一度攻撃しろと言いました。同じように足元から25～30センチ手前を狙って撃てと言ったのです。私は命令に従いました」とラッシュは証言した。

男が立ち止まると、ラッシュも撃つのをやめ、そしてまた、彼の周囲を狙って撃った。足元を狙って撃った。また、頭から30センチくらい上をめがけて撃った。「これはまるで嫌がらせの攻撃ではないか、と私は言いました」。ラッシュは男が弾はどこから飛んでくるのか知っているに違いないと確信した。なぜなら、照準器越しに、男が監視塔の方を見上げているのが見えたからだ。

ローレンス中尉は村人への攻撃に満足しているようだった。彼は次に、泥レンガの壁の近くで遊んでいる子どもたちを狙って撃てと命じた。

「子どもたちは100メートルもいかない場所で遊んでいました」とラッシュは裁判官に証言した。「ローレンスは嫌がらせの発砲を子どもたちにもやれと言いました。そのときは〝いや、でもただの子どもですよ……私は撃ちません〟と答えました。双眼鏡を使わなくても、明らかに子どもだとわかりました」。ローレンスは再び打つように命令した。ラッシュは構えて、代わりに「ドアの鍵」を狙って撃った。

虚偽のレポートとローレンス中尉の真意

ウィリアムズ二等軍曹が本部のテントに戻ってカメラのズーム機能を調べているときに、「銃を撃つ音が聞こえるように」なった。2つの異なるタイプの銃声を聞いた、と彼はのちに証言している。国民軍の監視塔、あるいは第一監視塔から、レミントンM700の発砲の音を聞いた。第二監視塔からは、強化型バトルライフルが発砲する音を聞いた。ウィリアムズは国民軍のテントへ行き、なぜ発砲があったのかたずねた。するとアフガン人の兵士たちは、パエンザイの村の北側に隠れていたタリバンが発砲してきたので、それに応戦したと答えた。

ウィリアムズは防衛拠点の仮設作戦センターに戻ってきた。ケルベロス監視カメラを使って、アフガン人の兵士たちが砲撃している相手を見つけようと稜線(りょうせん)をじっと見た。正式に、アフガン人の兵士はアメリカのパートナーだった。国民軍の指揮官たちが誰に、何を、どう対戦するのかは自分たち自身で決定していた。

「私には誰も見えませんでした」とウィリアムズは裁判官に証言した。「国民軍の兵士たちはただ村の北側に向けて発砲しているように見えました」。

次に第二監視塔を観察するために、ウィリアムズはカメラのレンズを動かした。「監視塔の上に分隊の選抜射手の2人と、ローレンス中尉がいるのが見えました。彼らは南の方を向いていました」。

彼らが何に向けて撃っているのか確かめるために、彼はカメラをズームインした。そして、自分が観察したことを軍事裁判官の前で証言した。

「私が見たのは、女性や子どもたちが、すぐ近くの壁や地面に衝突したり跳ねたりする銃弾を避けるために頭をかがめているところでした」。ウィリアムズは懸念した。「第二監視塔にいた彼らは、本当に一般市民や女性や子どもを撃とうとしているわけでないことは明らかでした」と彼は言った。「彼らはただ村人たちを怖がらせようとしているように見えました」とウィリアムズは裁判官に語った。それは、部隊行動基準で禁止されていた。

ウィリアムズは何をするべきか考え始めた。ローレンス中尉はウィリアムズがいる場所にやってきた。ウィリアムズによると、「彼は、〝ハハ！　おまえにもわかるかな。ばかな奴らが踊っている姿を眺めるのはおもしろいな〟と言いました」。

ウィリアムズ二等軍曹は、テントの後方で眠っていたアイレス一等軍曹のところへ行った。アイレスはこの基地で最もランクが高い下士官だった。「私は彼を起こし、ガリバンに行かなければならないと伝えました」とウィリアムズは裁判官に証言した。「発砲について何が起きたのか説明しました」。アイレスは見た目にもわかるほど動揺し、ローレンス中尉と話をするために外に出かけていった。

ウィリアムズ二等軍曹は苦境に陥（おちい）った。「私はプラトゥーンのリーダーとプラトゥーンの一等軍曹の板挟みにはなりたくありませんでした」。

5分が経過した。

ウィリアムズには、監視塔からまだ銃声が聞こえていた。「ローレンスは、ゼッテルとラッシュに、あと少し残って村に向けて発砲を続けるようにと命じました」とウィリアムズは裁判官に証言した。

さらに数分が過ぎた。

「ローレンス中尉は作戦センターに戻ってきて、基地が手当たり次第に撃たれたと上層部にレポートを書けと言いました。つまり、プラトゥーンの選抜射手たちが村からやみくもに撃たれたと報告しろと言われたのです」とウィリアムズは裁判官に証言した。「私は彼にそれはしないと言いました。そんなレポートは書けないと。なぜならそれは虚偽のレポートだからです」。パエンザイ村から防衛拠点に向かって発砲した村人などいなかった。ローレンスはウィリアムズに嘘をつけと言ったのだ。

アイレスが作戦センターに入ってきた。ローレンス中尉とアイレス一等軍曹は言い合いになった。ローレンスがアイレスに「俺の下士官たちが言うことを聞かないなら、俺がやるからいいよ！」と言ったのをウィリアムズは聞いた。ローレンスは怒って外に出ていった。

その後、ローレンスは戻ってくると、ウィリアムズ二等軍曹にどうしてあんなことをしたのか説明しようとした。「そんなことをしたのは、村人たちに金曜日の会議に参加してほしかったからだ、と彼は言いました。そして、どんなことをしたって、村人たちを絶対に参加させると言いました。また、彼らのことが憎いので、怒りを買っても気にしないとも言いました」。

ウィリアムズはそこに立ちつくしたまま、自分の指揮官の顔をじっと見つめていた。何と答えればよいかわからなかったのだ。ローレンスは話を続けた。「ローレンスは私たちプラトゥーンのことが大切なのだと言いました。もう前から気にかけていたのだと言いました」とウィリアムズ二等軍曹は裁判官に証言した。「アフガニスタンに配属されてからずっと、私たちのことをモニタリングしてきたので、このプラトゥーンを心から愛していると言いました。そして、これ以上誰かが傷つくところを見たくないのだと言ったのです」。

その夜、アイレス一等軍曹は、きわめて重要な決断を下した。指揮官に嘘をつけ、とローレンス中尉が別の兵士に命じたことを説明するレポートを書かなかったのだ。

「私たちは彼にチャンスを与えようと思いました」とウィリアムズは言った。「中尉は赴任したばかりで、その日はじめて作戦地域をパトロールしたのです。私たちはみな、彼がずっと戦術作戦センターに配属されていたことを知っていました。それ以前は、イラクで憲兵をしていました。他の兵士を取り締まるために、誰がアメリカ陸軍に入隊しますか？　おかしな話です。まあ、いいか。彼はパエンザイに来たことがないのだから。私たちは、よしとしよう、そのうち落ち着くだろうと思ったのです」。

「殺してはいけない人を、殺してしまうかもしれない」

7月1日、スワンソン大尉は一日中パサブ前進作戦基地で、騎兵大隊指揮官ハワード中佐と共に行動していた。「ガリバンに戻ってきてから、重要な活動レポートを読みましたが、少し詳細が欠けていると感じました。完璧に筋が通ったものではありませんでした」。ローレンスが側柱は10~15キロの即席爆破装置だと書いたことを引き合いにして、スワンソンは軍事裁判官に証言した。「また、使用した兵器についても懸念を抱きました」とも裁判官に語った。彼は、兵士たちが防衛拠点に戻ってきた後、ヘルマン二等軍曹がカールグスタフ無反動砲を使用したことに言及していたのだ。

軍の決まり事として、スワンソンは、1日の終わりに部下のリーダーたちと作戦安全会議を開いていた。7月1日、この会議は2100軍事時間、つまり午後9時に始まった。スワンソンはローレンスに武器の使用と戦争における比例原則についての概要を説明した。「比例というのは、敵対的行為に対応する場合、殺傷能力のある武器の使用は最小限にとどめるというものです。それは全般的な行動規範です。私は確実な確認についても話しました」とスワンソンは裁判官に証言した。確実な確認とは、陸軍において重要な考え方だ。誰かに武器を使用する前に、本当に敵として敵対的行為を行っていたのかどうかを確実に確認する必要がある。

アメリカ陸軍では、たった1つの理由のために武器を使用する。たった1つだけの理由、つまり殺すために撃つ。

「他のことも話しましたが、誰かに対して殺傷力の高い武器を使用するならば、確実な確認は必要条件だとして、その重要性についてあえて強調しました。最後にもう一度、話をまとめるために、比例原則や確実な確認なしに、攻撃することはできないと言いました。私は最後にこう言ったと思います。〝殺してはいけない人を殺してしまうかもしれない〟と」。

第15章　2012年7月2日

「何かがおかしい」命令／「バイクに乗っている者を見かけたら攻撃する」

2012年7月2日の朝は、いつもと同じように始まった。午前4時半に起床、事前ブリーフィングに出席するために準備し、徒歩によるパトロールに出発する。ローレンス中尉は通常より早く防衛拠点を出発したがった。正午には気温が44℃を超えるという予報だったので、強烈な暑さで動きが鈍くなる前にパトロールを終わらせたかったのだ。その日は前日よりもさらに暑くなることがわかっていた。夜明け前の暗闇の中、フィッツジェラルド特技兵はピューマが故障していて、携帯用監視ドローンを飛ばせないことに気づいた。エアロバイロメントRQ－20ピューマはハイテク戦闘ドローンで、多くの電気光学センサーを搭載していた。バッテリで動き、手動で操作ができ、1機25万ドル（当時の相場で約2000万円）した。その日のように、パーツが手に入らなければ、その戦闘能力はゼロであった。ローレンスはプラトゥーンがサレンザイ村へ出発する前に、ただちに修理することを主張した。そして、修理できなければ、フィッツジェラルドの階級を下げると脅した。ローレンスは怒りをあらわにした。ピューマが故障したことに腹を立てていた。

すべてがピリピリしていた。プラトゥーンが最後にサレンザイ村をパトロールしたのは、ヘインズが壁の後ろに隠れていた何者かに首を撃たれたときだった。7月2日の事前ブリーフィングでは、ローレンスはホワイトボードにメッセージを書いた。「敵の聖域など無視しろ、そして、ヘインズの仕返しをしろ」と書いた。ローレンス中尉はマシュー・ヘインズに会ったことはなかった。その意味でいえば、即席爆破装置によって殺害されたり重傷を負ったりしたどの兵士のことも知らなかったが、パサブ前進作戦基地での仕事により、何が起きたかについては詳しく知っていた。

「復讐というのは陸軍では学びません」とツイスト一等兵は言った。「配属される前の訓練で、私たちは復讐という概念について学びました。正直なことを言えば、中にはそれが戦争だと考える人もいるからです」。ツイストは訓練の中にいた1人の兵士について記憶している。「兵士同士で、どうして陸軍に入ったのか話をしました。1人の兵士は、兄がイラク戦争で殺されたからその仕返しをするために入隊したと言ったのです。教官は長い時間をかけて、そう感じることは構わないが、それを理由に行動することは許されないと彼に話して聞かせていました。

そして、陸軍は復讐するために存在するのではないと説得したのです」。

ローレンスはある発表をした。旅団長のメネス大佐から情報に関する新しい命令があるとプラトゥーンに言った。

「私たちは、二輪自動車を見かけたら攻撃をすることになった、とローレンス中尉から言われました」。のちにフィッツジェラルドは軍事裁判官に証言した。「兵士の1人がそれに異を唱えました。ローレンスはこの地域で二輪車に乗っている人物はタリバンだという情報を受け取った、だからバイクに乗っている者を見かけたら攻撃すると言いました」。

ウィリアムズ二等軍曹は、ローレンスの言葉に驚いたと裁判官に証言した。「彼は言いました……二輪自動車に乗っている者はすべて射撃しろと。そして、もし子どもが後ろに乗っている場合は特別な配慮が必要だから、制止させるようにと」。

本書のためにインタビューに応じてくれたどのプラトゥーンのメンバーに聞いても、ローレンスの話には納得がいかなかったと答えている。

「その日、パトロールに出かけることになっていたプラトゥーンの兵士はお互いの顔を見合わせました」とフィッツジェラルドは軍事裁判官に証言した。「みな何かがおかしいと思いました。兵士たちはすべて部隊行動基準が最優先されることを知っていましたし、その日までそのような変更があったことなど知らされていませんでした」。

プラトゥーンが出発の準備を整えたとき、ローレンスはサレンザイ村で衝撃と畏怖のキャンペーンを行って復讐してやると兵士たちに声をかけた。

「〝衝撃と畏怖〟とは彼のそのままの言葉です」とスケルトン一等兵は軍事裁判官に証言した。

衝撃と畏怖は軍事戦略の1つで、2003年、イラク戦争の火蓋を切る一斉射撃のときに当時のジョージ・ブッシュ大統領がそう表現して、一般的にも知られるようになった。その戦術は、「兵力とパワーを壮大なショー」のように使い、敵の戦場に対する感覚を麻痺させ、戦う気力を失わせることを目的としていた。

3人の男が乗ったバイクに向けて発砲する

出発する時間だった。エントリー・コントロール・ポイントで、攻撃隊リーダーのジャレッド・リュール伍長が兵士たちを千鳥配列に並ばせた。ガントラックはパトロールを見守り、攻撃を受けた場合にはサポートする役割を担っていた。サレンザイ村により近い場所に停まっていたトラックには、武器隊から、レイノソ特技兵、シロー一等兵、そして、フレイス特技兵が乗り込んでいた。

まず、アフガン国民軍の兵士たちが防衛拠点を出発した。彼らは未舗装の道を渡り、Ｃワイヤーをくぐり、ブドウ棚の中を進み始めた。アメリカ兵たちもアフガン人の兵士たちに続いた。3、4メートルの間隔をあけながら、１人ずつ歩き始めた。

そこから西に3キロのシーアチョイ戦闘前哨の指令センターでは、持続地上監視システムの軽航空機オペレーターのケヴィン・Ｈが作業台に座っていた。そのとき、歩兵隊の無線オペレーターのワトソン軍曹が要請を伝えにやってきた。持続地上監視システムは東の方角に向ける必要があると伝えに来たのだ。ファースト・プラトゥーンがパエンザイ防衛拠点を出発するので、潜在的な脅威を見極める必要があったからだ。

その日の早朝、午前6時19分、パサブ合同作戦センターは「差し迫った奇襲」の噂があると報告した。サレンザイ村の反対側、パエンザイ防衛拠点から２７０メートル北のあたりに武装兵士たちが集まってきている様子が目撃された。公式文書によると、作戦センターは「武装兵士たちがいる位置に進んでいるパトロール隊を奇襲するという会話を、アイコムのハンディラジオから傍受」した。このレポート受け取った数分後、パサブ合同作戦センターはシーアチョイにメッセージを送り、プラトゥーンをカバーするために監視システムを防衛拠点の上空に切り替えることを要請した。

ケヴィン・Ｈは軽航空機の位置を６３０メートルから４８０メートルに下げた。そしてＭＸ

―15カメラを監視対象物に配置した。パエンザイ防衛拠点だ。

のちにケヴィン・Hは、宣誓供述書に述べた。「すぐに、私はAK―47自動小銃、アイコムラジオ、そして、双眼鏡を持った3人の姿を発見した。十中八九、タリバンだ……パトロール隊を尾行していた」。ケヴィン・Hはワトソン軍曹に、防衛拠点の出入り口から北に270メートルの地点に、武装兵士たちが徒歩で移動していることを伝えた。その距離だと、自動小銃を持った武装兵士たちはかなり離れていたので、差し迫った脅威ではなかった。ケヴィン・Hは、ブドウ棚をゆっくりと進んでいく自軍の兵士たちの姿を眺めていた。数分後、別の村の別のプラトゥーンが別の脅威と直面している可能性があるため、監視カメラをその位置に移動するように要請された。

パエンザイ防衛拠点では、出入り口で思いがけない問題が起きていた。数人の兵士たちはすでに防衛拠点を出発していたが、スケルトン一等兵、ハガード特技兵、フィッツジェラルド特技兵はまだそこにいて、ローレンス中尉の隣に立っていた。赤いバイクに乗った3人のアフガン人の村人がエントリー・コントロール・ポイントまでやってきて、指揮官と話がしたいと要求した。アフガン人の通訳が村人たちの懸念事項を訳して伝えた。

「彼らは監視塔から村に向けて発砲された件について抗議していました」とフィッツジェラルドは軍事裁判官に証言した。嫌がらせの発砲は前日の夕方、ローレンスがラッシュ特技兵に命じて第二監視塔から行ったものだった。

アフガン人の男たちが苦情を述べる間、スケルトン、ハガード、フィッツジェラルドの3人は、ローレンス中尉の横に立っていた。3人はそれぞれ、バイクに乗ってやってきた男たちは村人だとすぐにわかった。その中の1人は村のリーダーだった。長いひげを生やし、60歳くらいに見えた。

「任務でパエンザイ村に何度か行ったことから、彼らのことを知っていました」とスケルトンはのちに軍事裁判官に証言した。「私によって、全員が1回以上生体認証のデータを取られていたのです。彼らは通常、近くの畑で働いていました」。

ローレンス中尉はそこから去るように言ったが、彼らはそれを拒否した。

「彼らは、前日の夕方発砲の的にされたことについて、苦情を伝えたがっていました」とスケルトンは裁判官に証言した。

ローレンスは赤いバイクの男たちに、何か問題があるなら毎週開かれている会議に来て、そこで苦情を述べる必要があると伝えた。

「金曜日に私が開く会議に来い」とローレンスは言った。

しかし、男たちは納得しなかった。ローレンスは彼らに激しく怒鳴(どな)り始めた。持っていたM4カービンを構えると、スライドを引いて、「5…4…3…」と数え始めた。

り去った。

ローレンス中尉がそんなふうに数え始めると、アフガン人の男たちは赤いバイクに乗って走り去った。

防衛拠点の中では、ウィリアムズ二等軍曹がエントリー・コントロール・ポイントで起きていた言い争いをケルベロス監視カメラから観察していた。

「村人たちとローレンス中尉の会話は聞こえませんでした。私はその様子をカメラ越しに見ることができただけです」とウィリアムズは裁判官に証言した。「ローレンス中尉は無線で私を呼び出しました。そして、〝おい、俺たちが行ったら5分もしないうちにあいつらが戻ってきても驚くなよ。もし戻ってきたら、おまえが立ち去るように言え。文句があるなら金曜日に来いと言え。もし会議に来なかったら、会議に来る気がなかったら、そのときはあいつらの汚い顔を撃ってやるよ〟と言いました」。

それからおよそ12分後、ジェイムズ・スケルトン一等兵が防衛拠点の出入り口から60メートルほどのブドウ棚の上の農民の畑にいたとき、３人の男が乗った赤いバイクがプラトゥーンに向かって走ってくるのを目撃した。彼らは「時速48キロとか56キロとか64キロの間」で走っていた、とスケルトンはのちに軍事裁判官に証言した。「バイクは国道チリワックを速いスピードで進んでいました」と彼は言った。彼は自分の命が危ないと思ったと犯罪捜査官に証言した。

「すぐに頭に浮かんだのは、通りすがりに撃ってくるか、手榴弾を投げるか、あるいは、バイクそのものが即席爆破装置を積んだ自爆テロかもしれないということでした」と軍事裁判官に証言した。

命令に従って、彼はすぐにバイクに乗ったアフガン人の男たちを攻撃してもよいかローレンス中尉にたずねた。その時点でスケルトンは、それが数分前にエントリー・コントロール・ポイントまでやってきた男たちだということに気づいていなかった。ローレンスはスケルトンの後方に立っていた。千鳥配列に従って、ブドウ棚の排水溝の中にいた。ローレンスはブドウ棚に邪魔されて、バイクと乗っている3人の姿をはっきりと見ることができなかった。ローレンス中尉はスケルトン一等兵にバイクの男たちに向けて発砲することを許可した。

「私は2発撃ちましたが、両方とも外れてしまいました」スケルトンは軍事裁判所で証言した。彼はのちに「バイクに乗っていた3人の真ん中を狙って撃ちました。警告の発砲ではなく、わざとそらしたわけでもありません」と犯罪捜査官に語った。彼は「1週間前に銃を落としてしまったが、ゼロイン調整を行っていなかった」とも証言した。

スケルトンが3人の運転手に向かって最初に発砲したとき、フィッツジェラルドはスケルトンから最も近い場所に立っていた。190センチのフィッツジェラルドは、ブドウ棚の泥レンガの壁より高かった。「私はブドウ棚から周囲をはっきりと見渡すことができました。ブドウの木より背が高かったからです」と彼は言った。

フィッツジェラルドはスケルトンのＭ４カービンの発砲の音を聞いた。彼はすぐさま訓練どおりに、スケルトンの方を振り返り見張りに立った。

「北側の木立の方から発砲がないか確かめる必要がありました」とフィッツジェラルドは裁判官に証言した。廃村になっていたムラ・シン・ガンのことを、彼は言っていた。「過去にそこから撃たれたことがありました」。

フィッツジェラルドはバイクに乗った3人のアフガン人たちから160メートルの地点にいた。彼は10×照準器搭載のＭｋ強化型バトルライフルを携行していた。眼鏡標準具なら、遠くのものが拡大して見える。その照準器から見れば、フィッツジェラルドは3人の男たちをはっきりと確認することができた。彼はこれまでにもアフガン人の男たちが一緒にバイクに乗っているところを見ていた。フィッツジェラルドの目には、彼らが「それほどスピードを出して走っているようには」見えなかった。彼はスケルトン一等兵が男たちに向かって発砲したところを耳で聞き、目で確認した。弾が外れたところを見た。

「私は、バイクが完全に止まり、3人がバイクから降りてくるところを目撃しました」とフィッツジェラルドは法廷で証言した。照準器から、そのうちの1人が足でスタンドを下ろすところを見ていた。フィッツジェラルドは、男たちが両手を上げ、近くに立っていたアフガン人の国民軍兵士たちに手を振っている様子をはっきりと見ることができた。何か言葉をかわしていた。

「国民軍の兵士たちは、男たちにバイクの方へと戻るように手で合図をしていました」とフィッツジェラルドは証言した。

フィッツジェラルドの目には、バイクに乗った男たちが世界共通のジェスチャーである「一体何が起きているのか?」と言っているように見えた。

そして、無線を通してローレンスが重大な命令を下すのを聞いた。「ローレンス中尉は私たちに、3人のアフガン人を攻撃しろと命じました」と彼は裁判官に証言した。

フィッツジェラルドには3人の男たちの姿が見えたが、両手を上げているのは明らかで、脅威には感じられなかったので発砲しなかった、と裁判官に証言した。

すべてが手に負えない状況に陥っていった

パエンザイ防衛拠点では、戦場で何が起こっているのかリアルタイムで確認するために、ウィリアムズ二等軍曹がケルベロス監視カメラを使って観察していた。防衛拠点に残っていた兵士の中では、ウィリアムズが最も階級の高い下士官だった。強力なズームレンズを使って、彼は2つの位置を交互に観察していた。ブドウ棚にいる兵士たちと道路に停まっていたガントラックだ。赤いバイクに乗った3人が視界に入ってきたとき、彼は手順に従い、ただちにガントラックにいたM240機関銃の射手、シロー一等兵に知らせた。

「監視カメラをモニタリングしていたウィリアムズ二等軍曹は、トラックにいた私たちに連絡してきました」とシローは裁判官に証言した。「北の方角から私たちに向かって国道を進む3人の乗ったバイクが見える、と彼は通知してきました」。シローは装甲車にいた兵士の中でM240機関銃の射手だったので、頭と上半身をトラックから外に出していることがあった。「装甲車の中央には砲塔のついたハッチがあります。そして、その砲塔にはM240機関銃が搭載されているのです。私の任務は砲塔の上に乗り、あたりを見渡すことでした」。

シローは周囲を確認した。「最初に見たときには、3人の村人は確認できませんでした」と彼は言った。「その数分後、牛が通る細い道の低い木立の方から彼らが出てくるのがわかりました。町のはずれの境目にある壁に沿って進んでいました」。シローはそのまま男たちの観察を続けた。「彼らは何が起きたのか確認しようとして、きょろきょろとあたりを見渡していました」とシローは裁判官に証言した。「特に怖がっているとか、神経質になっているとかではなく、ただ単純に何が起きたのか把握しようとしているようでした。（スケルトンによって）

飛んできた弾が自分たちに向けて撃たれたのかどうか確認しようとしていたのだと思います」。
シローはハッチから頭と肩を出し、バイクの男たちから目を離さなかった。トラックの中では、レイノソが助手席に座り、フレイスは運転席に座っていた。レイノソからは外が見えなかった。バイクの姿はぼんやりとしていた。レイノソはローレンス中尉と無線で話をしていた。彼はトラックの指揮を任されていたので、上官からの命令をシローに伝えるのはレイノソの仕事だった。

防衛拠点では、ウィリアムズ二等軍曹がケルベロス監視カメラを通して、バイクの男たちの行動を観察していた。「彼らは兵士たちの隊列を指さしていました」と彼は裁判官に証言した。「明らかに彼らは、兵士たちがブドウ棚から来ることを知っていました」。

そのとき、ウィリアムズはすべての出来事の流れを変える非常に重要なことに気がついた。「バイクに乗っている年老いた男性が、村の長老だと気づいたのです。私たちが村の長老と呼んでいたのは、彼がいつも私たちのところにやってきて話をしていたからです」とウィリアムズはのちに裁判所で証言した。白いひげの部族のリーダーだ。

ブドウ棚では、ローレンス中尉から少し離れていたが、リュール伍長がスケルトン一等兵の目の前にいた。「あのとき、つまり、スケルトンが弾を外したとき、ローレンス中尉は無線を使って、千鳥配列で進んでいた私たちの北東にいたガントラックに連絡しました。そして、トラックからバイクが見えるかたずねました」とリュールは証言した。ブドウ棚の溝の中にいたので、ローレンスからはバイクの男たちは見えなかった。彼らがバイクから降りてスタンドを立て、両手を上げてアフガン人の兵士たちと話をしようとしていることを、ローレンスはまったく知らなかった。

半分トラックの中に、半分トラックから出ていたシロー一等兵は、バイクの男たちをじっと眺めていた。「彼らはさらに2、3分そこにいました。あたりをふらふらした後、バイクに乗り込みました。私が命令を受けたのはそのときです。いつでも攻撃できるように、彼らから目を離していないか確認されました。私は見えていると返しました」。

シロー一等兵は彼の指揮官であるローレンス中尉から直接、バイクの男たちを殺せという命令を受けた。

「攻撃せよと命じられてすぐに、M240機関銃のスライドを引き、攻撃を開始しました。1発目は弾が詰まって出ませんでした。そこで、もう一度スライドを引き、機能チェックを行い、それから発砲しました。1番目のターゲットに命中しました。彼は一瞬背筋を伸ばし、よろめき、倒れました」。

シロー一等兵は再び撃った。

「2番目の男が、倒れた男のところへ行きました。私が彼を撃ったのはそのときです」。3人のうち、２人の男が地面に横たわっていた。３番目の男はまっすぐ立ち上がった。彼は真っ白い服を着ていた。振り返ると、男は全力疾走で逃げていった。

フィッツジェラルドはライフルの照準器から、男たちが殺害されるところをじっと見つめていた。

「ガントラックが開きました」と彼は裁判官に語った。「銃声が聞こえて、１人が地面に倒れ込むのを見ました。そのすぐ後に、２人目が倒れました」。

フィッツジェラルドは３人目の男も見ていた。無傷の白い服を着た男は走り出して、村の中へと消えていった。フィッツジェラルドは再び地面にうつぶせに横たわっている2人の男に視線を戻した。「そのときにはまったく動いていませんでした。ただじっと横たわっていました」とフィッツジェラルドは裁判官に証言した。

フィッツジェラルドは未舗装の道路にぐにゃりと横たわっている体をじっと見ていた。１人の体から血が流れ出し、血の海ができていたが、それがどんどん広がって、茶色い地面を赤く染めていた。それからフィッツジェラルドは北側の木立の方に視線を移した。彼は片膝をついていた。１９０センチ74キロの重みがそこにかかっていた。フィッツジェラルドが子どもの頃、人々は彼を細い棒と呼んで高身長の体型をからかった。そんな人たちを見返すために、彼は陸軍に入隊した。彼は自分の仕事に通じた熱心な兵士だった。その彼が今、アフガニスタンにいた。片膝をついて、誰も殺されることがないようにとあたりを見張っていた。彼はたった今、両手を上げていた2人の男たちが撃たれて死ぬところを目撃した。3人目の男が逃げていくところを目撃した。

ここではすべてが地獄のようだった。アフガニスタンは、自分にとって大切だった何かが壊れていくところだった。そして、すべてが手に負えない状況に陥っていった。

撃たれたのは村の長老とその息子だった

赤いバイクに乗った3人のアフガンの村人たちは、父親、その弟、そして、父親の息子だった。白い長いひげの村の長老だった父親は、ハジ・モハメッド・アスラムという名前で知られていた。彼と彼の息子の1人が撃たれて殺された。息子の名前はジャマイ・アブドゥル・ハクという名で知られていた。村の長老の弟で、その場から逃げ去った全身白い服の男は、ハジ・カリムラという名前で知られていた。

—ハジ・モハメッド・アスラム

—ジャマイ・アブドゥル・ハク

──ハジ・カリムラ

村に住んでいる人々以外に、そして、男たちと同じ部族の人々以外に、これら3人の男たちの身元を詳しく知っている者などいなかった。しかし、記録にはこれが彼らの名前として残されていた。

国防総省は名前を信用していない。「テロリストたちは匿名性の中に身を潜めている」と、海軍中将ロバート・ハーワードは『アフガニスタンの生体認証における指揮官のためのガイド(仮題・未邦訳)』の中で書いている。だからこそ、そもそもアメリカ軍の生体認証データベースである自動生体認証識別システムが構築されたのだ。アメリカ国防総省にとって最も重要だったのは、英数字の認証識別番号（ＢＩＤ）だったのだ。それこそが、マンハッタン・プロジェクトのスタイルを受け継いだ、数十億ドルかけた生体認証プログラムのすべてなのだ。

第16章　白い服の男

上空＝接近戦攻撃ヘリコプターからの証言

2人のアフガン人の村人が殺害された直後、トーマス一等兵は、バイクに乗った3人の男たちを攻撃したことを、無線を通じてシーアチョイの戦術作戦センターに通知した。ローレンス中尉がガントラックに3人の殺害を命じたとき、トーマスは彼の隣に立っていた。

「それからすぐ、接近戦攻撃ヘリコプターから連絡が入りました。私たちがいた地域の近くにいるので、必要なら応援に回ると無線で言ってきたのです」とトーマスは軍事裁判官に証言した。

トーマス一等兵はすぐ横に立っていたローレンス中尉にその情報を伝えた。

「まず、ローレンス中尉は……私たちが攻撃したばかりの赤いバイクを指さしました。そして、逃げていった白い服の男について言及したのです。〝トーマス、あの男を接近戦攻撃で殺したい。今すぐだ！〟と言いました」。

接近戦攻撃ヘリコプターのパイロットの1人が、ローレンス中尉が殺してほしいと言っている男の特徴をトーマス一等兵にたずねた。

「私が伝えることができる唯一の特徴は、全身白い服を着ているということだけでした」とトーマスは証言した。

トーマス一等兵はローレンスの方を向いた。「私はローレンス中尉にもっとよくわかる特徴はないかとたずねました。すると、中尉はこう答えました。〝もっとよくわかる特徴など伝えなくてよい。そんなことをすると、接近戦攻撃チームが役に立たないように思われてしまうから、我々は決して詳しい特徴は与えないのだ〟と」。

攻撃ヘリコプターに乗っていたパイロットの1人はキャサリン・マクネア中尉だった。彼女はアメリカ陸軍第2騎兵大隊、第6騎兵隊、第25戦闘航空旅団に所属していた。空輸機甲部隊の仕事は、アフガニスタン南部に展開する部隊に対して、偵察、安全確保、そして、攻撃作戦を行うことだった。マクネアは、上空から写真を撮影し全体的な偵察を行うために、攻撃が起きた地域へと飛行した。彼女ともう1人のパイロットであるマシュー・ピアソン海軍兵曹長は、その後40分間現場に留まった、とのちに証言している。

「私たちは一定の特徴に当てはまる人物を見つけ出し、男は敵対的だと判断されたので、発見した場合には攻撃して構わないと要請されました」。一定の特徴というのは、バイクに乗っていた3人目の男で、「全身白い服」を着ているということを意味している、とマクネアは証言している。「攻撃して構わない」というのは、殺してよいという意味だった。

ヘリコプターのパイロットたちが上空から白い服の男を捜索していると、地上では村人たちが集まってくる様子が確認できた。マクネアは、指揮系統に「大人の男たちの集団が対象となっている地域に集まり、その後去っていった」と無線を通して報告した。集団というのは、「7、8人の徴兵適齢の男」という意味で、国防総省の「武装兵士たちがよく行う戦術、技術、手順」の分類に相当する形で、村の北側に集まっていたとマクネアは言った。

歩いている者もいれば、バイクに乗っている者もいた、とマクネアは報告した。しかし白い服の男はそこにはいなかった、とマクネアは証言した。集団の中で兵器やアイコムラジオを持っている者は見当たらなかった。部隊行動基準に従って、武器やラジオを持っていない場合、彼らを攻撃することはできない。マクネアは徴兵適齢の男たちに向けてスモークを落とした。男たちが散り散りになり人込みの中に消えていくのを、マクネアは観察していた。

状況は不明／事実を立証する戦闘成果評価を即時に行う必要があった

ガリバンでは、スワンソン大尉が殺害の件について報告を受けた。「その時点で、すでに現地との連絡は途絶えていました。そうなると、目前の課題は戦闘成果評価を行うことでした」とスワンソンは軍事裁判官に証言した。「死亡者の情報を生体認証識別システムに登録すれば、すでに接触したことのある人物と一致するか確認することができます」。これは非常に重要な活動ですぐに行わなければならない、とスワンソン大尉は裁判官に語った。「率直に言って、旅団の任務の中で、戦闘成果評価を行うことは、安全対策を行うことの次に最も重要なことなのです」。

戦闘成果評価はプラトゥーン自身が自分たちの仕事をチェックすることでもある、とスワンソンは言った。戦闘成果評価は事実を立証するものだった。「私たちは自ら真実と向き合いたいわけです。そのためには、戦闘成果評価を行わなければなりません」。

戦闘成果評価とそれに含まれる生体認証情報は、スワンソン大尉のような中隊の指揮官にとって、プラトゥーンが実際には罪のない農民を殺害したのか、それともタリバンや武装兵士だったのかを確認する手がかりとなる。民間人の犠牲者だったのか、戦死した敵だったのかを、忠実に見極めることができる。今回の状況は複雑だった。最初に脅威を確認し、バイクに乗った3人の男たちに発砲したが撃ち損ねたのは、スケルトン一等兵だった。ファースト・プラトゥーンにおける中央情報サポートチームのメンバーだ。そして、トーマス一等兵は、はじめはアフガニスタン国民軍も発砲したと思っていたのだ。

現場は大混乱に発展した

地上のサレンザイ村の入り口では、状況は大きな混乱に発展していた。ローレンス中尉は国民軍の兵士、武器隊、そして第3分隊の一部に、村の中へ突入し、1軒1軒回って白い服の男を捜索するように命令した。

「私とポール・コープランド一等兵は、後方のバイクと、撃たれた男たちの一番近くに見張りに立つように言われました」とフィッツジェラルドはそのときのことを振り返りながら言った。また「実は、バイクや死体に近づく者がいたら撃つようにと具体的な命令を受けました」と証言した。大勢の人々が彼らの方に向かって歩いてきていた。

「子どもたちや女たちが泣いて、叫んで、また泣いていました、彼らは大きなシーツを持っていました」とスケルトン一等兵は裁判官に語った。

彼らのシーツが兵士たちの視界を遮り、混乱にますます拍車をかけた。さらに多くの人々が集まってきていた。死んだ者たちのために、声を上げて泣いていた。パラシュート兵たちは、それ以上事態が悪くなるのを防ごうと、そんな混乱をかき消すように叫んでいた。

「私たちのところに、成人の男性、成人の女性、そして、数人の子どもがやってきました」とフィッツジェラルドは裁判官に証言した。「彼らは泣いていました。感情的になっていました。自分たちは死んだ男たちの親戚だと言いました」。通訳を通じて、遺体を引き取りたいと申し出たのである。

「ローレンス中尉は、彼らが遺体を引き取ることはできないし、そばに近づくことも許さない、そして、もしそんなことをしたら銃で撃つと言いました」とフィッツジェラルドは証言した。「ローレンス中尉は激怒して、彼らに向かって怒鳴り始めました。彼は通訳を通じて話していたのですが、実際には彼らに向かって言葉を発していました。彼は具体的に〝おまえたちの汚い口を閉じろ。さもなければ撃つぞ〟と言いました」。

上空では、攻撃ヘリコプターが旋回を続けた。地上では、フィッツジェラルドがバイクを監視していた。バイクは直立し、スタンドが下りていた。ローレンスは、無線を通じてガントラックにいたシロー一等兵に直接話しかけた。

「そこからバイクが見えるか？」とローレンスはシローにたずねた。

「はい、監視を続けています」とシローは言った。

ローレンスはシローにバイクに発射するよう命じた。

シローが発砲しようと構えると、集まっていた村人の中から1人の少年が出てきて、バイクに向かって歩き出すのを目撃した。中尉はシローにバイクを撃つようにと直接命令を下した。

しかしそのときは彼は発砲しなかった。裁判で被告側弁護士は、戦闘地区にいながら、どうして上官の命令を無視したのかたずねた。

「12歳の少年を撃つつもりなどありませんでした」と彼は言った。シローは、少年がバイクを引いて村の中へと消えていくのを眺めていた。

アイコムラジオで「アメリカ人に何かしたい」と話す声を傍受

アイレス一等軍曹はローレンス中尉のところへ急いでやってきて、北の方で脅威となる状況が起こりつつあることを伝えた。

「私たちはアイコムの会話を傍受していました」とアイレスは証言した。

　会話は廃村となっていたムラー・シン・ガルに近いブドウ棚から聞こえてきた。タリバンが奇襲を準備しているのかもしれない、とアイレスは言った。ヘルマン二等軍曹はハガード特技兵、カーソン一等兵、そして兵器隊のコール・リヴェラ特技兵と分隊を組んで、どこか建物の上から監視できる場所を探しに出かけた。彼らは牛の通り道を西方向に歩き、監視場所が確保できそうな廃墟にたどり着いた。ハガードとカーソンは屋根に上り、すばやく武器を運んだ。急いで機関銃をポジションにセットし、北の方角を見渡した。カーソンは、レーザー測距器越しに、ラジオを手にした徴兵年齢の男を観察した。

「アイコムは古い無線機のようで、30～35センチの銀のアンテナがついていました」と彼は犯罪捜査官に語った。「3分から5分ほど眺めていました」。

　ハガードも同じようにあたりを見渡していた。「ブドウ小屋に6人の男たちが集まっているのが見えました」と彼は捜査官に証言した。「その中の1人がラジオで話しながら、私たちがいた方角を指さしていました……そして、私たちのところから360メートル離れたところに男がいるのを肉眼で発見し、レンズを通しても確認しました」。

　機密解除となった記録によると、ウルフハウンドと呼ばれる傍受機器で、アフガン人グループの中の1人がアイコムラジオで話していた内容を傍受した。「アメリカ人たちが屋根の上にいる。あいつらに何かしたい」と言っていた。

ハガードは何か動いているものがないか、あたりを見渡した。ポンプ小屋のそばの「3番目か4番目のブドウ棚から、1人の男が飛び出しました」。男はアイコムラジオで話していた。「無線から多くの会話が聞こえてきました。彼らは私たちの方を見ていて、しかも観察していることがわかりました。彼らはまたプラトゥーンの他の兵士たちの動きも観察していて、攻撃を仕掛けようとしていました」。

カーソンも彼らの動きを見て、注意を呼びかけた。この分隊の最も階級の高い下士官として、ヘルマン二等軍曹は兵士たちに攻撃するように命じた。

「私が指示しました」とヘルマンは捜査官に証言した。

「ヘルマン二等軍曹は、射手にその男を殺害しろと言いました」とハガードはそのときのことを振り返って言った。「私は射手でした。彼が倒れるまで、4発発砲しました」。

ハガードは続けてあたりを観察した。少なくとも2人の男がブドウ棚に隠れていた。男の1人が一瞬頭を上げ、またすぐに消えてしまった。1人の男が、ハガードの発砲で殺害され、地面に横たわっている男のところへ走っていった。「男はアイコムラジオを拾って、走って逃げようとしました。最初、ヘルマンがその男に発砲しましたが、当たりませんでした。私が撃ちました。男は倒れました。その後、他の男たちがみな散り散りに逃げていくのを目撃しました」。

2番目の男は腕を撃たれていた。負傷したが、まだ生きていた。ハガードは4発撃たれた男の方も見た。生きている兆候は見られなかった。「私は、4人の子どもと1人の女性が手押し車を押しながらやってきて、男を乗せて連れていくところを目撃しました」とハガードは2019年、私に話してくれた。

ハガードとカーソンはまだ屋根の上にいた。2人が下りてくる間、リヴェラとヘリマンが見張りについた。兵士たちは腕を撃たれた男に手錠をはめた。アメリカ軍の捕虜となった。彼は自分の名前はモハメド・ラヒムだと言った。

遺体から武器は出てこなかった

サレンザイ村の入り口では、ローレンス中尉、スケルトン一等兵、そしてフレイス特技兵が通り沿いの高い木の横で待っていた。フィッツジェラルドとコープランドは撃たれた2人の村人の遺体のすぐそばで見張りを行っていた。

フィッツジェラルドは遺体を監視するとともに、北側の木立を見渡していた。彼から1メートルほど離れた木のすぐ横で、ローレンス中尉とスケルトン一等兵が激しく言い争っているのが見えた。一等兵は将校と言い争ったりしない。指揮系統に対する挑戦になる。フィッツジェラルドは何かおかしなことが起こっているに違いないと思った。彼から少し離れた地面には、じりじりと陽にさらされた遺体が横たわっていた。足元の土は乾いて割れていた。高い木も少しの葉が残っているだけで、残りは枯れていた。

スケルトン一等兵は、生体認証のことでローレンス中尉と言い争っていた。

「上官、それは私の仕事です」とスケルトンはローレンスに言った。

スケルトンは殺害された2人の生体認証を取る必要があると主張していた。誰かが殺されれば、通常は虹彩スキャンが主だが、遺体から生体認証の情報を集めるのは、プラトゥーンの中央情報サポートチームのメンバーであるスケルトンの仕事だ、と彼は言った。

ローレンスはスケルトンに戦闘成果評価を行わないでほしいと言った。そして、後ろに下がっていろと直接命じたのだ。

「我々は必ずしも戦闘成果評価をしなくてもいいのだ。なぜなら、必ずしも誰もが敵とは限らないからだ」とローレンスは言った。トーマス一等兵はその言葉を聞いた。フィッツジェラルド特技兵も聞いた。

フィッツジェラルドは、スケルトン一等兵と中尉の言い争いが激しさを増していくところを目撃していた。

「安全電子登録装置を使わなくていいのですか？　爆発物探知識別戦場検査キットを使わない

というのですか?」と、スケルトンはもう一度、ローレンス中尉に確認した。

「そうだ、やらなくてよい。その理由をすぐに説明しよう」

説明の前に、ローレンスはエリック・ウィンゴとレイラー・レオン特技兵に近くまで来るよう命じた。ウィンゴはヘインズが撃たれた後に、彼と交代するためにプラトゥーンに配属されたばかりだった。ローレンスは2人の兵士に、手を使って昔のやり方で2人のアフガン人の男たちのボディチェックを行うように命じた。ローレンスはスケルトンや他の兵士に、安全電子登録装置で生体認証のデータを取ってほしくなかったのだ。

「必ずしも自分が見たことにすべて納得する必要はない」とローレンスは言った。

先にウィンゴが地雷探知犬をともなって、遺体まで進んだ。太陽によって道は焼け、地面はこちこちに固まっていた。

「私とレオン特技兵は、西側から通り沿いに近づきました」とウィンゴは軍事裁判官に証言した。レオンは死んだ男の1人をひっくり返し、前から順にボディチェックを行った。

「私たちは胸に銃弾が当たっているのを見つけました」とレオンは証言した。「頸動脈、腕、そして呼吸器系統を調べ、生存の兆候についても確認しましたが、機能していませんでした」。

兵士たちは2人目の男のボディチェックを行った。

「私たちは首に弾痕を見つけました。そして、呼吸や脈を調べました。彼が死んでいることを確認しました」

「2人の体からは、ＩＤカード、固く丸まった紙、キュウリ3本、数本のインクペン、小さなハサミ、そして、小さなウリのような形のものを見つけました。ベニア板でできていて、加工されていました。おそらく、市場で買うことができる品物だと思います」。

武器については、「武器はありませんでした。携帯電話も、アイコムラジオも、武器は何もありませんでした」とウィンゴは裁判官に証言した。

スケルトンとローレンスは3メートルほど離れて、ボディチェックの様子を眺めていた。そのとき、驚くべきことが起こった。

「ガントラックの機関銃の攻撃を受けて逃走したアフガン人の男が戻ってきたのです」とスケルトンは軍事裁判官に証言した。

「彼はまったく同じ服装をしていました。同じ服です」とスケルトンは明確に答えた。

白い服の男だ。プラトゥーンが村を1軒1軒回って探している男だった。攻撃ヘリコプターが上空を旋回しながら捜索し、中尉の命令により発見したら殺害することになっている男だった。彼は歩いてやってきて、今スケルトンの隣に立っていた。白い服の男は何人か家族を連れていた、とスケルトンは言った。彼らは泣いていて、アフガン人の通訳を通じてスケルトンにいくつかの質問をした。

「通訳は私と一緒にいました」とスケルトンは裁判官に証言した。「そして、彼らは死んだ人たちは自分たちの家族だと言いました。そして、自分たちの名前を名乗りました。そのとき、私は彼らに以前会ったことがあることを思い出しました」。

裁判所でのこの証言は、検察官さえ不意を突かれた。

「あなたはこれまでそんな話をしたことはありませでしたよね？」

検察官はスケルトンにたずねた。「殺害現場から走り去ったのは自分だと言ったこの男のことをこれまで話したことはありませんよね？」

「その場から逃げて戻ってきた男を見たとき、それは近くの村人だと気づいたのです。連れていた家族を見て、以前に話をしたことがあると思い出しました」。

検察官は念のためにもう一度たずねた。「そして、あなたはそれを誰にも言わなかったのですか？　パトロール隊は白い服の男を見つけることはできなかったと言ったのですよ」。

「彼は私と一緒にいたのですから、パトロール隊が村で彼を見つけることができるわけありません」とスケルトンは証言した。

バイクに乗っていた3人目の男、ハジ・カリムラはスケルトンの隣に立っていた。スケルトンは、その少し前に、ハジ・カリムラと、彼の兄と、そして、その息子を殺害する意図を持って発砲した兵士その人だ。

嘘をつけ／ローレンス中尉の命令

レオンとウィンゴは自動機器ではなく、自分たちの手を使って行う旧式の戦闘成果評価を行った。その作業が終わって、ようやくパエンザイ防衛拠点に戻ることができた。

「死体を引き取り、埋葬の儀式を行ったりするために、人々がこちらに向かって集まってきました」とウィンゴは証言した。「フレイス特技兵が彼らを制止しようとしました」。ローレンスはフレイスに近づき、新しい命令を出した。「彼はフレイスに止めなくてもよいと言いました」とウィンゴは裁判官に証言した。彼は「いいから彼らに遺体を運ばせて構わない」と言った。

村の人々が動き出したとき、スケルトン一等兵はローレンスと共に数メートル離れた木陰からその様子を眺めていた。ローレンスはフレイスに無線を使ってガリバンに連絡するように言った。火力支援将校のクレイ・カマー中尉が、死んだ者たちの生体認証を取ったのか確認するために、それまで何度も連絡を入れていた。

「今から私が言うことをそのまま伝えろ」とローレンスはフレイスに命じた。「私は以前、戦術作戦センターで働いていた。これ以上うるさく質問してこないように、ガリバンに何と伝えればよいか私にはわかっている」。

嘘をつけ、という中尉の命令に従って、フレイスは無線を通じて言った。「私たちが戦闘成果評価を行う前に、遺体は持ち去られてしまいました」。

そのときスワンソン大尉はガリバン作戦センターにおり、クレイ・カマーの後ろに立っていた。

「その時点で、私は自ら無線に話しかけました」とスワンソンは証言した。「私は〝安全電子登録装置には入力はしたのだろう？　何かわかったか？〟とたずねました」。

フレイスは苦境に陥った。「スワンソン大尉は、死んだ者たち、つまりアフガン人の民間人を電子登録装置で登録したのかとたずねました」とフレイスは裁判官に証言した。フレイスはたった今、上官であるローレンスから嘘をつくように直接命令されて従った。そして、今度はローレンスの上官であるスワンソン大尉が、ローレンスの話とは矛盾する本当の答えを直接要求している。フレイスが答える前に、「ローレンス中尉は私からハンドマイクをつかみ取りました」。

ローレンスの答えはあいまいだった、とスワンソンは裁判官に証言した。

「私の質問に答えていないではないか」とスワンソンはローレンスに食ってかかった。スワンソンの横に立っていた兵士たちは、何事かとその様子を眺めていた。上官に嘘をつくことは、軍法会議レベルの犯罪だった。

「私は質問を……繰り返しました」とスワンソンは裁判官に証言した。「戦闘成果評価は行ったのか？　彼らのデータを安全電子登録装置に入力したのか？　何かわかったか？　と繰り返しました」。

ローレンスは一瞬ためらった。それから嘘をついた。

「戻ってきた回答は、〝遺体は持ち去られてしまったので、私たちは戦闘成果評価を行うことができませんでした。遺体はどこかに運ばれてしまいました〟というものでした」とスワンソンは証言した。

スワンソン大尉は、ローレンスが話したことを受け入れることにした。プラトゥーンには調査可能な拘束者が2人いた。モハメド・ラヒムと、村で拘束された1人の男だった。「私が次に至急しなければならないと考えたのは、これらの拘束者をガリバンに輸送し、パサブに送るためにただちに生体認証を取ることでした」と彼は証言した。

防衛拠点に戻る途中で、レオン特技兵はスケルトンのところにやってきた。彼はスケルトンに布に包んだものを手渡した。「彼はショールを渡してきました」とスケルトンは裁判官に証言した。「ショールの中には私物が入っていると言いました」。それはレオンとウィンゴがバイクの死んだ男たちの遺体から回収したものだった。「中には、ＩＤカード、ハサミ、懐中電灯、そして、野菜が何個か入っていました。こうしたものを集めるのも私の仕事です。IDカードなど、情報活動に価値のあるものはないか調べます。そして、証拠として必要な場合は袋に詰めます。即席爆破装置に関しては通常、指紋などを収集します。そして、カンダハール空軍基地かパサブ前進作戦基地に持っていき、そこで指紋分析を行います。もし即席爆破装置に指紋が残されていたら、こうして集めた指紋と照合をするためのベースラインとなります」。スケルトンは生体認証がどのように機能しているのか、裁判所で証言した。

下士官はすべて見ていた、そしてまったく納得していなかった

パエンザイ防衛拠点では、プラトゥーンがエントリー・コントロール・ポイントを通って基地に戻ってきた。

「仮設作戦センターにやってきたアイレス一等軍曹とヘルマン二等軍曹の2人に会いました」とウィリアムズは証言した。「彼らは、私たちが置かれた状況に不満を爆発させていました。兵士たちは取り乱した様子でした。中には明らかに動揺している者もいました。アイレス一等軍曹とヘルマン二等軍曹はかなり腹を立てていたと思います。アイレス一等軍曹の顔色はひど

く悪かったと思います」。

ウィリアムズはケルベロス監視カメラを通して、何が起きたのかほとんど目撃していた。バイクの男たち、殺害、そして、その後に続いた混乱を見ていた。のちに、彼はそのとき何を見たのかを軍事裁判官に証言した。

「発砲の直後から、私たちの部隊は村へと入っていきました。兵士が家の中から誰かを引っ張り出したところは見えませんでしたが、人々が大きな木の近くに集まってきているのは確認しました。壁があったので、よく見えたというわけではありません。しかし、木の近くで頭が動いていたので、間違いなく多くの人たちが集まっているということはわかりました」。

ウィリアムズは、レオンとウィンゴが旧式の戦闘成果評価を行っている様子も目撃していた。

「彼らだと思ったのは、カメラを通して、その軍服、体つき、動作、そして、顔が見えたからです」と彼は証言した。「彼らは2つの遺体に近づき、何か身につけていないか捜索を始めました。ＢＤＡを行っていたのです。戦闘成果評価です」。

パトロール隊は戻ってきた。その日の報告書を書かなければならない。時間を追って、起こったことを記述しなければならない。

「ローレンス中尉は作戦センターに入ってきて言いました。〝やったぜ。いやー、すごかったよ〟。私たち下士官はすべてを見ていました。そして、まったく納得していませんでした。ローレンス中尉はテントの後方へ行き、自分の荷物を下ろしてから、また戻ってきました。そして、言いました。〝OK。おまえたちは明らかにムカついているみたいだな。なんなんだ。いいから、言いたいことを言えよ。俺が何か間違ったことをしたというなら、言ってみろ〟と」。沈黙が流れた。「ローレンス中尉は〝大丈夫だ〟と言いました。レポートの書き方はわかっているから、誰も問題にならないよ、と彼は言いました」とウィリアムズは証言した。

徴兵年齢の2人の男が拘束された。スケルトンによって2人の生体認証を取る必要があった。そうなれば、拘束者たちがタリバンの最重要指名犯がどうか、安全電子登録装置が判断できる。あるいは、生体認証対応警戒リスト、合同重点影響リスト、警戒者リストに登録されているかどうか確認できるのだ。

拘束者のうち1人は登録されていなかった。バイクに乗っていた2人が殺害された後、この男は行動があやしいと、村でプラトゥーンに捕まった。彼は武器を持っていなかった。2人目の拘束者は、モハメド・ラヒムだった。彼の名前とその正体は、この物語の結末に非常に重要な鍵を握っている。

パエンザイ防衛拠点では、ツイストがモハメド・ラヒムの監視を命じられた。

「彼はずっと話しかけてきました」とツイストは2019年、当時のことを振り返って語ってくれた。「私は彼の言葉を話せないし、彼も私の言葉を話せなかったので、〝話すのをやめろ〟とか〝黙れ〟みたいなことを言いました。でも、彼は話し続けたのです。腕を撃たれていたことに気づくまで、しばらくかかりました。変な奴でした。痛みなど感じていないように振舞っていました。痛みを感じない人なんていますか？」

スケルトン一等兵は最初の拘束者の生体認証を取り終えた。次に、モハメド・ラヒムの生体認証に取りかかった。のちに彼は、拘束者に対してどのような手順で作業を行うのか、裁判官に説明した。

「防衛拠点に戻ってから、拘束者たちをガリバンへ輸送する前に、安全電子登録装置を使って彼らの生体認証のデータを取りました」。スケルトンは証言した。「その作業をしているとき、ローレンス中尉は、死んだ男たちについても、戦闘成果評価をしなかったことについても、報告しないようにと言ってきました。正確になんと言ったのかは覚えていませんが、私が書くレポートには、そのことを含めないようにと言われました」。

モハメド・ラヒムの生体認証を取り終えると、スケルトンは、ローレンス、２人の拘束者と共に、装甲車両に乗ってガリバンへと向かった。

ローレンス中尉を拘束せよ

ガリバンでは、スワンソン大尉が中央情報サポートチームの部屋と作戦センターを行ったり来たりしながら、これまで受け取った無線の内容を分析していた。シーアチョイの情報部のフェリス少尉に電話をかけた。

「我々はあの朝に起きたことについて、理解しようとしていました」とスワンソンは裁判官に証言した。

スワンソンは、そうやって2つの部屋を行き来しているとき、ローレンス中尉を見かけた。

「私は、攻撃について手短にたずねました。彼の返答は同じものでした」とスワンソンは裁判官に語った。「それから、ブランスフォード軍曹に出くわしました。彼は、私の中央情報サポートチームの担当下士官でした」。

ブランスフォード軍曹は、スケルトン一等兵が彼との面会を希望していると伝えた。

「ブランスフォードと話をした後、スケルトン一等兵と話をする必要があると感じました」とスワンソンは言った。

スワンソンはスケルトンを自分のオフィスへと連れていった。スケルトン一等兵は、レオンとウィンゴが遺体から回収した証拠を、袋に入れて持ってきていた。それをポケットから取り出すと、彼はスワンソン大尉に手渡した。

「彼がポケットから袋を取り出すと、そこには財布、ケシの花を切る小さなナイフ、それから、鍵のようなものなど私物が入っていました。それはただの小さな袋でした。プラスチックの袋に入った私物でした」とスワンソンは証言した。明らかに旧式の戦闘成果評価として、身体を捜索した結果だ。「私は嘘をつかれたと確信して、オフィスから出ていきました。レポートもめちゃくちゃで、攻撃も違法なものでした。ただちに私がしなければならなかったのは、騎兵大隊の指揮官であるハワード中佐に連絡を取ることでした。私は彼に電話しました。受話器のそばで待っていると、彼はすぐに折り返しの電話を入れてくれました。すると、彼は、ローレンス中尉を……捜査するまで拘束せよと伝えてきました」。

スワンソン大尉は、作戦センターで書類を書いているローレンス中尉を見つけた。「彼のレポートとその朝の攻撃について、不審な点があると彼に言いました」とスワンソンは言った。「そして、今後は、朝のパトロールで一緒だったどの兵士とも話してはならないという合法的な命令を伝えました」。

しかし、捜査の対象になったのは、ローレンスだけではなかった。プラトゥーンの半数以上の兵士たちが、戦争犯罪裁判にかけられることになったのだ。司法制度は彼らに向けられることになった。彼らは今、犯罪容疑者として扱われることになったのである。

第17章　二重殺人

ファースト・プラトゥーンに対する調査を開始／重大な戦争犯罪としての捜査

7月4日午前2時41分、南部地域司令部法務部アメリカ陸軍犯罪捜査司令部のピーター・メノ大尉は、ファースト・プラトゥーンに対する事件調査を正式に開始した。捜査の根拠は簡潔なものだった。クリント・ローレンス中尉は「パエンザイ防衛拠点のエントリー・コントロール・ポイントからサレンザイ村へ徒歩によるパトロールを行っているとき、2人のパラシュート兵に、バイクに乗った3人のアフガン人を銃で撃てと命令し、それによって2名が死亡した」。数時間のうちに、ファースト・プラトゥーンから、11名のパラシュート兵が計画殺人を含む戦争犯罪の容疑者として拘束された。彼らの指紋が採取され、マグショットとして使用するために電子的に顔画像が撮影された。「統合DNAインデックス・システムのために、DNAも採取されることになっていた」が、特別捜査官が勘違いして、DNA採取キットを2つしか持ってこなかった。兵士たちの生体認証データが、その後数日間にわたって、過去や将来の事件について照合できる連邦政府のデータベースに登録された。その中には連邦捜査局犯罪情報センター、統合ＤＮＡインデックス・システム、そして国防総省の国防中央指標インデックスが含まれていた。

陸軍犯罪捜査司令部では、すでに始まっていた、少し前の兵士自殺事件の捜査がまず優先された。すでに説明したように、犯罪捜査司令部は、アメリカ陸軍の重犯罪や軍法違反を捜査するので、よく陸軍の連邦捜査局と呼ばれている。発砲から3日後、特別捜査官のロドルホ・リオスとケヴィン・ミッチェルがブラック・ホーク・ヘリコプターに搭乗し、パサブ前進作戦基地へと向かった。午前8時20分、2人は、アフガン人の殺害についての概要の説明任務を与えられたジャリド・ロイテ中尉と会った。直接的に、あるいは間接的に関わったすべてのプラトゥーンのメンバーから、すでに調書が取られていた。

その後、午前10時45分、リオスとミッチェルは装甲車に乗り込み、およそ11キロ離れたシーアチョイへと向かった。プラトゥーンの数人の兵士は、そこで犯罪容疑者として拘束されていた。他の兵士たちはガリバンに拘束されていた。計画殺人に加えて捜査の対象となった犯罪は、一般市民に対する脅迫、部隊行動基準の変更、司令部への虚偽報告、非武装の一般市民への発砲、そして、殺人未遂だった。

午前11時30分、リオスとミッチェルは第82空挺部隊軍規（ＡＲ）15－6捜査官のジェレミー・ウィリングハム少佐と会った。ウィリングハムは特別捜査官たちに、殺害があった日の午後にウィリアム・チャールス・ティンズレー中尉がパラシュート兵たちから取った宣誓陳述書を手渡した。

ハワード中佐との会談の後、ガリバンでは人的にも施設としても十分な対応ができないとして、残りの兵士たちもシーアチョイで面会する方がよいと判断された。そして、犯罪捜査を続行することが承認された。

兵士たちは、自分たちが戦争犯罪の捜査を受けることになったなど夢にも思っていなかった。「最初の頃は、自分たちが問題になっていたなんてまったく知りませんでした」。ハガードは、2019年に当時のことを思い出しながら話してくれた。「誰も、そんなふうに思いませんでした」。

「ガリバンに到着すると、私たちは1人ずつ別々の部屋へ連れていかれました」とウィリアムズは言った。「私たちはみなまったく同じ話をしました。どの兵士も、あの日の出来事については同じことを話したのです。ローレンスだけが違っていました。覚えておいてほしいのは、彼は赴任したばかりで、私たちは彼についてほとんど何も知らなかったということです」。

「捜査官たちは、私たちが言うことをあまり真剣に聞いてくれませんでした」とゼッテルは回想した。

カンダハール空軍基地では、特別捜査官のスターリング・ブラウンがモハメド・ラヒムから話を聞いていた。腕を撃たれて負傷した男だ。ラヒムは自分も父親も農民だと捜査官に話した。300メートルほど離れた建物の屋根から兵士たちに撃たれたとき、自分たちは畑で水を撒き、作物の種を植えていたと言った。この事件は、バイクの男たちがすでに殺害された後に起こったので、「2番目の交戦」として知られるようになる。

尋問の後、担当捜査官のパトリック・ラスムセンは、スケルトン一等兵がパエンザイで収集した「モハメド・ラヒムに関するデータを記録するために」1時間強作業した。スケルトンは、ラヒムの指紋、虹彩スキャン、顔画像、DNAを撮るために、安全電子登録装置とデジタルカメラを使用した。また彼は、爆発物探知識別戦場検査キットを使ってラヒムの両手を検査したが、自家製爆弾を作っていたことが証明された。

国防総省の自動生体認証識別システムのデータベースと、そこに登録されている極秘情報にアクセスすることができるラスムセンは、ラヒムの生体認証が、これまで起きた即席爆破装置事件につながるかどうか犯罪科学的に照合することが可能だった。午前零時の少し前、ブラウン特別捜査官は、ラヒムの医療記録を入手するために、陸軍フォーム4254、「個人の病歴に関する要請書」を提出した。これはDNAを照合するための別の方法だ。少なくとも、8人の特別捜査官が陸軍犯罪捜査司令部と共に今回のケースを調べていた。重大な戦争犯罪のケースとして取り扱われることになったのである。

別の問題／兵士は自分たちに容疑がかけられると知らされていなかった

同じ日の夜の午後10時15分、シーアチョイでは別の問題が発覚した。アフガニスタン南部地域司令部法務部のダニエル・J・セノット中佐がウィリングハム少佐に対して、殺人とその他の重犯罪の容疑について調査を受けているファースト・プラトゥーンのパラシュート兵たちが自身の法的権利について何も知らされていない、ということを通知した。一般的にミランダ警告として知られているが、軍事司法統一法典第三一条によって規定されているこの法律上の特権は、身柄拘束された人が、強制的に有罪にされないように守るために設けられている。つまり、彼らには黙秘権があり、弁護人を依頼する権利があるというものだ。取り調べをめぐる環境は、一方的なものだ。個人が世間から切り離され1人きりにさせられて、プロの取調官のテクニックにさらされる場合、その人はまず自分の法律上の権利について通知される必要がある。セノット中佐とウィリングハム少佐は、次に行うべきは、パラシュート兵たちに自らの権利について読み上げ、もう一度、彼らから証言を取ることだと判断した。あるいは、これまでの「証言が有効だとする」署名を取る必要があった。すでに真夜中だったため、翌日に手続きを行うことで2人の将校は納得した。

翌朝、午前9時35分、兵士たちは権利について個別に説明を受けた。黙秘権を要求した者は1人もいなかった。そして、すべての兵士には、本来の「自分たちの権利については知らされていなかった」が、これまでの証言を有効なものとして保持したいとする「適切な証言」に署名するための書類が配られた。ようやく、新たに取り調べが始まった。

「捜査官たちは、強硬なロサンゼルス警察の警官みたいでした」とヘリマンは2019年に当時のことを振り返って語ってくれた。ロサンゼルスのエリア警察官であるリオス特別捜査官は当時の捜査の背景について私に話してくれることになったが、陸軍からは会話の内容を録音することは禁じられた。

「捜査官たちは、優しい警官と、厳しい警官を演じるんです」とレイノソも話してくれた。「1人は〝何もおまえを有罪にしようとしているわけではない〟と言うわけです」。

「しかし、まさしく彼らはそうするつもりなのです」とヘルマンは言った。

ハガードはようやく自分が重罪の容疑にかけられていることを悟り、虚脱感に襲われたことを覚えている。「彼らは私の指紋を採取しました。私は父に電話しました。父は化学工場で働いていました。時差があるので、ちょうどシフトが終わる頃だとわかっていました。父が電話に出たので、〝お父さん、お母さんと離婚したときに雇った弁護士がいたよね？　たぶん、僕はあの人に弁護を依頼することになると思う〟と言いました」。

その後数週間にわたって、犯罪捜査司令部の捜査官は繰り返し兵士たちの取り調べを行った。中には６度の尋問を受けた兵士もいた。ハガードは何度も証言を書き直させられた。その回数は５回にもおよんだ。「捜査官たちは私に違う証言をさせようと、何度も同じことを書かせました」。機密解除となったハガードの５つの証言には、それぞれまったく同じ事実が書かれていた。

「何が起きたのかについて私が同じことを書いたのは……私たち兵士はみな同じことを書いていました。なぜかといえば、それが本当に起きたことだからです」とハガードは２０１９年に私に話してくれた。

ローレンス中尉に対する重罪を立件することに加えて、捜査官たちはファースト・プラトゥーンの戦闘歩兵および下士官の８名を刑事事件として起訴しようとしていた。最初に男たちに向かって発砲して撃ち損ねたスケルトン一等兵。ガントラックの射手シロー一等兵。「２番目の交戦」に関与したカーソン一等兵、ハガード特技兵、そして、ヘルマン特技兵。７月１日、第二監視塔から嫌がらせの発砲に関与したゼッテルとラッシュ両特技兵。そして、ローレンス中尉が軍事司法統一法典に違反し、さらには別の兵士に嘘をつくように命令したことを報告しなかったアイレス一等軍曹の8人だ。

「この複雑なレポートには多くの流動的な部分があります」と、担当特別捜査官のパトリック・ラスムセンは、法執行機関極秘レポートの中で書いている。

「これほどの大事件をうまく取り扱ったすばらしい仕事だ」と捜査チームの担当管理官を務めたブライアン・マーシャル捜査官は書いた。

普通では考えられない、予想外の展開

2012年7月7日、アフガン人の殺害についての捜査が始まって5日後、特別捜査官のリオスとミッチェルは、パエンザイ防衛拠点近くの犯罪現場にはじめて足を運んだ。装甲車両で到着すると、仮設作戦センターへ向かった。パエンザイには電気が通っていなかったので、作戦センターは手動で造ったベニア板の机にカモフラージュ用のネットがかかっているだけのものだった。ここで、捜査は普通では考えられない展開が待っていた。これまで一度も報告されていないことが判明した。

機密解除となった陸軍犯罪捜査司令部の捜査活動記録の概要によると、「リオス特別捜査官とミッチェル特別捜査官が作戦センターを出ると、スケルトン一等兵が近づいてきた」。

スケルトン一等兵はパエンザイの戦場で、一体何をしているのだろうか？　ファースト・プラトゥーンの他の兵士たちは殺人、殺人未遂、そして、その他の重罪の嫌疑を受けてシーアチョイで拘束されていた。彼らは他のプラトゥーンの兵士たちから隔離され、同じプラトゥーンの兵士と話をすることも禁じられていた。それにもかかわらず、スケルトン一等兵はパエンザイ防衛拠点に戻って、中央情報サポートチームの任務を行っていた。

「ミッチェル特別捜査官はスケルトン一等兵に、軍事司法統一法典第三二条B項に記された彼自身の権利（訳者注：告発された軍人が徹底的かつ公正な調査を受ける権利と、手続き中の証拠開示手続きの権利）について認識しているのかとたずねた」。スケルトンは認識していると答えた。捜査段階における、この特異なケースに関するその他の詳細については機密扱いとなったままだ。

記録によると、スケルトン一等兵は「リオスとミッチェルを犯罪現場へと「案内」した。この行動はあまりに異常だったので、捜査の状況を確認していた担当捜査官のパトリック・ラスムセンは、この件について説明を求める警告を発動したほどだ。この件についての説明の部分は同じように機密扱いとなっている。

午前10時、リオスとミッチェルは殺害の現場へ向かった。業界用語で、最初の交戦と呼ばれる場所だ。彼らと一緒に、アフガン人の通訳ミルワイス・ミルヤールがついていた。彼らは地面に直径20センチほどの染みを見つけた。その場所、木、泥レンガの壁、そして、近くのブドウ棚を写真に収めた。犯罪に関わった兵士たちのそれぞれの「視点の位置」も確認した。パエンザイ防衛拠点からサレンザイ村までの距離を測り、300メートルと記録した。「捜査官の安全の確保についての懸念から、詳細な調査を遂行するだけの十分な時間が取れなかった」。

次に、彼らは未舗装の道路を50メートルほど西へ進んだ。両側に泥レンガの家が立ち並ぶ幅3・6メートルの道を進んだ。彼らは他の建物と「同じ材料で作られた同じ茶色の1・5メートルの壁」まで進んだ。そして、2週間前にヘインズが首を撃たれた場所を確認した。彼らは2番目の交戦において銃弾が撃ち放たれた「あまり手入れされていない……使われていない、あるいは、空き家となっている」泥レンガの建物を特定した。彼らは屋根の上に登り、デジタルカメラであたり一帯を撮影した。

それから、この複雑で非常に緊迫した犯罪捜査において、もう1つの重要な瞬間が訪れた。

午前10時53分、捜査官たちに1人の村人が近寄ってきた。通訳のミルヤールを通じて、捜査官たちはこの男が最初の交戦で殺害された2人のバイクの男たちの息子であり、弟だということを知った。彼の父親は村の長老で、名前はハジ・モハメッド・アスラムだった、と言った。

彼の兄はジャマイ・アブドゥル・ハクだった。３人目の、白い服の逃げた男は彼の叔父だった、と村人は言った。叔父の名前はハジ・カリムラで、パシュマル村の近くに住んでいると言った。身元を証明するものとして、村人はリオスとミッチェルにタズキラ番号１５７１６８３と書かれたアフガニスタン政府が発行したＩＤカードを見せた。捜査官たちは村人の名前を記録書に記入した。

彼の名前はアブドゥル・アフドだった。

時がたつにつれて、この男の本当の正体が重要になってくる。そして、その「真実」が司法制度の強さ、そして、もろさについて何を語るのかについて、私たちを愕然とさせる。

「頭の狂った中尉」

シーアチョイでは、マイケル・ハナ大尉が頭を抱えていた。ローレンス中尉が「自分が置かれた状況を理解していないように思われる」と捜査官たちに告げた。まるで、ローレンスは自分が二重殺人の重い罪に問われているとは、理解していないみたいだと言った。武器を取り上げられた後、護送されるローレンスに付き添ったブライアン・デルガド中尉は、彼について

「うわの空」と表現した。「そんな事件はまったく起きていないとでもいうように、大きなショックを受けているように見えた」という。

カタリーナ・ルーカス少尉は調査官に次のように述べた。「パエンザイ防衛拠点から戻ってきたローレンスは別人でした。彼は事件のことや役を解任されたことを恥じている様子はありませんでした。彼は平然とした態度で、もうどうでもいいという感じでした」。

シーアチョイでローレンスの付き添いや監視に任ぜられたのは、ルーカス・ピアース少尉だった。「彼はときどき不適切な冗談を言いました」とピアースは捜査官たちに証言した。「冗談を言うような気軽な調子で、人を殺すことについて話していました。普通、民間人の犠牲者が出たときには、自責の念、悲しみ、死者や遺族への哀悼、あるいは、厳か（おごそ）かな態度が見られるものですが、彼の場合にはまったくありませんでした。それどころか、彼は陽気で、冗談を言い、いつも笑顔でした」。2人の民間人の殺害を命じたローレンスの態度は常軌を逸したものだった、とピアースは言った。そして、他の将校たちは彼のことを「頭の狂った中尉」と呼んでいたと証言した。

日々が過ぎていくにつれて、クリント・ローレンスの態度に対するハナ大尉の懸念はますます深まっていった。「あるとき、クリントはこんなことを言いました。〝やれやれ、戦場に戻ったら、バイクに乗ったやつを皆殺しにするよ〟」と、ハナは捜査官たちに証言した。「彼は笑っていました。その笑い声は、7月4日の独立記念日に家族と一緒にバーベキューを楽しんで楽しく笑っているというようなものではなく、何かもっと悪意のある病的な笑いだったので、私は危機感をつのらせました」。

ハナ大尉は自分自身の安全についても恐怖心を表した。「ローレンスのそばにいると神経質になります」と彼は陸軍犯罪捜査司令部に伝えた。「彼に悪いニュースを伝える役目を担って、そのせいで首を絞められるなんてことになるのはごめんです。彼は自分がやったことにまったく自責の念を抱いていません……陸軍の武器は取り上げられましたが、彼はまだ他の武器を手に入れることができるではないですか」。

7月9日、殺害の1週間後、ミッチェル特別捜査官はクリント・ローレンス中尉に彼の法的権利について通知した。ローレンスは弁護士を要求した。その日の午後、陸軍の法廷弁護士は、陸軍犯罪捜査司令部の6人の犯罪捜査官チームと合流し、どのように今回の犯罪を立件するのが一番よいか、そして、誰がどのような罪で起訴されることになるかについて話し合った。会議を終えて、弁護士と捜査官チームは、ファースト・プラトゥーンから9人のパラシュート兵を起訴することで同意した。

担当捜査官のラスムセンは、彼のチームの捜査官たちに覚書を送った。「すばらしいブレインストーミング・セッションだった」と彼は書いた。「すべての捜査官が捜査の進捗状況をしっかりと追っている」。

ただ1人負傷しなかったバイク同乗者ハジ・カリムラの証言

7月14日、殺害から12日後、陸軍犯罪捜査司令部ははじめてハジ・カリムラから話を聞くべきだということに気づいた。「ハジ・カリムラは自分の家族が殺されたときに、ただ1人負傷しなかったバイクの同乗者だったので重要な証言者である。インタビューの対象者として早急にリストに加えるように」とラスムセンは捜査管理評価に書き記した。しかし、ベイルズの殺人事件のときのように、アフガンの地方自治体は自分たちの市民が誰なのか、彼らがどこに住んでいるのか、そして、アメリカ人の重大殺人事件の捜査のために、彼らをどのように探せばよいのかまったくわからなかった。

パサブでは、ハジ・カリムラの居場所を特定してインタビューを行うために、フランク・ハラー中佐がアフガンの地元警察署とともに捜索を開始した。4日後、ハラーは警察署に進捗状況を確認した。彼らはまだ電話を待っている状態だと聞かされた。7月22日、アフガン人の通訳ミルワイス・ミルヤールがハジ・カリムラとコンタクトを取ると、カリムラは翌日午前10時に陸軍の捜査官たちと会うことに同意した。場所はパサブ地区センターが選ばれた。

7月23日午前10時55分、殺人事件から3週間後、ミッチェル特別捜査官は通訳のミルヤールを介してハジ・カリムラにインタビューを行った。ハジ・カリムラが捜査官に行った証言は、次のように報告された。

カリムラ氏は、彼の兄であるハジ・モハメッド・アスラム氏とその息子であるジャマイ・アブドゥル・ハク氏のパンジャウイの住居に客として訪れていたと説明した。彼らは住居からサレンザイのブドウ畑へ向かっている途中で、道路にアメリカ軍のトラックが停まっているのを見た。カリムラ氏は、道路の状態が悪いのでスピードを出して走ることはできなかった。そして、トラックを見たとき、自分たちはスピードを出していなかったと説明した。カリムラ氏は、地方の村のほとんどの人がバイクを持っていると言った。なぜなら、バイクは安く、道路を楽に走ることができるからだ。彼はまた、パンジャウイからサレンザイに向かうために使った道路は唯一の経路であり、すべての人間が使っていると言った。その道路をバイクで走ることはよくあることだった。

次に、彼らは警告の銃声を聞いてバイクを止めた。カリムラ氏は、バイクを止めるまで、ブドウ棚にいるパトロールの兵士たちには気づかなかったと説明した。ハク氏（彼の甥（おい））

がバイクに乗ったまま、カリムラ氏とアスラム氏（彼の兄）はバイクから降りた。

カリムラ氏は国民軍の兵士たちに、自分は何も悪いことはしていない、ブドウ畑と家を見に来ただけだと叫んだが、距離が離れていたので彼らには聞こえなかった。武器を持っていないことを示すために手を上げて、誰と話せばよいのかたずねるために、彼は国民軍に近づいたが、バイクの方へ戻れという合図を送られた。

カリムラ氏とアスラム氏はそこで話をして、自分たちはタリバンではなく、地元の住民だということを証明する機会が与えられるだろうと思い、国民軍かアメリカ兵が質問しに来ると待っていた。カリムラ氏はバイクを止めてから3～5分後に、トラックの方から銃弾が飛んできたと述べた。

かろうじて弾はカリムラ氏をそれた。もう1つの弾はハク氏（彼の甥）の首に命中した。カリムラ氏とアスラム氏（彼の兄）はハク氏に駆け寄り、止血しようとした。カリムラ氏はアスラム氏に、助けを呼ぶべきだと言ったが、アスラム氏は息子のそばを離れることを拒んだ。

そこで、カリムラ氏は助けを呼ぶために村へ走った。カリムラ氏は家族を見つけ、彼らはバイクに向かって走ったが、アメリカのパトロール隊に止められた。

アメリカのパトロール隊はバイクに乗っていた者たちが犯罪者かどうか確認したいの

で、彼らに待つように言った。そのとき、カリムラ氏はアスラム氏（彼の兄）も撃たれたことに気づいていなかった。彼は叫びながら走っていたのでそれ以上銃声を聞かなかったが、家族はさらに発砲の音がしたと彼に言った、と彼は証言した。

アメリカのパトロール隊に制止されてから、およそ45分の間、2人の遺体を引き取ることを許されなかった。

カリムラの話はフィッツジェラルド特技兵、トーマス一等兵、スケルトン一等兵、ウィリアムズ二等軍曹、そして、その他の兵士たちの証言と細部にわたって一致した。殺害が起きた数時間後に取った証言と同じだった。ハジ・カリムラは、特別捜査官たちに対してかたくなに、自分や兄や甥はタリバンのメンバーではないと主張した。彼らはブドウ栽培の農民だと、ハジ・カリムラは言ったのだ。

カリムラ氏は、事件が起こる前に、パエンザイ防衛拠点のエントリー・コントロール・ポイントに5、6回ほど行ったことがあると説明した。ブドウ畑に水を引いてよいかたずねるために、そこでアメリカのパラシュート兵たちと話をしたことがあったと言った。この事件が起こるまで、パラシュート兵たちと何の問題もなかったが、今では、家族はみな兵士たちを怖がっており、事件のせいで精神的な問題を抱えるようになり治療を受けていると話した。アスラム氏が殺されてからは、彼の他の2人の子ども（31歳と34歳）がブドウの世話をしている。

ミッチェル特別捜査官は、ハジ・カリムラの証言を記録した後、亡くなった家族のために、慰謝料を払うことが可能だと説明した。遺族に賠償金を払うことはよくあると、ミッチェルは話した。4カ月前、およそ10キロ南で起きたベイルズ二等軍曹の虐殺事件の被害者や遺族には、国防総省の被害管理対策の一環として、合計で97万ドル（当時の相場で7600万円）の賠償金が支払われた。

ハジ・カリムラは特別捜査官たちに、アメリカからお金を受け取ることに興味はないと伝えた。「カリムラ氏は、彼の家族は身内を殺害したアメリカを許すつもりはないので、賠償金は受け取らなかったと説明した」。

6カ月におよぶ捜査の結果

捜査は延々と続いた。パエンザイ防衛拠点で殺害の容疑に巻き込まれなかった兵士たちの士気は果てしなく低くなっていた。

「戦争犯罪で捜査を受ける?・」ツイスト一等兵はその概念そのものに疑問を持った。「ありえないです」。ただし、それは現実に起こっていた。陸軍はファースト・プラトゥーンに疑いの目を向けた。それが起こっていること自体、即席爆破装置を踏むのと同じくらい破壊的で恣意(しい)的だと感じた、とツイストは語った。

「呪われていたのはパエンザイだけではありません」とトーマス一等兵は言った。「私たちのプラトゥーンが呪われているように感じました」。

「ガリバン防衛拠点の近くに私たちが建てた学校が、私たちアメリカによって破壊されてしまいました」とツイストは嘆いた。「自分たちのミサイルを発射したのです。そこで、何が起きたのか話してはいけないことになっていました。しかし、それが真実です。タリバンが学校を占拠して、即席爆破装置による攻撃を計画するために使っていました。つまり、それこそ私たちがアフガニスタンに配属されたすべてを物語っています。よかれと思ってやったことが、結局、最後には破壊されてしまいます」。

戦争犯罪捜査は6カ月を要した。最終的に、捜査官たちは殺人や殺人未遂に関して、どの一等兵、特技兵、あるいは、その他の下士官たちをも起訴する相当な理由を見つけることはできなかった。4人は懲戒処分を受けた。

2013年1月8日、検察官のカーク・オットー大尉は以下のような法律的な見解を述べた。アイレス一等軍曹は、パエンザイ村への嫌がらせの発砲について、ローレンス中尉がウィリアムズ二等軍曹に嘘をつくよう命令したことを報告しなかったことに対する職務怠慢の処分を受けることとなった。ヘルマン二等軍曹は、武器使用と戦争における比例原則に違反し、防衛拠点からタリバンの射手のいる方向へカールグスタフ銃を発砲した一般命令への従順不履行の処分を受けることとなった。ラッシュ特技兵は、嫌がらせの発砲をパエンザイ村に行い、人命を危険にさらすような状況での武器の使用に対する処分を受けることとなった。捜査官たちは、ラッシュは命令に従うことを拒否するべきだったと結論づけた。ゼッテル特技兵は、嫌がらせの発砲のときに実際に発砲はしていないが、人命を危険にさらすような状況で武器を使用する意図があったことに対して処分を受けることとなった。ハガード特技兵、カーソン一等兵、シロー一等兵、そして、スケルトン一等兵に関しては、犯罪捜査官たちは起訴するために相当な理由を見つけることはなかった、とオットー大尉は結論づけた。

クリント・ローレンス中尉は、以下の内容について起訴された。「2つの殺人事件、1つの殺人未遂事件、1つの虚偽の報告、1つの司法妨害、そして、1つの人命を危険にさらすような状況で武器を使用する意図の存在」という内容だ。

結局のところ、国防総省は殺人の被害者の身元にはまったく興味がなかった。2013年1月13日、事件に関する報告書が最終的な見直しのために提出された。担当捜査官は殺人の被害者がいまだに「地元国民の被害者」と呼ばれていることは承認できないとして警告した。「必須の項目が記入されていなければ、最終報告書は受理されない」と担当捜査官は書いた。翌週、名前がシステムに登録された。1月15日、これらの名前が犯罪事件記録に掲載された。

－ハジ・モハメッド・アスラムの故意の殺害
－ジャマイ・アブドゥル・ハクの故意の殺害
－ハジ・カリムラの故意の殺人未遂

数日後、最後の不備が発見された。被害者たちの生年月日がなかったが、それも報告書の必須項目だった。

担当捜査官は、すべての被害者が地元国民であるため、個人の生年月日を知る方法がなく、すべての被害者には同じ生年月日を与えることとする、と言明した。

そのようなことから、公式なアメリカ陸軍の記録には、親子殺人の被害者たちは、殺害時、同じ27歳6カ月と記述された。

負傷した2人の兵士のその後

パエンザイ防衛拠点で起きたことは、複雑に絡み合った崩壊と喪失の物語だ。足と腕を失ったサミュエル・ウォーリー一等兵にとって、そして、首から下が麻痺しているマシュー・ヘインズにとって、人生はがらりと変わってしまった。

「ラティーノ中尉は私と同じ病院でした」とウォーリーは2019年、当時のことを振り返って話してくれた。「彼はバットマンに出てくるツーフェイスみたいでした。私は（別の階にいた）ヘインズに会いに行きたかったのです。それで、私がはじめてヘインズに会いに行くとき、ラティーノ中尉も一緒についてきました。私は電動車イスに乗って、滑るように病室へ入っていきました。それで、〝おい、ヘインズ、おまえも怪我したのか〟と言いました。彼は少し微笑みました。彼は動きませんでした。そこではじめて、体が麻痺していたことに気づきました。

彼は目を動かすことしかできなかったのです」。

オバマ大統領は病院までウォーリー一等兵を見舞い、戦争の英雄としてたたえた。ウォーリーはなんとか微笑むことができた。

「オバマ大統領は私と一番長く話をしてくれました」と彼は回想した。「急いでいる様子ではありませんでした。大統領はまた戻ってきました。2回目の訪問でした。彼は、〝やあ、ウォーリー、少し体重が増えたようだね〟と言いました」。

しかしウォーリーは、精神的にも肉体的にも、かなりひどい状態だった。移植した皮膚から感染し、医師たちは左脚も切断しなければならないだろうと告げた。そうなれば、彼は三肢切断者となる。

「アフガニスタンには細菌がうじゃうじゃいるのです」とウォーリーは言った。戦場では、細菌は傷口から入り、体の中へとどんどん広がっていく。「手足を切断した多くの兵士が、何年もメチシリン耐性黄色ブドウ球菌感染症に苦しみます」。

ヘインズはフロリダ州タンパの長期療養施設へと移された。のちに、多くのパラシュート兵たちが彼を見舞った。

「実のところ、ヘインズがプラトゥーンの中で一番ポジティブな人間なんです」とツイストは言った。

「そうですね。他の奴らがみな身も心もボロボロになっていても、彼は前向きな姿勢を崩しませんでした」とウォーリーも同感だった。

ヘインズは病院で、中国の医師たちが幹細胞を使って麻痺を治療している話をインターネットで読んだ。彼は北京に行くつもりだとフェイスブックに書き込みを始めた。ウィリアムズ二等軍曹がフロリダ州の療養施設を訪ねたとき、ヘインズはまたいつか歩けるようになるかもしれないとうれしそうに語ったという。北京での手術の費用を貯めるために、彼の母親が手伝ってくれているそうだ、とウィリアムズは言った。

「療養施設から帰るときに、幸運の赤いポーカーチップをヘインズにあげました」とウィリアムズは言った。それはアフガニスタンに配属されていた間ずっと、彼のポケットの中に入っていたものだった。

アメリカに戻った兵士たちを待っていたもの

2013年の正月にかけて、ファースト・プラトゥーンの9名のパラシュート兵たちは郵便で通知書を受け取った。その内容は彼らに対する刑事免責の付与と、二重殺人の罪で起訴されたクリント・ローレンス中尉の軍法会議裁判で証人として出廷せよという召喚だった。裁判は2013年夏、フォート・ブラッグで行われた。

986ページにおよぶ裁判記録は、実際に公文書として存在する。罰せられることもなく行動し、アメリカ陸軍の部隊行動基準と法の支配を導く一般原則を無視した、過度に熱心な中尉という人物像が、12人以上の証人が行った証言によって描かれた。ローレンスは作戦地帯で過ごした3日間に、地元のアフガン人たちに苦痛を与え、殺害の脅迫を行い、老人や女性や子どもに嫌がらせの発砲を行うように自分の指揮下の兵士たちに命じ、自分が敵の戦闘員だと勘違いした民間人を殺害するように兵士たちに命じ、ヘリコプターのパイロットに民間人を殺害するように命じ、犯罪を隠すために嘘をつき、そして、犯罪を隠すために他の兵士たちにも嘘をつくよう命令した。戦術作戦センターでは、1人の将校として、ローレンスは名誉ある働きをした。戦場では、彼の中で何かが音を立てて崩れてしまった。

2013年8月、10人の陸軍将校からなる陪審員団は、クリント・ローレンス中尉に「歩兵小隊の指揮官として、2つの事件で殺人罪に問われ、アフガン人に対する脅迫的で威圧的な行動にともなうその他の罪により」有罪判決を下した。フェーエットビル・オブザーバー新聞のジョン・ラムゼイ記者は書いた。「ローレンスは、昨年の夏、カンダハール州の小さな前哨基地で部隊と過ごした短い間、毎日少なくとも1つ以上の罪を犯したために有罪判決を受けた」。

アメリカでの生活が、アフガニスタンのザリ地区での生活よりさらに危険だと感じるなんて考えたことはなかったが、それが現実だったとファースト・プラトゥーンの多くの兵士たちは話す。

「1人の中尉に不利な証言をした私たちに対して、軍部の関係者のほとんどが怒りをあらわにしました」とツイストは言った。

事態はさらに悪化した。彼らはもはやプラトゥーンではなかった。兄弟の間柄でもなく、1つの家族でもなくなった。

多くのアメリカ人にとって関心のない、あるいは理解しようとは思わない、疎外された兵役経験者というだけだったのだ。

「誰も私たちと関わりたくないようでした」とツイストは言った。

「私たちほぼ全員が、陸軍から追放されたり、自分たちから辞めました」とヘルマンは言った。

「社会ののけ者のように扱われました」とウィリアムズは言った。「まるで私たちが疫病にかかっているかのように、はじき出されたのです」。

PART 5

第18章　手がかりの跡

クリント・ローレンス中尉の弁護団長、ジョン・N・マーと専門知識

２０１４年の春のことだった。元司法省の訴訟当事者で陸軍将校だったジョン・N・マーが、シカゴのアパートメントでシャツにアイロンをかけていた。マーはいとこの葬儀で、棺側付き添い人を務めるために支度をしていた。30歳のいとこは自殺していた。

「気味の悪い一日でした。寒くて、もの悲しく、気が滅入るような日でした」とマーは私に語ってくれた。

マーの携帯電話が鳴った。ほとんど電話には出ないつもりだったが、かけてきたのは古い友人だとわかった。弁護士仲間で、元アメリカ陸軍法務総督の将校だったジョン・D・カーだ。そこで、マーは電話に出た。

「第82空挺師団の中尉が刑務所に入っている」と、カーが彼に言ったことをマーは今でも覚え

ている。「彼が私に助けを求めてきた」。

葬儀の後、マーはカーに電話をかけ直し、その事件について話し合った。即座に、ジョン・マーはクリント・ローレンスをレブンワース刑務所から釈放するために弁護団長を務めることになった。

ジョン・マーはアメリカ陸軍予備軍の中佐でもあるが、彼は弁護士として、クリント・ローレンスの新たな弁護の中核となる難解な分野の、まれな専門知識を持っていたのだ。戦闘生体認証だ。

「私たちが最初にしたことは、犯罪事件簿を見ることでした。刑事告発書です」とマーは時系列で説明してくれた。「アフガン人の被害者の名前に手書きで線が引かれ、消されていました。代わりに〝明らかにアフガン人の血を引く男性〟と挿入されていました」。

なぜアメリカ陸軍の法務総監がそのようなことをするのだろうか？

「これは殺害された男たちの本当の正体に関する生体認証と何かつながりがあるのではないかと、私は疑いました」とマーは言った。

彼はこの書類を私にも見せてくれたが、確かに不可解だった。正式な陸軍の犯罪事件簿にはローレンスが起訴された罪状が書かれ、その後に3人の被害者の名前が続いた。すでに読者のみなさんは知っているが、こう書かれていた。

—ハジ・モハメッド・アスラムの故意の殺害
—ジャマイ・アブドゥル・ハクの故意の殺害
—ハジ・カリムラの故意の殺人未遂

しかし、確かにその原本は変更されていた。ジョン・マーが述べたように、被害者の名前はそれぞれ人の手によって線が引かれ消されていたのだ。

ここで、ジョン・マーのこれまでの司法トレーニングにおける努力が役に立つときがきた。「それは私が学んだロースクールの古い〝問題点を見つけ出せ〟というものでした」と彼は言った。「問題点がそこにあるではないか、という感じでした。誰を殺して、また、誰を殺そうと試みて、自分は告発されたのか知りたくありませんか？　事実は、検察官がその名前を線で消したのです。2つのことがわかりました」とマーは言った。「第一に、検察官たちはこれら3人が誰なのか知っていて、必ずしも彼らについて言及したいわけではなかった。あるいは、第二に、ローレンスがこれらの人々を殺害したと証明することができる事実に矛盾があった、ということになります」。

マーはローレンスを法廷で弁護するために、手に入る資料はすべて読み込んだ。彼はもう1

つの手がかりを見つけた。陸軍は遺体を掘り起こそうとしたのだ。「なぜ、そんなことをしようとしたのでしょうか？　私たちの疑念はやはり生体認証と関係があるのではないか、ということでした」。殺害された男たちの本当の正体ということだ。

ジョン・マーの法的専門知識は、特に今回の事件にいっそう特化したものだった。ファースト・プラトゥーンがアフガニスタンを去ってすぐ、２０１２年秋から、ジョン・マーはパルヴァーン司法センターのアメリカ政府による司法制度のプログラムで、主席弁護士の１人として働いた。すでに述べたが、この施設はアメリカが建設した司法関連施設の中にあり、隣にはアフガニスタン版のグアンタナモベイである刑務所が建っていた。法執行機関、裁判所、矯正施設という司法制度の枠組みの中で、パルヴァーン司法センターは裁判所の部分を担っていた。２０１０年に始まり、アフガン人の司法関係者が生体認証、法医学、西洋式司法制度を学ぶことができる国内唯一の施設だった。国防総省が数十億ドルをかけて取り組んだ、最も重要なアフガニスタンの司法制度プログラムなのだ。

司法センターの主席プログラム管理者として、ジョン・マーはおよそ１００名のアメリカ人とアフガン人のチームを率いた。アフガン人の弁護士、裁判官、犯罪捜査官を訓練し、指導し、助言を行うために、アメリカ人弁護士、パラリーガル、そして犯罪捜査官が働いていた。プログラムの目的は、アメリカ人が去った後、アフガン人の専門家たちが中心となってアフガニスタンの刑事司法制度を支えていくというものだった。パルヴァーン司法センターで働く者はみな同じゴールに向かっていた。「タリバンの爆弾を製造している者たちを起訴し、刑務所に入れること」だとマーは言った。

「生体認証は私たちが取り組んでいた中で中心的存在でした」とマーは私に話してくれた。「それは絶えず続く作業でした。私たちは毎日14、15時間働いていましたが、1時間で50から60回ほど生体認証に関わっていました。本当にそんな調子でした。多くの検察官がいて、多くの事件が起こっていて、その上、裁判も同時に開かれています。私はそのすべてに関わっていたのです」。

２０１２年と２０１３年、司法施設はまだ完成していなかった。したがって、職員たちは、キャンプ・サバル－ハリソン近くの結合ボックスや移設可能な建物といった仮設施設で仕事をしていた。毎日、アメリカ人とアフガン人の職員は一緒に昼食を取った。ラム肉、オレンジ、紅茶だ。ときどき迫撃砲が飛んでくると、彼らは防空壕に逃げ込まなければならなかった。

「司法センターで裁判にかけられていた男たちは、みなタリバンの武装兵士でした」とマーは明らかにした。「足かせをはめられて、彼らは留置施設から輸送されてきました。フードつきの服を着ていないと、彼らは私たちに唾を吐いてきました。不快なことがたくさんありました」。中には靴を投げる者もいた。「彼らはすべて戦場で捕らわれた者たちでした」とマーは回想した。「拘束された武装兵士は、自家製爆弾やその残骸を持っていたとか、銃撃戦で殺されずに捕まった者たちでした」。

ファースト・プラトゥーンが、２０１２年６月４日にサレンザイ村の水道パンプのそばで拘束したタリバンの最重要指名犯のナンバー２のような男たちだ。あの日は、ウォーリーの20回目の誕生日だった。

「私たちは彼らをパルヴァーンの留置施設に入れました」とマーは続けた。「その目的は、彼らを戦場から排除することで、多国籍軍や民間人の危険にならないようにするだけでなく、他の作戦を計画しどう動けばよいのかを理解するために、生体認証などの情報を確保することでした」。つまり、アイデンティティ情報を通して、即席爆破装置の地下組織のメンバーを裁判にかけるためだ。

"２番目の交戦"で腕を撃たれた"モハメド・ラヒム"とは、本当は何者なのか

２０１４年、シカゴの自宅の居間から、マーはクリント・ローレンスを刑務所から出すために、訴訟を起こす準備を始めた。彼は手がかりを求めて捜索し、そして、その手がかりを見つ

け出した。「例えば、戦場で捕らえたモハメド・ラヒムはなぜ自家製爆弾を持っていたのでしょうか？」。モハメド・ラヒムは、２０１２年7月2日の2番目の交戦で腕を撃たれて捕まった捕虜だ。しかし、最も重要な手がかりは政府が記録した証人のアブドゥル・アフドだった。マーはこの証人は非常に疑わしいと考えた。「陸軍犯罪捜査司令部の捜査官たちはなぜ彼の言葉どおり受けったのだろうか？　この男の生体認証はどこにあるのか？」

２０１４年の春から夏にかけて、ジョン・マーはこの件について徹底的に調べた。マーはある仮説を立てたと私に言った。陸軍がアフガン人の被害者の名前を線で消したのは、彼らが「実は悪い奴だった」からだ。彼は言った。「つまり、陸軍はこれらの被害者が本当は誰なのかを隠したいからでないかと考えました」。しかし、あの男たちの本当の正体をどうやって知ることができるのだろうか？

鍵を握るビル・カーニー／「情報を〝焼く〟権利を持ち、名前を打ち込むことができるということ

アフガニスタンにおけるアメリカ政府の生体認証の運用に関して、マーは希少な専門知識を持っていた。国防総省が管理する自動生体認証識別システムなど極秘情報の入ったデータベー

スは、ほんの一握りの人間しかアクセスすることができず、ましてや、その情報を理解できる人間はさらに少ないことをマーは知っていた。彼の直観は、陸軍はバイクに乗っていた男たちの身元について疑問を持つ者などいないだろうし、ましてや、彼らが本当は何者だったか調べることができる人間はいないと思っているのではないかということだった。ただし、ジョン・マーはそれができる人間を知っていると信じていた。

マーには、政府の自動生体認証識別システムについての知識があり、アクセスできる同僚がいた。２０１４年秋、ジョン・マーはシカゴのアパートメントで受話器を取ると、パルヴァーンの司法センターで共に働いた犯罪捜査官であり、国防総省の仕事を請け負っている同僚に電話をかけた。彼の名前はビル・カーニーといった。

「ビル・カーニーはこの10年間、アフガニスタンで生体認証の専門家として仕事をしてきました」。マーは、スターズ・ケーブルテレビが制作したレブンワースというクリント・ローレンスの禁固刑に関するドキュメンタリー番組で語った。「彼は元ニューヨーク市警の警察官で、私はアフガニスタンのパルヴァーンの司法センターにおいて彼のもとで一緒に仕事をしました。そして、私たちは共に生体認証の情報を使い、国家の安全を左右するトップシークレットの裁判において、タリバンの武装兵士たちを起訴してきました」。

ビル・カーニーの助けを得ることはかなり難しい、とマーは同僚たちに伝えた。

「ビル・カーニーしかいませんでした」とドン・ブラウンは言った。ブラウンは元海軍法務総監将校および元連邦検事特別補佐官で、間もなくローレンスの新しい弁護団に加わる予定だった。「カーニーはまだアフガニスタンで、アメリカ政府主導の国家生体認証登録プログラムに関わっていたのです」。

「ビル・カーニーに電話をかけてくれないかとメールを送りました」とマーはそのときのことを思い出しながら言った。

ジョン・マーとビル・カーニーは、友好的な信頼関係を築いていた。２０１３年、２人はアフガニスタンのパルヴァーンで、およそ10カ月にわたって互いに協力し合って仕事を続けた。カーニーは捜査および司法アドバイザーとして、犯罪現場で見つかった法医学および生体認証の証拠をどのように使うのかについて、アフガン人の警察官や弁護士に教えた。アフガニスタンの人口２５００万人の80％にあたる住民の生体認証を集めるというアメリカの取り組みを、アフガン政府が内側から支えるアフガン１０００プログラムの一環として、彼はそうした証拠をどのように利用するかについて内務省の役人たちに教え込んだのだ。

「司法センターでは、生体認証、指紋、ＤＮＡに関するすべての〝明白な〟事件について、主任捜査官およびアドバイザーを務めました」。私がアフガニスタンのヘルマンド州にいたカーニーにインタビューを行ったところ、彼はそう語ってくれた。しかし、彼の本当の専門は、即席爆破装置の地下組織ネットワークを犯罪事件として起訴することで、それはアメリカのマフィアを立件するのに似ている、とカーニーは言った。「私は、最初にアフガニスタンで犯罪ネットワークの地下組織が起訴されたときに関わりました。10人からなるタリバンの爆弾製造者のグループを起訴することにはじめて成功したと認められたのです」。10人のタリバンは裁判を受けて2011年に刑が確定した。「一度に10人が捕まりました」とカーニーは言った。「それまでグループとして捕まった者はいなかったのです。私たちは、生体認証から、彼らが爆弾製造者の地下組織でつながっていることを突き止めました」。カーニーは連邦捜査局と中央情報局を1つにしたような、アフガニスタン国家安全理事会と連携していたので、彼の仕事についてはその多くが機密扱いになっていると言った。

2014年、ジョン・マーがメールを通じてビル・カーニーに連絡を取ったとき、生体認証の専門家となった元捜査官が手伝ってくれるのか、あるいは、手伝うことができるのかはわからなかった。

「ジョンは、2人の友情を信じて希望を失わず祈っていました。カーニーがきっと助けてくれると賭けていたのです」と共同弁護士のドン・ブラウンはそのときのことを振り返った。

「ビル・カーニー以上に、タリバンの爆弾製造者に対する、極秘扱いだった起訴プログラムにおいて重要な人物はいません」とジョン・マーは新しい弁護団に語った。

「ジョンはパソコンの前に座って、アフガニスタンにメールを送りました。〝ビル、電話してくれないか〟と書きました」とドン・ブラウンは言った。

ジョン・マーは、彼がクリント・ローレンスを刑務所から出せるかどうかは、ビル・カーニーが助けてくれるかどうかにかかっていると思っていた。「今回の訴訟で、ビル・カーニーが生体認証による証拠の部分で関わってくれれば勝算はありました。軍部が手元に持っていた実際の生体認証の証拠がなければ、陸軍裁判所への控訴はそれほど力もなく、また、説得力がなければ人々を動かすこともできません」。

マーが思っていたとおり、陸軍犯罪捜査司令部は、バイクに乗っていた男たちがタリバンの爆弾製造者だということを示す生体認証の証拠を握っていた。そして、それは米国憲法修正第五条に定められた、クリント・ローレンスの権利を侵害する。法の適正手続きに対する彼の権利である。しかし、この生体認証の情報は機密扱いで、厳しく管理されていた。

カーニーならアクセスできる、とマーは私に教えてくれた。彼はただ「正しいデータベースに名前を打ち込めばいいいだけ」なのだ。

マーがメールを送った後、どうなるかわからない状態が続いた。「数時間が過ぎました。その数時間が何日にも感じられました」とドン・ブラウンは語った。

そして、最終的にビル・カーニーはジョン・マーと電話で話すことに同意した。

「私たちは翌日話をしました」とマーは言った。「彼はアフガニスタンにいて、私はシカゴのリグリー・フィールドから西に1・6キロの自宅兼オフィスにいました。私は事件の概要を説明し、さらに、線で消されていたアフガン人の犠牲者の氏名がわかっていること、そして、それが書かれていたのは陸軍犯罪捜査司令部が書いた犯罪事件簿だったということを話しました」。

2人がパルヴァーンの司法センターで一緒だったとき、マーは、カーニーのことを、多くの鍵となる要素を1つにまとめることができる糊(のり)みたいな存在だと思っていた、と私に話してくれた。カーニーは弁護士が請求する生体認証の情報について管理し、タリバンの爆弾製造者の個々の事件ファイルを追跡調査し、そして、情報が必要な場所に届けられるように手配した。アメリカ政府が公式文書に指定しているマーキング措置に対して、申請する権限を持っていたカーニーは、司法センターでもいわゆる「(情報を)焼く権利」を持つ数少ない職員の1人だった。つまり、カーニーはアフガンで行われる裁判に関して、書類、写真、そして、ビデオなどを含む機密情報を自動生体認証識別システムのデータベースから、コンパクト・ディスクに焼くことができたのだ。

今後を左右するこの重要な電話の会話において、マーは何が起きたのかの詳細について説明した。

「バイクに乗っていた3人の男の名前と、アブドゥル・アフドという証人の名前をカーニーに伝えました」とマーは私に話してくれた。「最初は名前からでした。ジャマイ、カリムラ、アフド、そして、ラヒムです。私は彼に、自動生体認証識別システムのデータベースにこれらの名前を打ち込んでくれないかと頼みました」。マーは非常に限られた法医学および生体認証の情報を求めていた。「彼らが指紋やDNA、つまり、皮膚を残したかどうかです。テロリストがワイヤーを曲げたりすると、ほんの少しの皮膚が爆弾の部品の一部であるワイヤーに残ることがあるからです」とマーは言った。「また、即席爆破装置が記録されたグリッド座標値の爆弾に、彼らが指紋やDNAを残したかどうかです」。アメリカ軍が記録していたグリッド座標値は重要だとマーは説明してくれた。なぜなら、そのデータによって、司法センターの検察官たちは、それぞれのアメリカ兵やパートナーである多国籍軍の兵士の死が、タリバンのどの爆弾製造者とつながっているのかを確認することができるからだ。マーはこのあたりのことを調べてほしいとカーニーに依頼した。

ジョン・マーが私に話してくれたことは注目に値する。自動生体認証識別システムのデータベースにこれらの名前を「打ち込む」ことは、誰もができることではないのだ。自動生体認証識別システムは機密となっているデータが納められている。ところが、カーニーはそのデータに自由にアクセスすることができる、ということだった。そして、彼はその情報を法律に違反することなくジョン・マーと共有できた。おそらく1917年に成立した諜報活動取締法にも抵触しない可能性があった。これは驚異的と言わざるをえない。2人は同僚であったが、友人でもあった。マーはカーニーのことを「コーチ」と呼んだ。

「私はこう言いました。〝コーチ、これらの人物の生体認証記録情報をどうにか手に入れてくれませんか？　何かと一致するかどうか確認してくれませんか？〟とね」。

カーニーは、何ができるかやってみると返事した。

「もしこれら4人のアフガン人と、爆弾製造やアメリカ兵を殺害した即席爆破装置をつなぐ生体認証のデータが見つかれば、クリント・ローレンスにとっては大逆転のチャンスになると私たちはわかっていました」とジョン・マーは言った。

届いた決定的証拠と、驚くべき事実

2014年の感謝祭の翌日、ジョン・マーの家にDHLから荷物が届いた。その中身は「決定的な証拠」だった、と彼は私に話してくれた。

ビル・カーニーはジョン・マーが欲しかった情報を見つけたのだ。そして、それは驚くべき事実を暴露した。陸軍がクリント・ローレンスの二重殺人事件を起訴するために採用した証人のアブドゥル・アフドは、最重要指名手配のテロリストだった、とカーニーは言ったのだ。それを証明するために、カーニーはアブドゥル・アフドに割り当てられた英数字の生体認証識別番号を見つけた。それは、B28JM−UUYZだった。これは本書の第11章と第13章で書いたアブドゥル・アフドのことだ。

アブドゥル・アフドはタリバンの爆弾製造の地下組織のリーダーだった。国防総省の機密合同重点影響リストにおいて、殺害の対象になっている男だ。彼はザリ地区の近くに住み、活動していた即席爆破装置の製造者でタリバンの指揮官だった。緑のトーブを着ていた。赤いバイクに乗っていた。情報解析者によって、彼は少なくとも15人のタリバンの指導者とつながっていることがわかっていた。その指導者のうち、6人は殺害の対象になっていた。

マーからの依頼で、カーニーはアブドゥル・アフドの地下組織のメンバー同士をつなげる作業に取りかかった。2番目の交戦で腕を撃たれて拘束されたモハメド・ラヒムは、アブドゥル・アフドとつながった、と彼はマーに伝えた。そして、決定的な証拠が見つかった。クリント・ローレンスが殺害の罪で刑務所に入っている理由となったジャマイ・アブドゥル・ハクもまた、タリバンの爆弾製造者だったのだ。さらに、途中で逃げた白い服の男ハジ・カリムラもそうだった、とカーニーは言った。それぞれの指紋とDNAが、アメリカ兵を殺害した即席爆破装置の部品から採集されていた、とカーニーはマーに伝えた。これは啓示的だったとマーは私に言った。なぜなら、指紋は嘘をつかないからだ。

カーニーはドキュメンタリー番組レブンワースで、政府のデータベースを使ってどのようにリンク解析を行ったのかについて語った。「私が持っていた情報から多数の一致が見られました」と彼は言った。「政府のこれらのデータベースには、即席爆破装置の事件、彼らの名前、そして、それらがネットワークとしてつながっていました。彼らはザリ地区とパンジャウイ地区の即席爆破装置の事件とつながっていたのです」。

二重殺人の証拠として採用された究極のトリック

ビル・カーニーがアフガニスタンから戻ってきたとき、ジョン・マーは彼の家まで飛んだ。イースターのことだった、と彼は回想した。

「彼は座って、陪審員に説明するように、すべての証拠を提示してくれました」とマーは私に話してくれた。パワーポイント、図表、リンク、軍部のグリッド座標値などだ。「すべてがそこに示されていたのです。中尉が敵を殺した罪で刑務所に入っているとね」とマーは言った。

ビル・カーニーは探偵小説やハリウッド映画に出てくるような、思わぬ展開になる情報を届けることができた。ビル・カーニーが関わる以前から、アブドゥル・アフドは被害者たちの親戚だということはわかっていた。ブドウ畑に向かうバイクに乗っていて殺害された2人の農民の、悲しみを抱えた息子であり、弟だという人物だ。すでに書いたが、2012年7月7日、犯罪捜査司令部の特別捜査官のリオスとミッチェルが殺害の現場を調査しているときに、アブドゥル・アフドが現場に現れて自らのことを話した。アブドゥル・アフドは情報提供者であり、捜査官たちは二重殺人事件を立件するために彼の話をもとに重要な部分を証拠として採用したのだ。これが真実なら、つまり、このアブドゥル・アフドが本当にパエンザイ防衛拠点やその周辺で即席爆破装置の地下組織を束ねるタリバンのリーダーだったのなら、陸軍の捜査官たちに近づき情報を吹き込むという彼の動きは、非対称的戦争において相手をうまくだます究極のトリックだ。映画『ユージュアル・サスペクツ』の、本当にいるのか不明な架空の人物カイザー・ソゼのようだ。法執行機関に自分は何者でもないと信じ込ませ、間違った情報を提供して逃亡する冷酷な犯罪組織の親玉だ。

「あの男たちはブドウの世話をするために、バイクに乗っていたわけではない、と私は信じています」とカーニーはレブンワースの制作者に語った。

ジョン・マーはカーニーがもたらした情報が、どれほど重要なことか理解していた。彼と新しい弁護団はこの情報を軸に訴訟を起こすことになる。カーニーは生体認証の専門家の立場から、弁護団の証人となった。

「1963年に起きたブレイディ対メリーランド州の裁判を参考にして、私たちは再審の請求を行いました。今日、連邦検事、そして、州検事は容疑を晴らす、あるいは、罪を軽減する可能性のある証拠がある場合には開示しなければなりません。そのような証拠は罪を否定したり、罪を軽くしたり、刑を軽減したりすることがあるからです。今回のケースではそれが一切なかったわけです」とマーは言った。

マーが言いたかったことは、もし生体認証の情報が正確だったとしたら、陸軍は合衆国憲法が定める適正手続きにおける被告の権利に違反しているということだった。

「クリント・ローレンスの裁判において最も顕著な問題は、米国憲法修正第五条のデュープロセス（法の適当な手続き）条項が無視されていたということです。生体認証の証拠が開示されなかったばかりではなく、その証拠の提出について実際に申請されていたのにもかかわらず公表しなかったのです」とマーはドキュメンタリー番組の制作者に語った。

しかし、この話の筋には問題があった。ビル・カーニーはどうやってこの生体認証の情報を手に入れたのか？　1917年に制定された諜報活動取締法に違反することなく、どんな方法で、殺害された2人の被害者、証人のハジ・カリムラ、拘束されたモハメド・ラヒム、そして、被害者の近親者であるアブドゥル・アフドの指紋とＤＮＡのデータを手に入れたと説明すればよいのか？

本書の執筆にあたり調査や報告を行う過程で、刑事司法情報サービスの元トップだったトム・ブッシュや、生体認証の分野で情報担当国防次官の顧問を務めたウィリアム・ヴィッカーズなどを含む対象分野の専門家たちは、軍部の極秘生体認証データベースへのアクセスは厳しく制限されていると私に断言していた。

第19章　本当の正体

懸念されるアイデンティティ支配のゆくえ

情報公開法（ＦＯＩＡ）は、民主主義社会の透明性のツールとして50年以上前に制定された。これは、政府が明らかにするべきではないと主張する情報を、アメリカ国民が請求することを認める法律である。「情報に通じた有権者は、民主主義の適切な運営に不可欠だ」と裁判所は判断を下した。ジョン・マーが示した情報が本当なら、これは非常に厄介な問題だ。もしアメリカ陸軍が、二重殺人の事件で有罪になったアメリカ兵の罪を否定や軽減したり、刑を減らすかもしれない生体認証の証拠を伏せていたとしたら、それは社会が向かう生体認証の暗い時代の到来を予言するものになりかねない。味方から敵を分けるための明確な方法であるアイデンティティの支配が浸透すれば、アメリカ政府は海外に留まらず、アメリカ国内でもその支配を強めていくかもしれない。

２０１８年11月、私はこれまで入手した情報を個別に検証するために、情報公開を求める一連の要請書を提出した。マーと弁護団は、バグラム空軍基地のアフガニスタン捕獲資材開発（ＡＣＭＡ）研究所でビル・カーニーが学んだリンク解析の技術を駆使して入手した、４つの生体認証識別番号を私にも共有してくれた。私の知る限り、国防総省が急ピッチで進めてきた生体認証識別システムについて、それがどのように開発され、どのようにデータが記録され、誰がそのアクセスを制限し、そのシステムを警備する者を誰が監視しているのかについて、これまで詳細に調べたジャーナリストはいない。さらに、私は自動生体認証識別システムの運用能力について「不適切で不十分」だとする国務長官の主席顧問の批判的な報告書を読んでいる。陸軍が「マンハッタン・プロジェクトのように」開発してきた数十億ドルのシステムには、もしかするとその機能においてシステム上の欠陥があることを隠しているのだろうか？　私が最初に提出した要請書は以下のとおりだ。

２０１８年11月11日
国防法医学および生体認証局
アメリカ陸軍憲兵総監部

アメリカ連邦政府情報公開法要請書
アメリカ陸軍情報公開法部
記録情報管理機密解除局
９３０１　チャペック・ロード　１４５８ビル
フォートベルボア、バージニア州　２２０６０－５６０５

親愛なるアメリカ陸軍様
情報公開法、合衆国法典第五章第五五二条により、アフガニスタンに展開するアメリカ軍に対して即席爆破装置事件に関与したことが、アフガニスタンの自動生体認証識別システムの一部であるＤＮＡや指紋などを通して身元が特定された、以下の４名のアフガン人男性の一部、あるいは、すべての記録について、私はここに要請します。これら４人の個人は、陸軍事件整理番号２０１３０６７９のアメリカ合衆国対クリント・ローレンス中尉の高等軍法会議裁判、および、国防軍事件整理番号17－０５９９／ＡＲの控訴裁判に関わっており、この情報は国民の知る権利に含まれます。

４人のアフガン人男性の氏名と生体認証識別番号は以下のとおりです。

1. アブドゥル・アフド　B28JM－UUYZ（パルヴァーン抑留施設、抑留者）
2. ジャマイ・アブドゥル・ハク　B2JK9－B3R3（2012年7月2日殺害）
3. ハジ・カリムラ　B2JK4－G7D7（2012年7月2日殺害の証人）
4. モハメド・ラヒム　B28JP－QWTY（2012年7月2日負傷）

ジャーナリスト、そして作家として、また、この情報は国民の知る権利に含まれるため、この調査にかかる手数料は免除していただくことを要請します。もし手数料が必要だという場合は、どうかお知らせください。

ありがとうございます。よろしくお願い申し上げます。

アニー・ジェイコブセン

情報公開要請書の処理に要する時間ははっきりとは決まっていない。したがって、この部分の話を書くにあたって私にできたのは、待つということだけだった。ローレンスの弁護団はその後も、連邦議会の議員に事件について興味を持ってもらうために、また、資金調達のために作成したパワーポイントのスライドなど、数々の書類を私に共有してくれた。弁護団はその過程で、理解しやすくするために、バイクに乗っていた男たちの1人で、殺害されたジャマイ・アブドゥル・ハクの名前を短くすることにした。それ以降、彼らはすべてのケースで「ジャマイ」という名前だけを使用した。殺害されたもう1人の村の長老ハジ・モハメッド・アスラムには、即席爆破装置とのつながりは見つからなかった、とビル・カーニーは言った。したがって、政府のデータベースに彼の生体認証情報は存在しなかった。

ザリ地区とその隣のパルヴァーン地区で起こった即席爆破装置の事件と4人の男たちの関連性を見つけたカーニーの手法は、国防省が略してI2と呼ぶアイデンティティ情報にとって中核をなすものだった。「アイデンティティ情報を操作することによって、本当の正体を発見する結果につながる」と統合参謀本部は書いた。アイデンティティ情報の分野では、身元を特定するために、「個人を他の人々、場所、出来事、資料、生活パターン分析と結びつけながら」複数の情報源からのデータを扱う。戦場の情報ツールとも呼べるこのアイデンティティ情報は、活動基準情報の基礎をなすもので、地図上に地点を記録する作業を含む地球空間データを通して、個々の人物を犯罪ネットワークとつなげていく。

活動基準情報の手法とアイデンティティ情報の構成概念は、現在アメリカ国内においても利用されている。もし情報に通じた有権者が民主主義の正しい運営に不可欠なら、この戦場の情報に関する手法がアメリカ国内の法執行機関によってどのように利用されているのかを理解することは意義のあることだ。国防総省の資金提供で開発された疑わしいプログラムの一つは予測警備（または、警察活動）と呼ばれ、論争の的となっている手法を推し進めている。

「あなたが何をするかで、あなたが誰なのかわかる」

２００９年、カリフォルニア州ロサンゼルスで、大学の教授で構成される小さなグループが、ロサンゼルスのギャングとアフガニスタンの武装集団は似ていると考えるようになった。グループの中の1人で、犯罪学、法律、社会を専門にしているジョージ・E・ティタ教授は、イギリスのロンドンで開催された国防地球空間情報会議と呼ばれるシンポジウムに出席した後この考えをさらに発展させた、と話してくれた。「私は他のグループの講演者の話を聞いていました。イラクとアフガニスタンの民族や武装集団の話を聞いていて、ギャングだろうと武装兵士だろうと、暴力を行う動機やこれらのグループに加入する理由は似ているのではないかと気づいたのです」とティタ教授はその当時のことを振り返って言った。「基本的には〝アフガニスタン〟に線を引いて消して、そこに〝ロサンゼルス〟と書くことができるみたいな考えです。〝武装集団〟を〝ギャング〟と書き換えるということです。私がこの人間領域のモデリング分野を研究するようになったのは、それがきっかけでした」とティタは言った。

アメリカ陸軍調査室数学課と全米科学財団からの資金提供を受け、ティタ教授と大学の同僚たちは、ネットワークがどのように生まれるのかを究明するためにイラクとロサンゼルスのデータを比較した。彼らの目的は、アメリカ国内でギャングによる暴力を軽減する効果的なプログラムを考案し開発するために、地球空間情報を使うことだと述べている。教授たちはロサンゼルスを面積約2万3000平方メートル（東京ドームの約半分）の地域に分けてデジタル監視を行い、ギャングたちが縄張りにしているとされる場所をマークしていき、人間活動デジタル地図を作成した。「グループとしてギャング（たち）が支配する社会的および地理的空間と、個々のメンバーのつながりに関するパターンについて注目するようになりました」とティタ教授は説明した。アフガニスタンとは異なり、ロサンゼルス市警は人々から生体認証を集めることはできなかった。しかし、ロサンゼルス市警は上空からデジタル監視を行うことができたし、実際に彼らは行った。行動基準情報の第一の考え方は、「あなたが何をするかであなたが誰なのかわかる」というものだ。教授たちの研究には、「あなたが誰と関わっているかによってあなたが誰だかわかる」ことを仮定するために、インテリジェンス情報とリンク解析が使用された。

「グループレベルで、ギャングのメンバーたちをつなぐ関係性や対立状態を理解すると、ランダムにギャングを選んで調査するより、犯罪や銃による暴力を減らす鍵となる大きな影響力を持つネットワークのノード（訳者注：武装勢力が拠点としている中でも重要な場所）がいくつかあるのではないかということがわかってきました。したがって、資金や人材をどう割りあてるかを考えるときに役立つので、データはとても重要なのです」とティタは言った。

まだ犯罪を行っていない人々から膨大な量のデータを集める／予測警備研究

こうした研究が進む中、カリフォルニア大学ロサンゼルス校で文化人類学を教えているP・ジェフリー・ブランティングハムという別の教授が新たにひらめいた。彼はこのようなデータを使えば、機械に犯罪を予測させることができると考えたのだ。つまり、犯罪者を特定し、彼らが犯罪を行う前に止めるというものだ。ブランティングハムと、グループの3番目のメンバーで数学の非常勤助教授だったジョージ・メーラーが、新しい法執行機関の手法の基礎となるアルゴリズムを構築した。教授たちはこのアルゴリズムを登録商標し、プレッドポルという名前の会社を設立した。プレッドポルは予測警備を短くした言葉だ。

「人間の活動の多くは、非常にシンプルな数学モデルを使って説明することができるのです」

とブランティングハムは言った。

「犯罪者というものは、成功したことをもう一度やりたがるものです」とハーバード・ケネディ・スクールに集まった聴衆に向かって、メーラーは言った。「彼らは似たような場所へ行き、同じような犯罪を繰り返すのです」。

「犯罪者というものは、本質的に狩猟採集民なのです」とブランティングハムはプレスリリース配信サービスを行う「サイエンス・デイリー」に語った。「彼らは犯罪を行う機会を探し回ります。ヌーとガゼルのどちらを獲るのか決めるために狩猟採集民が取る行動は、犯罪者がホンダかトヨタのどちらの車を盗むか天秤にかけるのと同じなのです」。

２０１２年、ブランティングハムとメーラーがサンタクルスに設立した会社は、予測警備に特化した最初の新興企業となった。３７０万ドル（当時の相場で約30億円）の初期ベンチャー投資資金で事業を始めると、たった3年で国内60の警察署がプレッドポルを使うようになっていた。「未来の可能性を検討して、合理的な予測ができるような警察活動に推し進めることはできるだろうか」とブランティングハムは思いをめぐらせた。「それを実現するために必要なのが、私たちの研究なのです」。まだ犯罪を行っていない人々から、膨大な量のデータを集めることによって実現する研究だ。

何が守られ、何が守られなくてよいのか／情報と諜報を区別する必要

アメリカン大学ロースクールのアンドリュー・ガスリー・ファーガソン教授は、このような技術に対して大いなる懸念を抱いている。「予測警備というのは、警察官や分析者が正しくデータを扱うことができれば何の問題もありません」と彼は警告する。プレッドポルは「犯罪が起きる前に犯罪を食い止めるという究極の理想を追う警備活動」を約束している。現実には、プレッドポルは「あらゆる法的および政治的説明責任をはるかにしのぐ技術」というものを実証しているとファーガソンは考えている。国立司法研究所が助成した研究も、同じような懸念を発表している。「人間はプライバシー保護法で何が守られ、何が守られなくてよいのかを決める情報と諜報を区別しなければならない」。

プレッドポルはどのようにデータを扱っているかについて明かしていない。パランティアのソフトウェアと同じように、プレッドポルも商標登録によって詳しい内容は守られている。「私たちはどのようにデータが入力され分析されているのかわかりません」。ファーガソンは誰が分析者たちを取り締まるのか、という疑問を投げかけて警告する。誰が諜報と情報を区別するのだろうか？　アルゴリズムにバイアスがかかったり、符号化した誤りが起こったりしない

よう、誰が確認するのか？　ケヴィン・Hが話してくれたパエンザイの農民が、アルゴリズムによって紫色の帽子を被った即席爆破装置の設置者と誤って認識され、危うく殺害されそうになった話は、間違いが起こることがありうるという1つの例だ。

2011年、タイム誌は、電気自動車や、麻痺した人々を歩けるようにする電機機器と並んで、プレッドポルを2011年の発明品ベスト50の1つとして選出した。それ以降、世論の関心は予測警備の技術に向けられるようになった。ムーブメント・アライアンス・プロジェクトという公民権擁護団体は、その技術に異を唱えているグループの1つだ。「このような、公判前からすでにリスク評価を行うツールは、使われる因子に人種や性別や経済的なバイアスを組み込んでしまう可能性があります。そうやって出された予測にもそれらのバイアスが組み込まれる可能性があるのに、そんな予測を彼らは〝科学〟と呼んでいるのです。リスク評価ツールはリスクを過剰に大きくしたり、大げさに予測する性質を持ち合わせています」と彼らは主張した。

アフガニスタンで展開した「ネットワークを攻撃せよ」という手法と同じように、プレッドポルは犯罪者を犯罪者かもしれない他の人物と関連づけるアルゴリズムを使っている。プレッドポルに使われているアルゴリズムは「基本的に、罪を犯す機会を探し回るという意味で、犯罪者を狩猟採集民と同じように考える」数学者たちによって作成された。アルゴリズムにも間違いは起こりうるということを理解するために、活動基準情報の分野の専門家であるパトリック・ビルトゲンは、イギリス人の統計学者ジョージ・ボックスの言葉を引用している。「すべてのモデルは間違っていますが、中には利便性の高いものもあります」。アルゴリズムは１つのモデルだ、と彼は言う。計算やその他の問題解決のための運用において、アルゴリズムは１つの過程、あるいは、一連の規則なのだ。「１つのモデルを構築するとき、私たちは個人の憶測にもとづいて構築するものです。それゆえに、その憶測はモデルを作る人の現実感に沿ったものになります」。ヴァイス・ニュースの２０１８年の暴露記事によると、プレッドポルのアルゴリズムは「ブロークン・ウィンドウズ・セオリー（割れ窓理論）」による取り締まりとして知られる、疑わしい法執行機関の戦略をもとに構築されたと発表した。ブロークン・ウィンドウズとは、割れた窓をそのままにしていると、別の窓が割られてしまうように、見るからに犯罪が起きたことがわかる現場をそのままにしておくと、他の犯罪が多発するという考え方だ。「プレッドポルは、すでに犯人が逮捕された場所の平均値を出して、警官にそこへ戻ればまた犯罪者がいると教える」とヴァイス・ニュースは報じた。

　パトリック・ビルトゲンは「人間は常にその中に存在しなくてはならない」と信じている。情報を扱う機会を常に監視する必要があると主張する。すでに書いたが、ビルトゲンは国防高等研究計画局のＡＲＧＵＳ（アルゴス）－ＩＳのエンジニアだ。アルゴスは戦場で使用するために開発され、世界で最も強力な監視カメラシステムが装備されていると言われている。２０１３年に国防総省が、この１・８ギガピクセルの監視システムについて、ＢＰＳテレビのノヴァという番組が取材することを許可したとき、番組のレポーターは1つのアルゴスで中規模の都市の上空を「１００基のプレデタードローンがホバリングするのと同等」の性能だということを学んだ。アルゴスは５３００メートルの上空から、地上で手を振る人が見えたり、長さ9センチの物を見分けたりすることができるほどの解像度でストリーミングビデオを撮影した。当時、そして現在、アルゴスが一体何にその鋭い目を向けているかについて、国防総省は回答することを拒んでいる。その技術は度肝を抜かれるようなものだったことは確かだ。「こうした技術が存在するということを市民が知るのは重要なことです。これは次世代の監視システムなのです」とチーフ・エンジニアのヤニス・アントニアデスは言った。

　そんな疑わしいアルゴリズムにもかかわらず、プレッドポルの予測警備技術は、ひそかにアメリカ中に広がっていった。２０２０年には、１０００を超える郡で警察署が予測警備システムを使用していた。「人工知能と刑事司法によって、悪魔はデータの中ですよ」とニューヨーク大学の法律学の教授ヴィンセント・サザーランドは言った。プレッドポルの創立者たちは自分たちが構築した製品とその方途（ほうと）について自信を持っている。「現在、プレッドポルはアメリカで33人に1人の人間を守ることをサポートするために使用されています」。およそ、アメリカ人の10％だと会社の広報担当者が正式に発表した。

殺害されたはずの男が、その後に4度逮捕され、そして生きているという記録

情報公開法要請書に対する返答を待つのは、戯曲『ゴドーを待ちながら』のようだった。私たちが待っているものが決して届かない可能性もあった。ビル・カーニーはどのようにして、アフド、ラヒム、カリムラ、そして、ジャマイの4人をザリ地区とパルヴァーン地区の即席爆破装置の爆発事件と関連づけたのだろうか？　リンク解析は法医学および生体認証データをもとに行われる。情報公開法によって要請したその他の書類に含まれる情報によって、質問の答えを見つけられることを私は願った。ここまで、4人の男たちは同じ一族で、血縁関係があるか、婚姻によって家族になったことはわかっていた。父親であるパエンザイ村の長老ハジ・モハメッド・アスラムは即席爆破装置につながる生体認証データはなかった、と弁護団は言ったが、彼の弟（カリムラ）と息子（ジャマイ）にはつながりがあった。カーニーによれば、もう1人の息子アブドゥル・アフドはグループの首謀者で、殺害の対象となっている最重要指名手配犯だ。アブドゥル・アフドは陸軍の捜査官たちに、腕を撃たれた拘束者モハメド・ラヒムの

義理の兄弟だと伝えたのだ。

２０１９年2月、私の情報公開法要請書に関する、機密解除された１０７ページにわたる政府文書を受け取った。自動生体認証識別システムのデータから抜粋される生体認証には2種類のファイルが存在する。１つは談話のような形式で、もう1つは何ページにもわたるデータが記載されている。例えば、電子指紋はそれぞれ個別に、数字、文字、シンボル、そして言葉のリストによって登録され、それぞれレポートを行った機関も同じような形で登録される。また、それぞれの接触には日付が記録される。ジャマイの文書には、戦場で採取された生体認証自動ツール、携帯身元検出装置、安全電子登録装置、ＤＮＡのサンプルに関する情報が何ページにもわたって記録されていた。実例を挙げると、「ジャマイ」の右手の人差し指は以下のように表示されていた。

データ・ファイル：U:\! DFBASTAFF\FOIA
要請／2018-03\GHAMAI\020140413-035906-DDSOCOM95.EFT
記録４ｂ：指紋画像
　右人差し指
単純指紋採取（ライブスキャン）、圧縮画像

幅：８００、高さ：７５０、圧縮率：16：1、オフセット：４３９２８、
長さ：３７１４７、ＩＤＣ：２　ＡＮＳＩ／NIST Image 1
MD5 hash：［次の身体部分へ続く］。

「ジャマイ」はどうも切断した指があったらしい。彼の指紋のデータには、失った身体の一部についても数値コードがつけられていた。きわめて退屈でつまらない量のデータを丹念に調べていくと、一見すると、陸軍のレポートが間違っているのではないかと思うようなデータの入力を見つけた。それは日付だった。ジャマイの文書の、ＤＮＡのサンプルを採取した記録の横にはこう書かれていた。

逮捕日時：２０１４年４月13日

ジャマイは２０１２年7月2日にクリント・ローレンスによって殺害されているはずだった。それが、彼は1年９カ月11日後に逮捕されているのだ。私の目の前にある機密解除となったデータでは、ジャマイは死んでいないのだ。事実、ジャマイは、アフガニスタン南部で、亡くなったとされる日から4回「テロリスト活動の疑い」という理由により拘束されていた。私が読

んでいた機密解除された文書には、この4度の逮捕は２０１４年4月13日、２０１５年1月9日、２０１５年3月30日、２０１７年5月12日となっていた。戦場で人物誤認があったのだろうか？　それとも、自動生体認証識別システムのエラーなのか？　あるいは、他に何か理由があるのか？

２００９年頃に国防総省が行った生体認証研修のプレゼンテーションで、「注意：データは、データを集めて入力した人と同じくらいしか信用できない！」と警告していたことを、私は思い出していた。スライドショーを作成した生体認証管理局は、この警告の部分に黄色いハイライトを入れていた。

「私たちはデータがどのように入力され分析されているのかわからない」とファーガソン教授は政府が運用する巨大なデータシステムのことを指して語っていた。「インプットにひずみがあれば、ひずみのあるアウトプットしかわかりません」。

深まる謎〝ジャマイ〟とは何者だったのか？

私は、憲兵総監部の情報公開法の職員デイビッド・Ｊ・マイヤーに、この件についてさらに詳しく調べてほしいと依頼する手紙を書いた。

「あなたがたはこの〝ジャマイ〟と特定された前述の男について、間違ったファイルを送ったのではないかと思っています」と私は書いた。「あるいは、クリント・ローレンスは、添付するアメリカ陸軍の記録によると、まだ生きている人を殺害した罪で刑務所に入っているかのどちらかです。どうか、ジャマイ・アブドゥル・ハク、BID# B2JK9−B3R3、の正しい自動生体認証識別システムのファイルを送ってください。もしくは、アメリカ陸軍の生体認証データベースのシステムにおいて、この男がいまだに生きている理由について説明してください」。

情報公開法の職員デイビッド・J・マイヤーの返事は、意外なほどに早く簡潔だった。「ジェイコブセンさん、私たちの生体認証機関は、あなたが提出した認証識別番号にもとづいて、送ったのは正しいファイルだと確認しました」。

一体何が起こっていたのだろうか？ ビル・カーニーはこの認証識別番号を、国防総省の自動生体認証識別システムのデータから入手した、とマーは言った。私は、フォート・レブンワースの軍刑務所の司令官に、人身保護嘆願書と共に提出したカーニーの宣誓供述書を改めて見直した。カーニーは、自身が提出した宣誓書は「一般的な捜査と、具体的には即席爆破装置のネットワークに関するアフガニスタンにおける捜査において専門家が使用する基準と手法にもとづいている」と保証している。

私はジョン・マーにメールを書き、情報公開法の文書にはジャマイがまだ生きているとされていると伝えた。ただちに、カーニーにインタビューしたいと申し出た。マーは返事のメールを送ってきた。「アニー、おはよう。内容を確認してもらうために、私たちが信頼する生体認証の専門家にジャマイの文書を送りました。しかし、あなたもお気づきのように、一目見ただけでこの文書は重要な部分だということがわかります。生体認証の専門家から返事をもらったら、その分析結果をあなたと共有したいので、電話をかけてもよろしいですか？　よろしくお願いします。ジョン・N・マー」。

どこに綻(ほころ)びがあるのだろうか？　謎は深まるばかりだった。国防総省のインテリジェンス情報の構成概念は、アイデンティティの問題を解決することを公約した。その生体認証のシステムは、身元の確認をするための究極の理想だ。それにもかかわらず、この状況では、二重殺人で有罪となった陸軍将校に殺害された被害者の1人の、本当の正体がわからないままだった。ジャマイとは誰なのだろうか？　彼は味方だったのか、それとも敵だったのか？　農民だったのか、それとも爆弾製造者だったのか？　そもそも、彼は本当に死んだのか、それともまだ生きているのか？

ビル・カーニーはまだアフガニスタンにいた。弁護団によると、彼は政府の機密の仕事をしているのだという。私は待たなければならなかった。

アフガニスタン戦争で展開された生体認証と監視システム、その後の使い道

アフガニスタン戦争の間、本当の正体を突き止めることが、統合参謀本部の病的な執着となった。国防総省は何百万人ものアフガン人に、あまりにも多くの個人的リスクを負わせようとした。パエンザイ防衛拠点周辺で展開した軍事作戦では、これは2つの方法で達成された。上空からは、後で利用するために、持続地上監視システムのカメラが地上の疑わしい人物の生活行動パターンを記録した。地上では、後で利用するために、そして、機密データベースに登録するために、ファースト・プラトゥーンのパラシュート兵のような歩兵が、地域に住む人々や通りかかった人々全員から生体認証情報を集めた。

アフガニスタンは激しい紛争地帯だったため、生活行動パターンに関するデータは、通常は空爆による個人の殺害を正当化するための証拠として使われた。その人間には名前がないかもしれない。つまり、例えば「3回地面と接触」というルールによってその人が即席爆破装置の

設置者だとするように、ある人物の行動が法律上の基準を満たしていれば、国防総省は自分たちが殺害した人物の正確なＩＤがわからなくてもよかったのだ。その後、歩兵たちは戦闘成果評価を行うために送り込まれ、死んだ人間から正確な情報を集めてくる。国防総省は機密の殺害および抑留者リストから、状況に応じて名前を足したり削除したりした。集めたデータのすべてを示すリストは、自動生体認証識別システムの中に保存する。

パエンザイ防衛拠点のファースト・プラトゥーンに何が起きたのかを書くために、調査や取材を行っているときに、持続地上監視システムという監視の技術がいかにパワフルで侵略的なのかについて知り驚いた。これらのシステムがアフガニスタンでどのように運営されているのかに関する情報は、談話としてほとんど公になっていない（発表されているものはほとんどがきわめて技術的な内容だ）。

アメリカ合衆国はアフガニスタンにおける戦争で敗北した。タリバンが国の主導権を握っている。法医学的および生体認証の証拠によって拘束されたり、投獄されたほとんどの爆弾製造者たちは、タリバンによって解放されていない。アメリカが主導したアフガニスタンにおける司法制度のプログラムは、明らかに法の支配を推し進めることはできなかった。すると、当然こんな疑問も浮かぶはずだ。同じ持続地上監視システムを、アメリカの法執行機関が、法の支配を理由に、自国に導入することは果たしてよいことなのだろうか？

アメリカでは、人はまず逮捕され、裁判を受け、判決を言い渡されなければ死刑にすることはできない。これは司法制度にとって、そして、法執行機関、裁判所、矯正施設にとって基礎をなすものだ。持続地上監視システムは、将来的に起きそうな犯罪を解決するために、アメリカの空の上をあてもなく飛び、ビデオ映像を撮影している。持続監視システムを運用する会社の1つに、持続監視システムズ社（PSS）がある。この会社は空軍の退役将校であり、物理学者で、マサチューセッツ工科大学で学んだ宇宙工学者のロス・マクナットによって設立された。

「私たちの目標は、都心部での殺人件数を減らすことです」とロス・マクナットは会社が設立された理由を語ってくれた。司法制度を通じて「難しい社会問題に対して科学による技術的な解決法をもたらす」という。マクナットは国防総省の最初のライブ映像つき広域持続監視システムであるエンジェル・ファイアの開発に関わった。ニューメキシコ州のロスアラモス国立研究所（マンハッタン・プロジェクトが原子爆弾を開発した場所）で改良された後、この監視システムはイラクのファルージャに飛んだ。マクナットは22年間過ごした軍隊を退役した後、法執行機関のために持続監視システムを構築した。当初、彼の技術に興味を持ってくれる警察署長を見つけるのに苦労した。彼の最初のクライアントは、メキシコ・ファアレス市のホセ・レイエス・エストラーダ・フェリス市長だった。2人は2009年、フロリダ州マイアミで開催された安全シンポジウムで出会った。

危険なメキシコの国境都市の上空を会社のセスナ機で飛行し、「私たちはライブで殺人が起きるところを目撃しました」とマクナットはそのときのことを私に話してくれた。当時、シナロアカルテルとフアレスカルテルという2つの犯罪組織が、フアレス市を「世界の殺人都市」と呼ばれるまでに荒廃させた。マクナットの監視カメラが上空を飛行し始めると、1時間もしないうちにリアルタイムで2件の殺人事件が起こり、その後すぐに5件の殺人事件が起きた。

メキシコで成功を収めたものの、アメリカ国内で興味を持ってくれる人が現れるまで何年もかかった、とマクナットは話していた。そして、2012年、デイトン警察署長のリチャード・ビエルにデモンストレーションでテスト飛行を行っているとき、説得力のある出来事が起きた。地上で、アネックスという小さな店で発砲と強盗事件が起きたという連絡が警察官たちに入った。真っ昼間の出来事だ。従業員が非常ベルを鳴らすと、強盗は逃げ出した。上空に監視システムがなければ、手がかりとなる道はそこで途絶えていただろう。しかし、持続監視システムのカメラが、次に何が起きたのかしっかりと記録していた。

強盗は店を出た後、サンドイッチ店のサブウェイまで車で移動し、そこで強盗に入った。店のオーナーが銃を取り出すと、男は逃げた。次に彼はファミリー・ダラー・ショップまで行き、店の中で数分過ごしてから立ち去った。家に帰る途中でクラークガソリンスタンドに寄って給油し、住宅街へと向かった。数時間後、持続監視システムのカメラはまだ男を追っていた。彼はファミリー・ダラー・ショップに戻り、そこで強盗を働いた。

マクナットの監視システムは、一般の人も購入できるキヤノンのカメラ12台を並べて小さなセスナ機に搭載したもので、都市の上空を円軌道上に飛ぶ。カメラは標準点と呼ばれるものに焦点を合わせ、それからレンズを地上の撮影したい場所に、足跡のような台形の形で一斉に下に向ける。画像はハードドライブに録画され、その後、マクナットのチームから派遣された法医学捜査官たちによって分析され、情報レポートとなる。

しかし、どのようにして疑わしい犯罪者の確実な身元がわかるのだろうか？　インフラが整備されていないアフガニスタンと違い、アメリカのどこにでもありそうなデイトン市には、防犯カメラやナンバープレート自動認識など、地上の監視システムのネットワークが張りめぐらされている。これらの情報源からデータを引き出せば、デイトン警察は強盗犯を特定し、有罪判決につながる立件を行うことができるはずだ。

２０１４年、ワシントン・ポストのクレイグ・ティンバーグ記者が、監視システムについてデイトンの住民にインタビューを行った。「犯罪を解決するのに役立つかもしれない監視技術は無数にあります」とデイトン大学で人権を専門にしている博士研究員ジョエル・プルースは言った。彼は上空監視に反対の立場を取っている。「犯罪がはるかに少ないところがどこだかわかりますか？　中国ですよ。かなり犯罪が少ないです」。

２０１６年、ブルームバーグ・ビジネスウィーク誌は、持続監視システムズ社がボルチモアの上空で広域監視を行っていると伝えた。カメラはフレディー・グレイの死において殺人罪で起訴されたボルチモア署の警察官の裁判で、裁判官が無罪の評決を下したときも回っていた。ボルチモアの住民は、そんなプログラムが進行していることさえ知らなかったので、自分たちが上から監視されているなど夢にも思っていなかった。

２０２０年4月9日、米国自由人権協会とメリーランド州自由人権協会は、市の上空にさらにハイテクな監視システムを展開することの合憲性を問題にして、ボルチモア警察署に対して訴訟を起こした。「このプログラムは、これまでにアメリカの都市で採用された中で、最も広範囲に届く警察の捜査網です」と、米国自由人権協会の弁護士ブレット・マックス・カウフマンは言った。「この技術は、あなたが家を出るたびに、あなたの後をつけてくる警察官と同じものです」。この訴訟の原告の1人であり、ボルチモアの知識社会活動家でラッパーのケヴィン・ジャイムズは、プログラムについてジョージ・オーウェルを思わせると言った。「暗く、悪意があり、不当です」と彼は言った。「誰かにずっと監視されているなんて、不安ですよね」。

しかし、これがパノプティコンの本質だ。誰かに観察されていると人々に感じさせるためのものなのだ。「ワシントン記念塔の最上部に設置されたたった1つのカメラで、ナショナル・

モール一帯で起こる犯罪を阻止することができますよ」とマクナットは信じている。上空監視の支持者たちは、誰かに見られているかもしれないという恐怖は実際に見られているのと同じようなインパクトがあるので、犯罪を減らすことができると主張する。何も隠すものがないなら、何も恐れることはないということだ。しかし、このような物の考え方は、管理するためのシステムとして18世紀にジェレミ・ベンサムが考えた実際の建物と比べて、概念的にも今日のデジタル・パノプティコンがはるか先をいくものだという重要な事実を見落としてしまう。21世紀のパノプティコンは司法制度の公平で公正な構成要素として信頼できると、完全ではないが満足のいく程度に受け入れるには、あまりにも多くの秘密を抱えている。

どんなときでも、すべての人が、どこにでも残していける〝DNAの指紋〟

2001年9月、19人の男たちによるテロ攻撃は、国家の安全を守るアメリカのシステムの不意を突いた。二度とあんな恐ろしいことが起きないようにするためにはどうすればよいのかたずねたとき、国防科学評議委員会は国防長官にこう答えた。「〝マンハッタン・プロジェクト〟のように、武装勢力を見つけ出し、追跡し、国家の安全を脅かす計画を突き止めなければ、テロに対する世界戦争に勝つことはできない」。それ以来、海外やアメリカ国内の数千万の人々が特定され、あるいは監視され、そして、まだ起きていない犯罪を将来的に確実に明らかにするために、彼らの生体認証情報がデータベースに登録されるのだ。

かつてアメリカ合衆国では、犯罪データベースに登録されるには、法律違反を犯さなければならなかった。しかし、犯罪を行ったという前提条件は、ひそかになくなりつつある。これこそ、スカリア判事がメリーランド州対キング裁判において、社会に対して遺伝子パノプティコンの危険性について警告したことなのだ。DNAの指紋とも呼ばれる、人それぞれに唯一無二のDNAのデータは、完全に誰にも知られず、あるいは、相手の同意なしに手に入れることが可能だ。なぜなら、DNAはどんなときでも、すべての人が、どこにでも残していけるものだからだ。どんな危険が行く手に待ち構えているのかを垣間見るために、12歳の少年からひそかにDNAのサンプルを取った、ニューヨーク市警の刑事たちに関する最近の事件について目を向けてみよう。

第20章　遺伝子パノプティコン

少年は、本人・保護者の認識や同意なしに、こっそりＤＮＡを採取された

２０１８年3月、ニューヨーク市警の刑事たちは、重犯罪の捜査中に逮捕した１人の少年に尋問を行っていた。そのとき、少年にはマクドナルドの炭酸ジュースが与えられた。少年はそれを受け取り、最後まで飲み干した。その後、刑事の１人がジュースの入っていたカップをこっそりと持ち去った。刑事はゴム製の手袋をはめると、カップからストローを取り、袋に入れて、ラベルをつけて、犯罪科学研究所に送った。そこで、技術者が少年の口内のＤＮＡをマイクログラム抽出した。彼らの目的は、遺伝子による指紋を採取して、犯罪現場に残されていた証拠と一致するかどうか確かめるためだった。１人の人間のＤＮＡからわかる遺伝子パターンは、すべての細胞と同じであり、その人の人生を通して同じ唯一無二の分別性が維持される。

少年のＤＮＡ分析結果は、地域ＤＮＡインデックス・システムのデータベースに登録された。

ＤＮＡのオリジナルサンプルは、ニューヨーク市検視局に保管された。

２０１９年、ニューヨークタイムズの記者、ジャン・ランサムとアシュレー・サウソルがこの話について伝えると、読者たちは大きな衝撃を受けた。本人や保護者の認識や同意なしに、どうして警察官が個人のＤＮＡ、特に、この場合は子どものＤＮＡを勝手に手に入れることができるのだろうか？　結果的に、少年のＤＮＡは犯罪現場のものとは一致せず、最終的に彼は重罪を免れた。しかし、少年の母親が、彼の遺伝子分析結果を政府の犯罪データベースから削除してもらうまで、１年以上かかったとランサムとサウソルは記事に書いた。

合衆国憲法修正第四条の捜索や押収に関する権利と、プライバシーへの権利が法廷で議論されるにつれ、科学捜査におけるＤＮＡの進歩は、サイエンスフィクションのようなスピードで進みつつある。私たち人類はどのようにしてここまでたどり着き、そして、社会はどこへ向かっているのだろうか？　ＤＮＡがどのようにファースト・プラトゥーンの物語の最終章に影響を与えたかは、炭鉱の中のカナリアだ。つまり、まだ起きていない危険について警告しているということなのだ。

世界ではじめてDNAの証拠によって解決した殺人事件

90年前、1892年のアルゼンチンの法廷で、血に染まった指紋が被告人に有罪判決を言い渡す証拠としてはじめて使われた後、科学捜査技術は遺伝子による指紋の発見によって、もう1つの革命的飛躍をとげた。それは1984年のことで、イギリス人の科学者アレック・ジェフリースはレスター大学遺伝子研究室で遺伝子の研究をしているときに、歴史的な偉業を成しとげた。

「科学の分野では、研究中にピンとくることはあまりありません」。科学捜査におけるDNAの研究でエリザベス女王からナイト爵(しゃく)を授けられたジェフリースは言った。遺伝子パターンは多段階の科学的プロセスで、生体サンプルからDNAを抽出するところから始まる。その後、酵素を使ってサンプルを切り離し、大きさによって分け、放射性プローブで処理され、そのいくつかがX線フィルムに映し出される。その結果は、バーコードに似たDNAの30以上の縞(しま)、あるいは、紐(ひも)のパターンだ。

ジェフリースのもともとの関心は、遺伝子を使って親子関係や移民問題の争いを解決するための方法を探したいというものだった。しかし、近くのナーボロウ村で起きた未解決の連続殺人事件によって、遺伝子による指紋を使って犯罪を解決することができないかという考え方が生まれた。

ジェフリースの科学研究所からそれほど遠くない場所で、連続レイプおよび殺人事件が起き、犯人が捕まっていなかった。2人の若い女性が死亡していたが、地元の警察は何の手がかりも見つけられずにいた。この身の毛もよだつ事件の解決に向けて、警察は歴史上ではじめて、大がかりな遺伝子学的検査を行うことを決めた。そこで、被害者の体内に残された精液の細胞からＤＮＡを比較するために、何千人もの地元男性に血液サンプルの提供を求めた。村のパブで、イアン・ケリーというパン職人が、同僚のコリン・ピッチフォークから彼の代わりに血液サンプルを提出してくれるように頼まれている会話を聞いた人がいて、ピッチフォークは最有力容疑者となった。相当な理由があるとみられて、警察はピッチフォークから血液サンプルを入手した。そして、彼の遺伝子パターンは犯罪現場に残されていた証拠と一致した。これは、裁判所において、連続殺人事件がＤＮＡの証拠によって解決した世界ではじめての事件だった。

相手側への伝達と、協力要請不要のＤＮＡ採取／しかし処理には時間と費用がかかる

大西洋を越えて、アメリカ国防総省はジェフリースの研究に興味を持った。１９９１年、軍部ではじめて科学捜査におけるＤＮＡ検査を行う場所として、アメリカ軍ＤＮＡ鑑定研究所が設立された。メリーランド州ロックビルで、国防総省の葬儀屋と技術者が、本国に戻ってきた陸軍、海軍、そして、空軍の兵士たちの遺骨の一部から身元を特定した。それらのほとんどは、ベトナムなどかつての戦地に散らばっていた人骨や歯だった。戦争で亡くなった人々の遺族からサンプルを提供してもらったが、身元を特定する作業は長く骨の折れるプロセスだった。国防総省には、固い決意と資金があった。それでも、研究所での作業、分析、そして、専門家間の相互評価に平均で24カ月かかった。

翌年、国務長官の強い要請により、国防総省は、亡くなった兵士たちだけではなく、軍務に就いている現役の兵士たちも登録するようになり、データベースは拡大していった。イラクの砂漠の嵐作戦から戻ってきたすべての軍隊から血液のサンプルを提出させた。紙カードに「50セント硬貨大の染みができるように、血を2滴」と、詳細を求められた空軍のバーノン・アームブラストマッチャー大佐は説明した。アメリカ軍はＤＮＡのサンプルを、研究所の地下に保

存した。それぞれの紙カードは真空包装の封筒に入れられ、マイナス15度に設定された冷凍庫の中に入っている。その5年後、国防総省は120万人分の軍人のDNAサンプルを保管していた。20世紀の終わり頃には、軍服を着たすべての兵士のDNAサンプルが保管されるようになっていた。2019年3月29日、国防総省は、1992年から集めてきたすべての軍人の遺伝子カタログとも言うべき800万人目のDNAカードを登録した。

外国人のDNAサンプルに関しては、2001年2月、軍部や情報コミュニティーのメンバーからなる小さなグループが、世界の最重要指名手配犯の遺伝子による指紋を保管する検索可能な極秘データベースの構築を提案するまで、アメリカ軍が公式に行ったプログラムは存在しなかった。ブラック・ヘリックスと呼ばれるそのプログラムの存在は、国防科学評議委員会の国防生体認証に関するタスクフォースが発表した2007年の公式なレポートの中で、たった1行だけ触れられていた。「疑わしいテロリストを特定し、追跡するために、生体分子データを保存し、検索し、解析することに焦点を当てた、確実な保存性と双方性を備えたデータベース」として、ブラック・ヘリックスは開発された。

国防総省の科学顧問たちにとって、アメリカ軍が当時力を入れていた3つの生体認証（つまり、指紋、虹彩スキャン、顔画像）に加えて、DNAは非常に魅力的だった。「DNAに残る痕跡は、高い頻度で〝犯罪現場〟で見つかることがある」と国防科学評議委員会の顧問たちは注目した。さらに、「私たちは相手側の協力を必要とはしないし、ましてや、登録することを相手に伝えなくてもよいのだ」。一方マイナス面としては、DNAは「処理するのに時間がかかり、費用も安くないことだった」。確かに、2007年時点ではそうだった。しかし、イラクやアフガニスタンのアメリカ軍の刑務所で拘束された外国人兵士から採取した、処理できないほどに膨れ上がったDNAサンプルに端を発し、そうしたすべてが変わろうとしている。

遺伝子界に大きな影響をもたらしたリチャード・セルデン医師のアイデアと、彼のDNA世界への旅路

国防総省は、合同連邦政府関係機関情報DNAデータベースと呼ばれる、新しいDNAのデータベースを構築した。2007年当時、DNAデータベースにはすでに1万5000件の分析結果が含まれていたが、分析待ちの新しいサンプルが3万ほど処理されずに残っていた。その処理のスピードを上げるために、国防総省は連邦捜査局に協力を求めることはできないか検討を始めた。しかし、連邦捜査局のクアンティコの研究所もまた、同じように対応に追われていた。1年間に9000ほどのサンプルが届いていたが、連邦捜査局は2つのサンプルを手作業で3日かけて処理していたのだ。DNA研究所の作業は慎重を要し時間がかかるが、中でも

注目すべきは専門家同士の相互評価だった。１人の専門家が行った作業について、どこかに誤りがないか別の専門家が確認を行い、そして再確認するプロセスだ。問題はスピードであり、そのスピードが欠けていたことが、戦闘生体認証としてのＤＮＡ利用が広く拡大しない要因だったのだ。電子指紋の照合に数秒しかかからないことを考えると、それは対照的にとりわけ進み具合が遅すぎると感じられた。

そんなとき、ハーバードで遺伝子学を学んだ元小児科医のリチャード・セルデン医師が、遺伝子界に大きな影響をもたらすあるアイデアを思いついた。彼は、ＤＮＡテストを研究所の中から戦場に持っていこうと考えた。セルデンは、研究所の品質を保ちながらあまり人的労力を必要とせずに、ＤＮＡの分析結果を2時間以内に届けることができる、小さくて頑丈な自動機器を発明することにした。それが、彼の目標だった。それこそ、まさしく国防総省が求めていたものだったのだ。

多くの発明家と同じように、若いリチャード・セルデンが想像を膨らませ新しいものを創り出そうとしたのは、1冊のサイエンスフィクション本に触発されたからだ。それは『ヨシュア：父なき息子（仮題・未邦訳）』という1973年に出版されたノンフィクション作品だった。あらすじは、ダラスの病院から、殺害されたケネディ大統領のＤＮＡのサンプルを盗み、大統領のクローン人間を作り出す1人の医師の物語だ。医師の目的は、再び大統領にするために、ジョン・F・ケネディのクローンをホワイトハウスに連れていき導くことだった。ところが、物語の中では運命と状況は科学をしのぐもので、ジョン・F・ケネディは再び暗殺されてしまう。

「未来に起こることを止めることはできません」とセルデン医師は私に言った。2019年、カリフォルニアのパームスプリングスで開催された人物同定に関する国際シンポジウムで、彼にはじめて会ったときのことだ。しかし、『ヨシュア：父なき息子』の物語は、子どもだったリチャード・セルデンの心に小さな種を植えた。

「いろいろなアイデアをもらいました」と彼は言った。

セルデンが科学捜査におけるDNAの世界へと進んだ自分自身の旅について振り返るとき、この分野における何十年もの経験についてさまざまな思いがめぐる。刑事司法情報サービスの元トップを務めたトム・ブッシュが1950年代生まれのように、セルデン医師もほとんどオートメーション化前の世界で生きてきた。1970年代や1980年代は、まさにその理由でフラストレーションがたまる時代だった、と彼は回想した。情報技術（IT）やコンピューターの技術の大幅な進歩については見てきたが、DNAの分野ではその進歩が格段に遅いことを嘆いている。セルデンの目には「1940年代にジョン・フォン・ノイマンが、プリンストン大学の地下室でエニアック（電子計算機）を発明してから」情報技術は発展してきた。「IT

の研究者たちは地下室から出てこられたのに、ＤＮＡの研究者たち、つまり、分子微生物学者はまだ象牙（ぞうげ）の塔の中で暮らしている」。ハーバード大の大学院生として、それまで誰もやったことがなかった植物の遺伝子を染色体上に位置づける作業をしながら、自分たちの研究は難解すぎるのだ、とセルデンは理解するようになった。世間一般の見解は、「日々のＤＮＡは、ほとんどの人々の生活に影響を与えない」というものだった。しかし、セルデンはこれに異議を唱えた。「ＤＮＡは、日常的にすべての人に影響を及ぼすものだ」と彼は信じていたのである。

戦場において携帯でき、正確で耐久性があり、鑑定結果を迅速に出す、ＤＮＡ特定システムの研究開発

１９８０年代、ボストンの緊急救命室の小児科研修医として働きながら、セルデンはあることに気づいた。当時は試行錯誤の治療だったため、「不適正な処方による抗生物質の使用」と並んで、感染症は子どもの死因の第1位だった。ある晩、死の危機にあった子どもの患者の検査結果を待っているとき、セルデンは単純な真実に気づいた。「医師は時間との勝負だ」と。セルデンはこの抗生物質の問題について研究するために助成金を探したが、出してくれるところは見つからなかった。「すべては前提条件ありきなのだ」と彼は悟った。

それから20年近く過ぎた。そして２００５年、セルデンは国立司法研究所から、法執行機関のために遺伝子検査を迅速化することを研究するために助成金を勝ち取った。その世界のつてをたどっていったとき、セルデンにとって関心のある分野に対して、国防総省が資金を提供する用意があることを知ったのだ。子どもたちのために対抗生物質の遺伝子を特定する研究はできなかったが、戦場では即席爆破装置の部品に残されたＤＮＡの特定における需要が急速に高まっていた。

「国土安全保障省や軍部の関係者と話してわかったことは、ＤＮＡの結果を迅速に出すというのは、実のところ国家安全において欠かせない部分だということでした。軍部の人が敵か味方かの結果を受け取るまでに、24カ月も待つことができますか？」とセルデンは言った。

国防総省からの元手を使って、セルデンと、彼が設立したアンデという会社の社員から選んだチームのメンバーは、正確で、耐久性があり、迅速なプロセスを確立するために作業を開始した。その作業は国防総省の要求を満たすものでなければならず、乗り越えなければならない大きなハードルがあった。注射針ではなく綿棒で採取するＤＮＡのサンプルは、純化しなければならなかった。有効なＤＮＡからジャンクＤＮＡをすばやく取り除く、軽量なシステムを開発する必要があった。なぜなら、野外には華氏零下の冷凍庫はなく、サンプルはフリーズドライしなければならなかったからだ。大きな電子レンジくらいのサイズで、Ｃ－１３０航空機に搭載しても、トラックの荷台から落ちても、耐久性のある携帯用ＤＮＡ鑑定システムが必要だったのだ。また、目立つパーツが壊れるようなものではだめだった。つまり、オンやオフのスイッチはつけられない。「国防総省は小学6年生でも使いこなせるものにしてほしいと言いました。神童ではなく、普通の小学6年生という意味です」と彼は当時のことを振り返りながら言った。

研究には何年もかかった。２０１２年、セルデンとチームのシステムは完成間近だったが、連邦捜査局がさらに精密度の高い基準を導入すると発表した。「それはよいことでしたが、私たちの作業に遅れが出ました」と彼は言った。器具や仕様の変更を余儀なくされたが、彼らは作業を推し進めた。２０１４年、ついにセルデンとチームはその発明品を完成させた。研究所で行うのと同じ水準の結果を94分で検査できる、携帯用の迅速なＤＮＡ鑑定システムだ。ＤＮＡはいまや、紛争地帯で活動する国防総省に期待される生体認証ツールとして他をリードするまでになっていた。94分で鑑定できるＤＮＡテストは、部隊行動基準によって定められた釈放、または、長期の拘束の決定前に結果を確認することができた。「ＤＮＡはずば抜けて正確な生体認証です」とセルデンは明言した。「指紋は86％正確です。しかし、ＤＮＡは99・9999999％正確です。小数点第十位まで9がつくほど正確なのです」。

しかし、２０１４年になると、国防総省は軍隊をアフガニスタンから引き揚げ始めていた。

ということはつまり、セルデンのＤＮＡシステムが戦場ではあまり使われないということだった。その代わりに、この技術は国防総省のパートナーである他の法執行機関によって、アメリカで利用されることになる。しかし、犯罪科学におけるＤＮＡ鑑定は、アメリカ国内で斬新でまったく新しいビジネスを生み出した。それは、機密扱いではないＤＮＡリンク解析を利用する新しいシステムだった。セルデン医師が、そんなことになるとは予測できなかったという方向へ進んでいった。

ＤＮＡデータに関するいくつかの最悪なシナリオ

２０１０年、フロリダ州の定年を迎えた2人のビジネスマンが、「ジェドマッチ」と呼ばれるゲノミクスのウェブサイトを立ち上げた。オープンソースのデータベースを立ち上げた目的は、養子となった人が生みの親を探し出したり、家族が行方不明の身内を探したり、研究者が家系図を書き込んだりする作業を手助けすることだ、と設立者の2人は述べた。サイトの登録は無料だった。ユーザーたちは、「23アンドミー」のような民間の検査会社で鑑定したＤＮＡデータをアップロードした。何十万ものアマチュア調査員や系図学者が気軽にオンラインのデータベースを利用して、誰と誰が血縁関係にあるのか調べるようになっていった。しかし、ユーザーやジェドマッチの誰もが知らない間に、法執行機関の職員たちもこのデータベースを利用していた。犯罪科学家系図と呼ばれるプロセスを使って、連続殺人犯や凶悪犯罪者の家族や親戚に関する情報を極秘に入手していたのだ。

その1つの事例が全国ニュースとなった。カリフォルニア州の法執行機関の職員が、「黄金州の殺人鬼」としかわかっていなかった連続殺人犯の疑いがある人物のDNAデータをジェドマッチにアップロードした。捜査員たちは黄金州の殺人鬼と血縁関係の可能性がある人々を1つのグループにまとめ、そこから、疑わしくない人たちを除外していった。最終的に、彼らの捜索の的は、ジョセフ・ジェームズ・ディアンジェロという引退した元警察官に絞られた。2018年、犯罪科学家系図によって逮捕または捜索するための相当な理由があるとされ、刑事たちはディアンジェロのゴミからDNAサンプルを入手し、鑑定結果が一致したため逮捕に至った。

ジェドマッチのDNAのデータから、黄金州の殺人鬼が特定され逮捕されたことを国民が知ったとき、アメリカ全土に議論が沸き起こった。

DNAのデータは保護されるべきではないか？　これはプライバシーの侵害ではないのか？　それによって判明したのは、ジェドマッチのデータベースに任意で自分たちの情報を登録した人々のＤＮＡのデータを守る法律は存在しなかったということだ。ＤＮＡによって家族がつながるということは、ユーザーがその存在を知らなかった親戚であろうと、連続殺人犯であろうと、あるいは法律を順守する市民であろうと、同じように保護されていないということになる。その事件以降、規則は変わったが、データはすでに入手できる状態になっていた。一度公表してしまったデータは、無限に複製され、取り込まれ、集積されてしまうものだ。

　中国を見ると、いくつかの最悪なシナリオがすべて悪い方向に進んでしまうことがわかる。中でも注目すべきは、国が特定のグループに所属する人々を国家安全保障上の脅威と判断するときだ。２０１６年、中国政府は年度体検と呼ばれる国が命じたプログラムを発表し、強制的にＤＮＡのサンプルを採取して、すべてのウイグル人を鑑定して登録するようになった。ウイグル人はイスラム教徒の少数民族で、中国北西部の新疆（しんきょう）ウイグル自治区で暮らしている。「人々の中には北京のやり方に抵抗する人もいました」と、この問題の専門家であるアナ・ヘイズ博士はコメントした。多くが北京語を話すことを拒（こば）み、その一方で、独立運動を行う人々もいるが、西洋ではそのような行為が犯罪とみなされることはほとんどない。しかし、中国共産党はどんな批判でも、国家安全保障上の脅威とみなす。これまでに80万人から２００万人のウイグル人が、再教育プログラムという名のもとに、本人の意思に反して強制収容所に拘束されていると言われている。翌年の２０１７年、中国の国営通信社である新華社は、ＤＮＡサンプルの他に、年度体検によって３６００万人のウイグル人の虹彩スキャン、顔画像、声紋などの採取が行われたと報じた。

「すべての国民のＤＮＡを含む生体データを強制的に集めることは、国際人権基準に対するひどい権利侵害です」と、ヒューマン・ライツ・ウオッチの中国代表ソフィー・リチャードソンは言った。また、アメリカ国防総省がアフガニスタンで行ったプログラムに対しても、問題提起を行ったが無視されたという。

中国のＤＮＡ捜査網に使われたのは、アメリカの企業が開発した技術だ。その中には、マサチューセッツ州を拠点とするサーモフィッシャーサイエンティフィック社が作った機器も含まれている。そして、このプログラムの侵略的な副産物の少なくとも１つが、中国ではなくここアメリカ国内で明らかになっている。中国の公安部は、ウイグル人の家族で自分の民族性を国政府から隠そうとしている人々を探し出すために、犯罪科学家系図を利用している。中国政府は、エール大学医学部の名誉教授で遺伝学者のケニス・キッド博士が集めた、ウイグル人２１４３人分の遺伝子データを購入した。キッド博士はこれらの遺伝子データは学術研究のために収集したと言った。「私は、中国との共同研究のためにサンプルを共有するのだと思っていました」とキッド博士はニューヨークタイムズの記者に語った。

「本当に」注意を払うべき、科学による監視ネットワーク

科学はこれまで想像もしなかった領域へと前進し続ける。フロリダ州ディアフィールドビーチの研究所において、ＤＮＡラボ・インターナショナル社と遺伝学者たちは、科学をさらに推し進めた。彼らはＳＴＲｍｉｘという商標登録された独自のソフトウェアを使って、ＤＮＡからマイクログラム採取された情報により、犯罪者がどんな顔をしているのか特定する方法を開発したのだ。このプロセスは確率的遺伝子型判定と呼ばれる。２０１７年に始まった確率的遺伝子型判定による、目、髪、肌の色などの人間の形質の予測は、これまで裁判所で採用されてきた。ちょうど、犯罪者がどんなふうに見えるか似顔絵画家が絵を描くのと同じようなものだ。このままいけば、遺伝子から人の容姿を予測してそのモデルを作ることができる日がくるかもしれない。

「最終的に、確率的遺伝子型判定を使って事件を証明することが、将来的に新しい基準となるでしょう」とＤＮＡラボ・インターナショナルの広報担当者サマンサ・ワンゼックはコメントしている。

リチャード・セルデン医師の迅速ＤＮＡシステムは、アメリカ中の法執行機関で使われるよ

うになると、その技術がニュースの種となった。最初は、ほとんどが好意的なものだった。2018年秋、カリフォルニア州のパラダイスで起きた山火事によって85人が亡くなったとき、サクラメント郡の検視官は、セルデンの機器を使って、白骨化した2体を除いてすべての遺体の身元を特定することができた。その翌年、サンタクルス島の沖合でダイビング・ボートが炎上して焼死した34人の犠牲者の身元をアメリカ沿岸警備隊が特定したとき、セルデンのシステムがその解決に一役買った。それ以外の方法では、「認識できない」遺体として不明のままだっただろう。どちらの場合も、迅速DNAシステムによって、大きな悲しみと危機に直面して取り乱している遺族は、遺体が特定されたことで一区切りつけることができた。そこで人々は、すばらしい技術だと受け止めたのだ。

その後2019年に、ワシントン・ポストは、「前例のない」試験的プログラムの一環として、司法省がアメリカの国境に到着する移民たちからDNAサンプルを採取するために、セルデンのシステムを使っているというニュースをいち早く報道した。そのため、迅速なDNA鑑定という概念は、暗いニュアンスを含むようになった。その利用者は、国土安全保障省、移民税関捜査局、保健福祉省、そして、パランティアテクノロジーズだ。パランティアといえば、国防総省や数々の情報コミュニティーのパートナー会社が、海外でどのターゲットを登録し、追跡し、居場所を探し、合法的に殺害するかを特定する作業に協力しているあのデータ集約会社だ。

アメリカ国内の監視ネットワークが、パランティアの協力のもと、どれほどきわめて厳格に構築されているのかが明らかになるまでにまだ1年かかるのだが、それは世界的規模のパンデミックがきっかけとなってわかったことだ。持続地上監視システムのオペレーターであるケヴィン・Hが、本書の執筆のために受けてくれたインタビューですでに警告していたような筋書きだ。

「アメリカ軍によるパランティアの技術の応用はすばらしいものです」とケヴィン・Hは、2019年に私に言った。しかし、彼は同時に他の動きが計画されていると警告した。つまり、アメリカ合衆国で大勢の人を追跡するために、政府はパランティアを採用するかもしれないと示唆していたのだ。2020年秋に直接会ったとき、ケヴィン・Hはこうつけ加えた。「パランティアにできることは、ビッグ・ブラザーのレベルです。人々は注意を払うべきです。本当に」。

クリント・ローレンス中尉事件の驚くべき真相

生体認証の専門家ビル・カーニーと電話で直接話したいと希望してから、数カ月が経過した。

その理由はいつも同じだった。カーニーは政府の機密プログラムに従事している、とジョン・マーは言った。彼は私に、８人の共和党下院議員がトランプ大統領に宛てて書いた、クリント・ローレンスの件への介入を懇願する手紙を見せてくれた。アメリカ連邦議会の公式のレターヘッドがついた便箋に書かれたこの手紙は、ＤＮＡをめぐる不可解な詳細について言及していた。「親愛なるトランプ大統領」と始まっていた。「起訴されたときには相手は一般市民だとされていましたが、攻撃の後に見つかった指紋とＤＮＡの証拠では、彼らは敵の戦闘員だということが特定されました」。

下院議員たちは、「攻撃が起きた後に」採取されたＤＮＡの証拠が問題だと大統領に訴えた。機密解除になった陸軍犯罪捜査司令部のレポートによると、殺害のあった２０１２年7月２日、ファースト・プラトゥーンは男たちのＤＮＡを採取しなかった。それでは、男たちのＤＮＡのデータはどこから来たのだろうか？　カーニーが国防総省のＤＮＡデータベースにアクセスしたとき、そのデータがあったということは、実際には陸軍の捜査官たちが遺体を掘り起こして調べたということなのだろうか？　もし軍事捜査官たちが殺害された男たちのＤＮＡサンプルを採取しておいて、それを裁判で提出していなかったとしたら、それこそ驚きだ。

その後、弁護団はもう1つの爆弾発言をした。ここでは、カーニーのリンク解析がさらに衝撃的な内容を明らかにしたのである。「イスラエル・Ｐ・ヌアネス二等軍曹はバイクに乗っていたジャマイによって殺害された」とドン・ブラウンが自費出版した本の中で書いたのだ。その内容について、彼はフォックス・ニュースでも語っている。この場合もやはり、その詳細はきわめて異様だ。「生体認証のデータベースには、アメリカ兵を殺害した爆発事件に番号がついている」と彼は書いた。「クリントの事件では、ＩＥＤ　ＥＶＥＮＴ　＃12／１２２９という番号が、バイクに乗っていたジャマイと爆弾の爆発につながっていた……つまり、ジャマイのＤＮＡがこの爆弾に付着していたということなのだ」。

これは本当に信じられないような話だ。もしジャマイの爆弾が本当にイスラエル・ヌアネス二等軍曹を殺害していたとしたら、それは本当に驚くべき話の展開である。下院議員たちと弁護団にとって、ヌアネスはただの名前に過ぎないかもしれない。戦争で命を失った悲劇の兵士の1人だ。しかし、ファースト・プラトゥーンの兵士たちにとって、ヌアネスは爆発物処理のスペシャリストだったのだ。

サミュエル・ウォーリーとダニエル・ウィリアムズにこの話を伝え、戦争という得体の知れない現実について話をするために、私はジョージア州へ向かった。あのアフガン人の男たちの1人が、ヌアネスを殺害することになった爆弾を製造していたとしても、陸軍の部隊行動基準によれば、ローレンスは非合法的に男たちの殺害を命じたということになる。ファースト・プラトゥーンのパラシュート兵たちはどうかというと、多くの軍関係者から非難され、疎外されたにもかかわらず、彼らは自分たちの主張に対して毅然と構えていた。個人としても、プラトゥーンの一員としても、ローレンス中尉が戦場で行ったことは違法であり、彼は法によって正しく有罪判決を受けたと信じていた。

「ローレンスの行為は、誇りを持って兵役についているすべての兵士を侮辱するものです」とスワンソン大尉は私に語った。「相手に納得するか否かは別として、私たちは部隊行動基準に従うものなのです」。

「戦争とはつらいものです」と、2015年、ウィリアムズ二等軍曹はニューヨークタイムズのデイヴ・フィリップスに語った。「巻き添えになる一般市民が被害に遭うことはあります。それは、私もわかっています。私にも私だけにしかわからない話があるのです。しかし、あれはこれとは別の話です。ローレンスが行ったのはただの殺人です」。

ジャマイの爆弾がヌアネスを殺害した可能性があるというのは、本当に驚くばかりだ。理解しがたいほどにありえないことのようでもある。ウォーリーとウィリアムズと直に会って話を聞くことは、貴重な体験になるに違いなかった。あまりに多くの生体認証のデータがしっかりと集計され検証されていなかったのである。

第21章　世論という裁判所

その後のファースト・プラトゥーンの兵士たちを見舞った出来事

2019年夏、私はサミュエル・ウォーリーと直接会うために、ジョージア州へ向かった。それまでのインタビューはすべて電話で行っていた。サミュエル・ウォーリーはそのとき27歳で、身長183センチだった。緑の目、砂色の髪、体重は80キロで、きちんと整えられたあごひげを生やしていた。彼は健康で堂々としていて、柔術の練習を行い、近くのジョージア湖でジェットスキーを楽しんだ。ウォーリーは右足の膝から下がなく、また、左手の肘から下がなかった。その部分の皮膚は手術によってねじれていた。

ここジョージア州ゲーンズビルの駐車場で、ウォーリーは一緒に歩きながら、じっと集中して、私や周囲に注意を払っている。チタン製の義足をつけて、彼はほとんど完璧にバランスを保って歩いている。彼の左脚の一部はくぼみ、火傷（やけど）と皮膚を移植した痕（あと）があった。脛骨は別の人の体から移植したものだった。ウォーリーは２０１３年に死体臓器移植を受け、左脚の手術は成功した。ウォーリーは通気性のよい野球帽、ズボン、そして、Ｔシャツを身につけていた。「手脚を切断すると、体温の調節がうまくいかない問題が起こります」と彼は言って、体温調節合併症について説明してくれた。短くまとめると、「脳はまだ手脚がそこにあると考えてしまうということです」。

戦争で負傷するまで、彼の左腕には原子爆弾のタトゥーが2つあり、その横には「カオス」と彫られていた。それは彼の高校時代のあだ名だ。２０１２年6月6日、「カオス」は即席爆破装置によって吹き飛ばされてしまったが、マンハッタン・プロジェクトで生まれた原子爆弾（ファットマン）のゆがんだ絵の一部は残っていた。

ファースト・プラトゥーンがアフガニスタンへ行き、1カ月間にザリ地区で起きたさまざまな出来事によって多くの兵士たちの人生が一変してしまったあのときから、7年の歳月が流れていた。アメリカ合衆国に戻ってからも、プラトゥーンはさらに大切な仲間を失って苦しみ続けた。最初に亡くなったのはマーク・カーナーだった。彼は爆発によって臀部を失った。ドイツの陸軍病院で、体の中に残っていた爆弾の金属片を調べるためにボディ・スキャンを行ったとき、医師は癌を発見した。

「しばらくは、彼も順調に回復していました」とカーナーと親しかったトッド・フィッツジェラルドは当時のことを振り返って言った。「寛解期ですべてはうまくいっていたのですが、癌が再発しました」。マーク・カーナーは２０１５年2月、24歳の若さで亡くなった。

マシュー・ヘインズはその6カ月後の２０１５年8月に亡くなった。血栓による彼の死は、みなの心を引き裂いた。麻痺し、車イス生活を強いられていたが、最後まで彼は楽観的で情熱を失わなかった、とジェイムズ・ツイストは語った。ペンシルバニア州ヨークのマウント・ローズ墓地で行われた21発の礼砲によって、ヘインズの命とその功績が称えられた。第82空挺部隊から40人のパラシュート兵が参列した。マシュー・ヘインズは24歳の若さだった。

「ヘインズが亡くなってから、私はなんだか気が変になりました」とウォーリーは私に話してくれた。「悪夢がひどくなりました」。痛みを和らげようとして、彼は大量の酒を飲んだ。ウォーリーはジョージア州の小さなアパートに1人で暮らしていたが、そのほとんどの時間を多数収集している武器の手入れに費やしているという。「同じアパートの住民は私のことを、パーティー好きで、ＰＴＳＤのために薬を飲んでいる、少しいかれた兵役経験者だと思っています。ほとんどの人たちが私のことを怖がっていました」。

ある晩、家で1人、銃の手入れをしているとき、ウォーリーは人生の岐路に立った。「グロックの銃は引き金を引かないと、拭くことができないのです」と彼は説明した。偶然、彼は天井に向かって撃ってしまった。近所の人たちが警察を呼んだ。「私は暗視眼鏡をかけ、防弾チョッキを着ていたんです。警察はそのことを考慮に入れたのだと思います。スワットチームが到着しました」。

警察やスワットチームが建物を取り囲むと、彼は手を上げた状態で出てくるように命じられた。ウォーリーは従った。そのとき、彼は義肢を装着していた。古いタイプで手の先がフックになっているものだった。

「ひざまずけ！」と1人の警官が怒鳴った。

「膝は1つしかないんだよ」とウォーリーは叫び返した。「ひざまずいたら、頭から倒れ込んでしまうよ」。

ウォーリーは酔っていた。カメラが回っていた。警察官の1人が注意深く彼に近づいてきた。女性の警官だった。

「彼女は義肢のフックに手錠をかけました。それは落ちてしまいました」。

警官たちは言い争いを始めた。

「どうしてちゃんと手錠をはめることができないんだ？」1人が叫んだ。

「手が1つしかないからよ」と女性警官は怒鳴り返した。

この事件でウォーリーは2つの加重暴行罪、無謀な行為、そして、テロの脅威行動で起訴された。

「私は40歳くらいに見えました」。

何週間にもわたって大量に酒を飲み、ウォーリーは自殺しようと決めた。

「ナイフで首を切ろうと思いました」。

ウィスキーをボトル1本飲み干した。いざ死のうとしたとき、彼の父親が連絡なしに訪ねてきた。

「ドアはロックされていましたが、私は鍵を持っていました。バスルームへ行くと、そこに彼がいました。車イスから落ちて、床に転がっていました」とウォーリーの父ケリーは私に話してくれた。「義足はつけていませんでした。断端が見えていました。息子は首にケイバーナイフを当てていました。〝息子よ、そんなことはしないでおくれ〟と私は言いました。〝もうこれ以上耐えられない〟と彼は答えました。私はただ息子の隣に座りました。彼もナイフを置きました。そして、アフガニスタンで一体何があったのか話してくれました。もう彼1人では抱えきれなくなっていたのです」。ケリーはそのとき、息子に必要なのは同じプラトゥーンにいた仲間に連絡することではないかと考えた。

「私はハガードに電話しました」とそのときのことを振り返って、ウォーリーは言った。

「ハガードは〝今から来いよ〟と言ってくれました」。

ウォーリーの父が運転し、8時間後、彼らはオハイオ州のハガードのアパートにいた。

「リュールが亡くなったという電話を受け取ったとき、私たちは一緒にいました」とウォーリーは言った。またしても、理解することが難しいショックな出来事が起きた。インディアナ州フォート・ウェインに住んでいたジャレッド・リュールは、友だちの家の車庫でパーティーに参加していた。そこで突然言い争いが起きた。リュールは拳銃を持っていた。彼もPTSDに苦しんでいたのだ。

「リュールの兄が間に入って、銃を取り上げようとしました」とウォーリーは言った。拳銃が暴発して、リュールの腹部に当たった。彼はすぐに病院に運ばれたが、そこで亡くなった。ジャレッド・リュールは24歳だった。

リュールの葬儀に参列したウォーリーは、あることに気づいた。「開いた棺の中のリュールの顔を見ていたら、もしこのまま自分を変えることができなければ、次は私の葬式だと思いました。私は兵経験者のためのリハビリテーションプログラムに参加しました。そして、戦闘で手足を失った帰還兵たちをサポートするようになったのです」。

ウォーリーは完全に立ち直った。大学で学ぶことに全力を注ぎ、めきめきと才能を伸ばしていった。そして、下院議員のダグ・コリンズのもとでインターンシップを始めた。同じプラトゥーンの仲間たちに大いに刺激を与える存在となった。他のメンバーたちも戦争の痛手から、少しずつ立ち直っていった。そんな矢先の２０１７年1月、クリント・ローレンスが殺人容疑で不当に有罪判決を受けたという話が、ものすごい速さで全国ニュースとなって広がった。

大統領に就任して6日後、ドナルド・トランプはフォックス・ニュースの司会者ショーン・ハニティーをホワイトハウスに招待し、新しい大統領として最初のインタビューを受けた。

「大統領に絶対的な権限がある、赦免（しゃめん）の力についてあなたの意見をお聞かせください」とハニティーはトランプにたずねた。「あなたは私の番組を御覧になっていると思いますが、ある晩、クリント・ローレンスは30年の刑を言い渡されました。彼はアフガニスタンで、自分の部隊を守るために自分の仕事をしていただけです」。

トランプ大統領はハニティーに返事をする意味で頷いた。大統領はこの事件について知っているようだった。

「私たちはいくつかの事件について検討しています」と大統領はショーン・ハニティーに答えている。

トランプ大統領就任により、クリント・ローレンスの弁護団は戦略を変更

ジョン・マーがクリント・ローレンスの件を引き受けてからというもの、彼と弁護団チーム

は数多くの嘆願を行い、レブンワース司令官に直接、人身保護令状を提出した。そのメリットがないということを根拠に、陸軍はすべての嘆願を退けた。ドナルド・トランプが大統領に就任すると、彼らは戦略を変えた。

「私はチャンスがあると思いました」とマーは言った。大統領の関心は経済を動かす金山だった。マーは米国愛国者と呼ばれる非営利組織とチームを組んだ。彼は、これまで十分に自分の時間を人々に捧げてきたと言った。これからは、弁護士費用として米国愛国者がかなりの額を支払ってくれてもいいのではないかと考えたのだ。

「私たちがお願いしている寄付はほとんどが40ドル（約４４００円）以下で、寄付を募る相手は、戦闘経験者が刑務所に入るのは完全に間違っていると考える血気盛んなアメリカ人です」と組織の設立者ビル・ドナヒュー少佐は私に話してくれた。米国愛国者の目的はたった1つで、それは組織のウェブサイトに掲載されている、とドナヒューは言った。「戦争犯罪容疑で不当に有罪判決を受け、刑務所に入っている米軍人に法的防御を提供すること」だ。

ショーン・ハニティーのトランプ大統領とのインタビューによって、国中の関心がクリント・ローレンスに集まった。大統領の言葉によって、米国愛国者にはアメリカ中から募金が集まった、とマーは当時のことを話してくれた。彼はカンザス州フォート・レブンワースの軍刑務所を訪ね、よい知らせを彼の依頼人と分かち合った。クリント・ローレンスは、名札のついた囚人用の茶色いつなぎを着ていた。マーはスーツを着ていた。

「あの夜は、電話が鳴り止まなかったよ。おそらく、翌朝の5時ぐらいまで」と、マーはローレンスに話した。

「本当ですか?」とローレンスはたずねた。

「ああ、一晩中ね」。

それ以降、マーと弁護団は目的のために政治を利用するようになった。トランプ支持者なら、クリント・ローレンスを支持するはずだと説いたのだ。国民の関心が高いことを味方につけて、弁護団は翌年トランプ大統領本人に訴えた。同じ手紙は、ローレンス・クーパー司法省恩赦法務官とマーク・エスパー陸軍最高司令官にも届けられた。

弁護団が主張している異常な指紋とDNAデータの問題に関する書類が、ついにアメリカ合衆国大統領の机の上に置かれた。

「親愛なる大統領様」と手紙は始まっている。

「生体認証の証拠(指紋とDNA)によって、クリントが指揮していたプラトゥーンが発砲し殺害したとされるアフガン人の男性たちは、検察当局が主張した一般市民ではなかったことが明白となりました。それどころか、彼らはアメリカのパラシュート兵たちが爆破され亡くなったとされるグリッド座標値の即席爆破装置に指紋とDNAを残していました」。

アメリカ陸軍の最高司令官に、このように主張したというのは驚くべきことだ。そして、アメリカ合衆国大統領以上に、指揮系統のピラミッドの頂点に立つ者はいない。2ページにわたる手紙の中で、弁護団はジャマイとハジ・カリムラに名指しで言及している。弁護団はトランプ大統領に、もう一度、殺人とその他の罪でクリント・ローレンスが「20年の刑で連邦刑務所」へ送られたことを説明し、こう続けた。「しかしながら、その後、機密解除となった文書からわかったことは、クリントが殺人未遂の罪を課されることとなったその対象であるハジ・カリムラが、アメリカパラシュート兵が殺害されたグリッド座標値の即席爆破装置に指紋を残していたのです。クリントの命令によって銃撃され殺害されたジャマイもまた、即席爆破装置に指紋を残していました」。

しかしながら、私が情報公開法要請書によって得た情報は、この主張とは矛盾する。私が知っている限り、殺害されたとされる被害者のジャマイは、死んでもいないのだ。これほど相手を揺さぶることができる情報を言わなかったとしたら、弁護団はどんな生体認証のデータを持っていたのだろうか？

本当の場所／クリント・ローレンスの弁護団はでたらめを言っている⁉

すべてを理解するのは、非常に困難なことに思われた。ノンフィクションの物語を伝えるには、そのもととなる資料を何度も何度も探さなくてはならない。それは、そこから見えてくる事実についてよく理解し、可能な手がかりを見極めるために必要な作業だ。ジャーナリズムはよく、探偵の仕事と比べられることがある。サミュエル・ウォーリーとダニエル・ウィリアムズに直接会うためにジョージア州に向かった理由の1つは、弁護団が大統領に宛てた手紙の中にあったグリッド座標値についてもう一度調べるためだった。ジャマイの爆弾によって亡くなったヌアネス二等軍曹について議論したとき、弁護団のドン・ブラウンは爆発事件番号によって特定したと言っていた。情報公開法要請によって、私はその爆発事件について確認したが、さらにその正確な場所について確認する必要があった。ジョージア州へ持っていくために、私はアメリカ軍のグリッド座標値を使って、地図にその場所を書き込んできた。ウォーリーとウィリアムズの2人はその場所にいて、爆発物処理のスペシャリストだったイスラエル・ヌアネスが実際にどこで殺害されたのか知っていた。私は彼らに地図を見せてみた。

それは夏の蒸し暑い日だった。私が滞在していたホテルのロビーで、アイスコーヒーを飲みながら私たちは話をした。

ウォーリーは地図上に、「ＩＥＤ　ＥＶＥＮＴ　＃12／１２２９」とはっきりと書かれたアメリカ軍のグリッド座標値を眺めた。

「これはヌアネスが殺された場所ではありません」とウィリアムズはきっぱりと言った。

「ヌアネスが殺されたのはこっちです」と、ウォーリーは西に24キロほどの場所を指さしながら言った。そこはまったく違う地区だった。

私は言った。「クリント・ローレンスの弁護団はこのグリッド座標値が、ヌアネス二等軍曹が殺害された場所だと主張しています。そして、トランプ大統領にもそう主張しました」。

「ローレンスの弁護団は、でたらめなことばかり言っています」とウィリアムズははっきりと言った。

「私もヌアネスが殺された場所は知っています」とウォーリーも明言した。

ウィリアムズは私のペンを取ると、本当の場所にＸと書き込んだ。

パエンザイ防衛拠点周辺の「正確な」地図を作成する

ジョージア州から戻ると、私はパキスタンのラホールにあるパンジャブ大学地学研究所のムハマド・スジャード博士に仕事を依頼した。パエンザイ防衛拠点周辺の地図を作成する手伝いをしてもらうためだった。英語で書かれた本に載っている地図はあまり正確ではなかった。例えば、ペトレイアス大将の自伝にあるザリ地区の村々の場所は、戦争研究のシンクタンクと学者たちが出版したモノグラフにある地図とは違っている。正確な地図を作ることができる民間人は、地域の言葉を理解し、そこを拠点としている学者だ、と私は元地球空間情報調査官から教わった。学者たちは地元の言語フィルターを使って、小さな村々の名前を地図上にデータとして記入していく。私は機密解除となった陸軍の文書から入手したアメリカ軍のグリッド座標値を、ムハマド・スジャードに提供し、彼はすぐに仕事に取りかかった。スジャードから草案が届いたので、これまで言及されてきたその場所を特定するために、私はファースト・プラトゥーンの元パラシュート兵の何人かにそれを見てもらった。この作業に一番情熱的に取り組んでくれたのは、ジェイムズ・ツイストだった。

戦争から戻ってきてから、ツイストもまた、大きな変化を経験した。

「はじめのうち、私の人生はボロボロでした」と彼は話してくれた。「酒を飲んでばかりいました。パーティーにはまったく行きませんでした。ただ酒を飲んでいました。苦しみました」。それから、先のない仕事だと感じながら4年ほどコストコで働いた後、彼は突然ひらめいた。「コストコでは肉を切っていました。ハンバーガーの肉を積み重ねていく単純労働。仕事に行って、仕事を終えて帰る。それの繰り返しです。そんなときにひらめいたのです。そこにいる意味なんかないと。私には人生の目的が必要でした」。

ツイストは、警察官になることに決めた。２０１７年、彼はミシガン州警察学校に入学し、翌年の7月に卒業した。州警察官１６１５番だ。本書のために11カ月間にわたってインタビューを行っていたとき、ツイストはミシガン州警察官だった。彼と妻のエマリンの間には３人の子どもがいた。男の子２人と女の子１人で、それぞれ１歳、３歳、５歳だった。人生はすばらしい、とツイストは何度も言っていた。陸軍時代の仲間意識が恋しくて、彼は陸軍予備軍に加わり、グランド・ラピッズの第３２１心理作戦大隊に所属した。27歳の彼は、今では家族がいると誇らしそうに言った。インタビューの途中、ときどき子どもたちのお弁当のためにセロリやニンジンを彼が切っている音が聞こえてきた。「フムス（訳者注：ひよこ豆のペースト）と合うんですよ」と彼は楽しそうに言った。

ジェイムズ・ツイストは私が取りかかっていた地図の草案をチェックする作業が楽しいと言

っていた。私は電子メールでファイルを送った。すると、彼はカラフルな電子インクで、これが起きたのはここ、あれが起きたのはあそこ、ブドウ棚が2つほどずれています、といった詳細をつけて送り返してくれた。

「どんどん送ってください。この作業は最高ですね」。

"白い服の男" ハジ・カリムラの身元についての疑わしさ

2019年晩夏、情報公開法要請書に対する別の回答文書が届いた。その情報はさらに弁護団の主張と矛盾していた。新たに届いたこの文書には、バイクに乗った3番目の男で、白い服を着ていたとされるカリムラという男は、アフガン地方警察の一員だったと書かれていた。彼の名前はカリムラ・アブドゥル・カリムで、ハジ・カリムラではなかった。彼の指紋が見つかった即席爆破装置は間違って識別されたものだった。機密解除になった文書にはそうはっきりと書かれていた。「この者はアフガン地方警察の一員なので、指紋は間違ってついてしまったものと思われる」と軍の分析者は書いていた。文書の中で、テロリスト爆発物分析センターの連邦捜査局調査官もこの判断に同意していた。「分析者のコメント：アフガン地元警察の警官として任務中に、カリム［参照、カリムラ］が証拠の爆弾に間違って指紋をつけてしまったというのが妥当だろう」。

カリムラの身元を疑うさらなる理由が、他にもあった。カリムラ・アブドゥル・カリムに関する情報公開法の文書には、20代前半の若い男の顔画像が載っていた。彼の生年月日について、わかっていることはあまり信用できないということだが、１９９２年12月31日、１９９３年１月１日、１９９３年12月31日、１９９４年１月１日と記されていた。それでは、殺人事件が起きたとき、カリムラは20代前半だったということになる。ドキュメンタリー番組レブンワースでは、バイクの３番目の男、ハジ・カリムラの息子が自分自身について語っていた。彼の名前はモヒブラ・アビッドで、２０１８年当時25歳くらいに見えた。彼の父親は２０１２年７月２日に起こった事件のトラウマから、心臓の病気を患って亡くなったとアビッドは話していた。カーニーが入手した情報はそうなっていたが、父と息子が同じような年齢だというのはありえない。

２つ目の文書で明らかになったジャマイに関する情報についても、同じように重要なことが書かれていた。陸軍の犯罪事件簿から、私たちはみな、ローレンスが殺害した男の名前はジャマイ・アブドゥル・ハクだということを知っている。弁護団は呼びやすいように、「ジャマイ」と短くして呼ぶことにした、と言っていた。カーニーが見つけたジャマイの生体認証識別番号は、B2JK9―B3R3だった。新しい文書には、この男の名前はジャマイ・モハメッド・ナビだと書いてあった。この男の生体認証リンク解析は、すでにわかっている6人のタリバンの爆弾製造者とつながっていた。しかし、殺害されたバイクの男たちと親戚関係にある者は、1人もいなかった。さらに重要なのは、彼は2012年7月2日に殺されてもいなかった。その証拠に、彼は2012年7月から2017年12月の間に4度拘束されていた。

カーニーがモハメド・ラヒムと特定した男について、情報公開法の文書にはモハメド・ラヒム・サエド・ウジア・トゥーフと記され、数えきれないほどの犯罪行為と生体認証による証拠が挙がっていた最重要指名手配犯だった。モハメド・ラヒムは2012年7月2日に起きた2番目の交戦に関係し、腕を撃たれ、同じ日にスケルトン一等兵によって生体認証のデータを採取された。最重要指名手配テロリストだとわかっていて、陸軍が彼に賠償金を払うなどとても信じがたい。

その後、2019年9月、私はシカゴ郊外のジュネーブという町を流れるフォックス川の畔(ほとり)のレストランで、ジョン・マーと一緒に座っていた。マーは中肉中背で、私に会うときは決まって細い縦縞のスーツを着て、数日間ひげを伸ばしていた。彼にはカリスマ性があり、口が達者で早口だった。すべての単語を明瞭に発音した。ジョン・マーは私の質問に電話で答えることもできたはずだろう。2018年からずっと、私たちはそうやってコミュニケーションを取ってきた。その時点で、142通以上のメールのやりとりがあった。しかし、ローレンスの弁護団がアメリカ合衆国の大統領に正当性を主張した内容に矛盾する新しい情報について伝えると、彼もそのままにしておけなくなったのだ。

「あなたの質問に答えるなら、私はあなたの目を見て話す必要があります」とマーは私に言った。

そこで私は、ロサンゼルスの自宅から彼の住むシカゴの郊外まで、飛行機で3242キロ飛んだのだった。そして、私は今そこにいた。2人で夕食をとっていた。マーはインタビューの内容を録音しても構わないと言った。

「カーニーはどこから認証識別番号を入手したのですか?」と私はたずねた。「彼はどのようにリンク解析を行ったのですか?　そして、〝ジャマイ〟がまだ生きていることを彼はどう説明するのでしょうか?」。ジョン・マーははっきりとは答えない。

90分にわたって、私は持ってきていた情報公開法の文書に書かれていたことを説明した。弁護団の主張、そして、大統領へ送った手紙は穴だらけだった。ビル・カーニーはこれらについて説明することができるどんな機密情報を隠しているのか、と私はたずねた。

「ビル・カーニーなら、説明できるはずです。……すべて」とマーは約束してくれた。

さらに1カ月が過ぎた。

ジョン・マーは謎めかして言った。「アニー、あなたは知らないだろうが、いろいろとあるのですよ」。

ジェイムズ・ツイストが自殺、一方クリント・ローレンスは釈放された

2019年10月23日、午前4時18分、私はダニエル・ウィリアムズが送ってきたメールで目が覚めた。

こう書かれていた。「ツイストが自殺しました」。

ツイストが？　ありえない。どうしたらそんなことになるのか？　ツイスト、とても幸せそうだったのに。ツイスト、父親であり、夫であった。戦争中に起きた恐ろしい経験を乗り越えて、先へ進んだ1人の兵士だ。ツイスト、司法制度のために全力を注いでいる1人の警察官だ。10月22日の夜、ツイストは妻と3人の幼い子どもたちと暮らす家の寝室において、勤務用リボルバーで頭を撃ち抜いて自殺した。彼は救急車で病院に運ばれたが、翌朝死亡が確認された。ジェイムズ・ツイストは臓器提供の意思を表示していたので、6人の重病患者の命を救うため、

主な6つの臓器が摘出されるまで、彼の身体は数日間生き続けた。その痛ましい死において、ツイストは人の命を救ったのだった。

1000人近い人が告別式に参列したが、私もその中の1人だった。教会は何百人もの法執行機関と軍隊の関係者でいっぱいだった。多くの者たちが正式な式典用の制服を着用していた。ファースト・プラトゥーンからは、14人のジェイムズ・ツイストの仲間たちが集まっていた。彼の兄弟とも呼べる大きな家族だ。友だちだ。

埋葬のとき、私はプラトゥーンの仲間たちが棺の上に土を投げ入れる様子を眺めていた。ツイストの一番上の息子が母親の手を取った。

「パパはどこなの？」と彼はたずねた。

13日後、ドナルド・トランプ大統領はクリント・ローレンスに恩赦を与えた。ローレンスがフォート・レブンワースの軍刑務所から釈放されたとき、弁護団は刑務所のゲートで中尉を迎え、記者会見を行うことになっていた地元のホテルまでSUVで送っていった。クリント・ローレンスは「闇の国家」による投獄を非難した。ファースト・プラトゥーンの仲間であるパラシュート兵たちについてたずねられたとき、彼はこう言った。「はっきり言って、ほとんどの奴らの名前さえ憶えていませんよ」。

ビル・カーニーが語った真実／ローレンス中尉を釈放した情報は嘘

それから6カ月にわたり、ビル・カーニーは私からのインタビューの依頼を無視し続けた。その後、新型コロナ感染症パンデミック下の2020年4月24日、そのとき彼がいたアフガニスタンのヘルマンド州から、私と話すことに同意した。マーと弁護団の中の1人も、私たちの電話会談に参加していた。

この頃には、彼が弁護団に提供し、さらに、それを弁護団が8人の下院議員とアメリカ大統領に提示した生体認証情報は、偽造だったと私がほぼ確信していることを、カーニーはわかっていた。つまりそれはもう、噂話というレベルではなかったということだ。私は事実を説明する長いメールをカーニーに送っていた。もしカーニーが本当に、自動生体認証識別システムのデータベースにアクセスして決定的な証拠というものを見つけたというのなら、彼の行為が諜報活動取締法に違反する可能性があると最終的に私が突き止めることも、彼はわかっていたはずだ。

カーニーはアクセスしたとジョン・マーは主張していたが、カーニーは実際には自動生体認証識別システムのデータベースに「名前を打ち込んで」いなかったことを、自身がはっきりと認めた。さらに驚くべきことに、彼は当時アフガニスタンにさえいなかったと告白したのだ。「私はアフガニスタンにいませんでした」とカーニーは真実を認めた。「バージニア州の自宅の居間にいました」。

だとしたら、彼はどこから爆弾製造者の情報を手に入れたのだろうか？

「2014年7月にアフガニスタンを去ったとき、研修で使ったすべてのファイルをCDにコピーしました。司法制度の研修という目的のために、そうしたのです……私のラップトップには100のファイルが入っていました」とカーニーは言った。こうして彼は、そのプロセスがどんなものだったのか複雑な説明を続けた。あまりにひどい話を少しでも軽く見せようと、ときどきマーが話に割って入ってきた。

「最初に、私がどんなことを考えていたのか、どうか話を聞いてください」と自分を弁護するようにカーニーは言った。「ジョン（・マー）が〝ちょっとこれを見てほしい、どう思うか？〟と聞いてきて……4人の男たちの名前を伝えてきました……そして、私はすぐにアブドゥル・アフドの名前に気づきました」。

アフガニスタン南部で、アブドゥル・アフドは「悪い奴としてよく知られていた」とカーニーは主張した。しかしそれは、彼が言及しているアブドゥル・アフドの生体認証識別番号がB28JM－UUYZだというのが真実ならば、という前提だ。生体認証においてまず基本的なことは、名前それ自体はほとんど何の意味もないということなのだ。

ドキュメンタリー番組レブンワースで、制作者たちは亡くなったバイクの男たちの家族を探してインタビューを行った。その中には、自分のことをアブドゥル・アフドだと名乗った男も含まれていた。そこで私は、この男はアメリカ政府が最重要指名テロリストとして殺害しようとしていた同じアブドゥル・アフドだと、カーニーが本当に思っていたのかたずねてみた。

カーニーが疑わしいとリンク解析に結びつけた、同じアブドゥル・アフドだったのか。

「彼ではなかった、とは言い切れません」とカーニーは私に語った。

そして、自己弁護のためにカーニーはこう言った。「クリント・ローレンスに対する犯罪捜査は、1日目からいい加減なものでした」。まるで、結果よければ嘘もよし、とでも言いたげだった。「ローレンスに対する起訴は、証拠にもとづいて行われたとは思えなかったのです」。

私はカーニーに、どのようにリンク解析を行ったのかたずねた。

「タリバンの爆弾製造者の一覧が載ったエクセルのファイル……を持っていたので、その情報に検索条件を入れて調べました」と彼は言った。「ザリ地区の近くで起きた事件と入れて……そのあたりで犯罪活動の記録が出てこないか、と独り言を言いながら、フィルターにかけてみたのです。すでに言ったように、私はアブドゥル・アフドの名前は知っていましたから。その名前は調査の最初の段階でわかっていました。ですから、そこからリンクをバイクに乗った男たちの名前と結びつけていったのです」。

クリント・ローレンスの弁護団がアメリカ大統領に提出した情報は、まったく人違いのアブドゥル・アフド、人違いのジャマイ、人違いのハジ・カリムラのものだったのだ。ローレンスは民間人を殺害するように命令したのだ。彼はこれらの殺人罪で有罪判決を受け、戦争犯罪の罪で刑務所に入れられたのである。下院議員8人と弁護団が、ローレンスはテロリストを殺害しただけだという情報をトランプ大統領に提出したことによって、彼は恩赦を与えられ自由の身となった。そして今、カーニーはローレンスを釈放した情報は虚偽だったことを認めたのだ。ハジ・モハメッド・アスラムとその息子ジャマイ・アブドゥル・ハクは死んでしまった。彼らの家族である3番目の男ハジ・カリムラはなんとか死から逃れた。すでに裁判を受け有罪となった依頼人の正義の名のもとに、弁護団はこれら3人の男たちについて、アメリカ人を殺害した指名手配のテロリストで爆弾製造者だと嘘の情報を伝えてしまった。しかし、カーニーもマーもこの問題の責任を取るつもりはまったくない。それどころか、彼らは生体認証のせいにした。

「生体認証というのは、精密科学ではありません」とビル・カーニーは言った。

しかし、それがこの生体認証の核心だ。指紋、虹彩スキャン、そして、DNAは嘘をつかない。人間は嘘をつく。

「それは不完全な科学です」とマーは断定的なことを言うのは避けるように口をはさんだ。「だからこそ……大領領に話を持っていく前に、私たちは機密情報にアクセスできる下院議員たちにコンタクトを取ったのです。私たちはジャスティス・ウォリアー幹部会を通して、その手続きを行いました。私たちがつかんだ情報が間違っている場合は、彼らが知らせてくれると思っていました……私たちは言ったのです。〝これは正しい情報なのか必ず確かめてほしい〟と」。

そのことについて、ビル・カーニーはつけ加えた。「妥協していい加減な捜査を行うから、こんなことが起きるのです」。

私は2人にたずねた。「あなたがたは、殺人の被害者たちをタリバンの爆弾製造者にしてしまったことに対して後悔や申し訳ないと思う気持ちはありますか?」。それは、大統領に対してだけではない。偽造された生体認証の情報をもとにして正義のために寄付をしてくれた、数えきれないほどのアメリカ人に対してどう思っているのだろうか。

ジョン・マーは、彼自身やビル・カーニーを侮辱するようなことはやめてほしいと言った。もしかすると、彼らにとって私の質問はぴんとこないのかもしれない。もし弁護団が世論という法廷を動かすために裁判を起こしていたとしたら、彼らはそれしかやっていないと思っているのかもしれない。そのことで、他の人々に影響があったとしても、自分たちのせいだとは思わないのだ。

ビル・カーニーが提供したデータを証拠とする裁判は続く

ファースト・プラトゥーンに起きたことは、悲劇、偽善、そして、喪失の破壊的な物語だ。こんな終わりを迎えるために始まったわけではない。本書のためにインタビューした若者たちはみな、情熱と献身の思いでアメリカ陸軍に入隊した。生き残った者は前に進み、亡くなった者たちは安らかに眠ってほしいと願わずにいられない。

ただし、弁護団にとってはまだ終わっていない。誤った戦争犯罪容疑で捕まったと彼らが主張するロバート・ベイルズ二等軍曹を自由にするために、彼らの仕事はこれからも続く。フォート・レブンワースの刑務所に入っているあのベイルズだ。冷酷に16人のアフガン人の村人を殺害して罪になったあの男を、弁護団は助けようとしているのだ。

「彼の犠牲となった子どもは、数センチの距離から頭を撃たれました」とこの裁判を担当した陸軍の首席検事ジョセフ・ジェイ・モース中佐は、私にそう語ってくれた。

米国愛国者の援助を受けて、ジョン・マーと弁護団は「指紋とＤＮＡの弾劾証拠」だと主張して訴えを行っている。ベイルズに殺害された被害者のうち、少なくとも２人はタリバンの爆弾製造者で、即席爆破装置の部品に指紋やＤＮＡを残していると主張する、ビル・カーニーが提供したデータを、弁護団は証拠としているのだ。彼らの訴えは現在、アメリカ合衆国最高裁判所に記録されている。

コロナ・パンデミックにより市民のＤＮＡも収集・監視の対象に／急成長する〝国家的な監視国〟

未来の司法制度はどんなものになるのだろうか？　アメリカはデジタルおよび遺伝子によるパノプティコンに過度に監視される社会になりつつある。法律学者が表現する「急成長する〝国家的な監視国〟」だ。

アメリカ国内には８５００万台の地上監視カメラが設置されている。４人に１台以上の監視カメラという、世界でも１人当たりのカメラの台数が最も多い国なのだ。ウォールストリートジャーナルは、２０２１年の終わり頃には、世界で10億台の監視カメラが稼働し、そのうちの

5億万台以上が中国に設置されているだろうと報道した。

　ドローン、航空機、飛行船、そして軽航空機が上空を飛び、後で使用するために地上の様子を録画している。カリフォルニア州エルセグンドのビル・ワレン警察署長に最近インタビューを行ったとき、顔認証のソフトウェアを私の方に向けると、彼の携帯電話にインストールされていたクリアビューAIのアプリは1秒もたたないうちに私を特定した。

　政府の生体認証における関心は、指紋、虹彩スキャン、顔画像、DNAのはるか先を行き、今では耳の形、声、歩幅、匂い、心拍数、血管のパターンなどが含まれるようになった。

「スマートフォンやインターネットに接続される機器を通して行われるサイバー生体認証は、全人口や一部の人口の独自の生理学上および行動に関する特性を、デジタル的にとらえて分析することを正当化するために使われることが増えています」と、法律学者で元司法省の弁護士を務めていたマーガレット・フーは言った。「潜在的に生じる結果は、懸念すべき問題です」。

　中国で起こっている議論、つまり、全人口のDNAを含む生物学的データを強制的に登録させるということが、アメリカには決して起こることなどないと考えるのはあまりにも短絡的だ。2020年のコロナ感染症によるパンデミックによって、アメリカにおいて政府主導の感染追跡が盛んに行われるようになった。アメリカ人の生物学的データを収集するという軍隊のようなプログラムに対して、私たちはそのドアを開いてしまったのだ。この新しい脅威の真ん中にコロナ感染症という病気があるため、アメリカ政府が市民のＤＮＡ細胞のサンプルに興味を示すという現実は、もはやサイエンスフィクションではない。

２０２０年4月10日、米保健福祉省は、入札なしでパランティアテクノロジーズに新型コロナウイルスの感染拡大を調査する契約を発注した。保健福祉省は閣僚レベルの行政機関で、その２０２１年度の予算は国防総省（約89兆円）の2倍以上（約１８０兆円）だ。保健福祉省の〝今すぐ感染防止プログラム〟の目的は、「異種のデータセットを集め、新型コロナ感染拡大について、より可視性の高い情報を保健福祉省に提供する」ということだと担当報道官は言った。パランティアが収集しているデータには「診断検査データ、地域別の検査データ、そして、人口統計」が含まれている、と保健福祉省は認めている。つまり、アメリカ市民に関する個々の健康、場所、家族、そして民族の情報を集めているということだ。保健福祉省の当初の発表では、パランティアは１８７の項目に関するデータセットにアクセスすることができるということだった。その後、その数は２２5項目まで増えている。わからないことはたくさんある。どのデータがパランティアのシステムに登録されているのか、そのデータは誰が、どのように、どれくらいの期間共有するのか？

「このプログラムに関しては、保健福祉省もパランティアも相当口が堅いので、私たちにはそのすべてはわかりません」と、２０１２年のカンダハールを含む3つの紛争地域で国家地球空間情報局の民間解析者を務めた、元アメリカ空軍の将校ロウレン・ゼイビオレックは言った。「〝今すぐ感染防止プログラム〟を利用して、保健福祉省が特定の存在を探したり、介入したりすることがないよう心から願っています」と彼女は言った。これは、紛争地域で即席爆破装置を設置した人物を特定して殺害するために、軍隊が使った方法と同じだ。「これらのデータセットが、集団におけるウイルスの拡大について理解するためだけに使われることを願っています」。

生体認証データによる多国間のサイバー監視が広がる懸念

パランティアに関して言えば、この非上場会社は、議論を引き起こすようなその仕事、いきさつ、そして、創設者のピーター・ティールを神話化することを楽しんでいるようだった。会社のウェブサイトのトップページにある大きなバナーには、「〝社会の基準から逸脱した〟哲学者が、どのようにして連邦捜査局に資金提供を受けるデータ・マイニングの絶対的な先駆者パランティアを設立したのか」と書かれている。これは２０１３年にフォーブス誌の記事にあったタイトルだ。

アメリカ人からすれば、「隠すことは何もなく、恐れることは何もない」という考え方を受け入れるというのは、これまで保健福祉省が連邦法執行機関と慎重に扱うべき個人的な情報を共有してきたという現実を無視することになる。２０１８年、連邦政府が国の移民法を施行するには必要な情報だとする立場を取った後、保健福祉省の難民再定住局は、移民の子どもやその家族、そして、潜在的なスポンサーについて収集した部外秘のデータ・ファイルに移民税関捜査局がアクセスすることを認めている。司法制度を推進するためにということなのだ。

〝今すぐ感染防止プログラム〟が始まって10週間ほどたった頃、ある国会議員団が保健福祉長官のアレックス・アザーに懸念を表明する文書を提出した。「残念ながら、これまでも保健福祉省のデータが連邦法執行機関の役人に乱用されています……安全対策がないままでは、保健福祉省の感染防止プログラムに関するデータは、連邦法執行機関によって、思いもよらない、無秩序で、そして、悪影響をおよぼす恐れがある方法で使用されるかもしれない、と我々は懸念しています」。別の手紙では、連邦議会のヒスパニック幹部会のメンバーがもう少し単刀直入に切り込んだ。「我々が最も心配しているのは、移民を追跡し逮捕するために開発されたパランティアの監視体制に、保健福祉省の〝今すぐ感染防止プログラム〟政策で収集される、潜在的な個人の健康情報という宝の山が追加されるのかどうかということです」。

まったく異なるものを含む政府のデータベースに、巨大なモノリスを統合するということに、プライバシーの専門家たちが懸念しているのだ。「国々が、生体認証のデータベースを軍事防御、海外の諜報、そして法執行機関の目的のために共有するという契約を結べば、生体認証のデータ収集と解析における多国間のサイバー監視がますます広がっていく」とフーは警告した。

この統合はほんの少し、現れ始めている。2018年に設立されたウエストバージニア州の生体認証技術センターは、アメリカではじめて国防総省と司法省が独自の建物を共有し、共同生体認証イニシアティブを運営することになった。「生体認証技術センターを設立することで、国防総省と連邦捜査局が脅威となる、あるいは、危険な人物を特定するために、作戦や技術革新を協力して行っていくことができるようになりました」とある陸軍の将校がコメントした。国防総省の防衛犯罪科学生体認証局が、全体の33445平方メートルの面積のうち6分の1のスペースを、そして、連邦捜査局が残りの6分の5のスペースを使用している。さらに、政府の大きなデータシステムが置かれているのがこの場所なのだ。

それでは、自動生体認証識別システムの機械はどんな姿をしているのだろう？　私は不思議に思ったことがある。この秘密のベヒモス（編者注：旧約聖書に描かれている陸の怪物）は、イラク、アフガニスタン、そして、その他の地域から入手した何百万という人々の生体認証データを登録している。施設を見学し、自動生体認証識別システムをこの目で見てみたい、と私が何度も送った依頼書は拒否された。トム・ブッシュにも自動生体認証識別システムについてたずねたが、その回答は神話の域を出ない。

「ロッキード社が、地下にあった古いパーツを使って自動生体認証識別システムを組み立てました」とブッシュは言った。「ロッキード社は、私たちのも組み立てたから、そっちも作ったんです」と彼は言った。連邦捜査局のデータベースも作ったという意味だ。「しかし、国防総省のデータベースはめちゃくちゃです。穴だらけです。刑事司法情報サービスと違って、生体認証収集における基準がありません。国防総省には、刑事司法情報サービスが入るべきです。しかし、そうはなっていない。これは2005年と2006年に、私たち連邦捜査局が主張したことです。国防総省にはいわゆる生体認証のギャップというものがあるんです。誰も、その迷宮を最後まで通り抜けることができません」。

ギャップと迷宮。真空のようなスペースと迷路に、重要な情報が迷い込んでしまう。アメリカ合衆国の大統領の決断を左右するような、不正に使用される可能性のある情報が登録され、一握りの人間しかアクセスすることができず、ましてや、それを理解できる人間はさらに少ないデータベースだ。法の支配という複雑な地球空間の領域において、これは危険な運用と言わざるをえない。

現在の状況では、刑事司法制度は人間が支えている。法執行機関、裁判所、そして矯正施設のシステムでは、人間の存在が最も重要なのだ。犯罪を行うのもまた人間だ。引き金を引き、即席爆破装置を設置する人間。自動化した機械は退屈な重労働を引き受けてくれるだろう。しかし、パズルを解くのは人間だ。

そのプロセスそのものが、まるで迷宮のようだ。古代の死体解剖や中世の毒物学に関する文献を考慮すると、犯罪を解決するために科学を利用するというのは、すでに何千年も前から行われていることだ。1892年にフランシスカ・ロハスがドアの側柱に血のついた指紋を残したときから、法医学的な生体認証を利用して犯罪を解決することは、犯罪司法制度の一部として129年続いてきた。今世紀、これからの20年間は、誰も想像したことのない飛躍が起こり、ほぼ確実に大きな変革が起きるだろう。

想像を超える未来／「何が本当に本物の悪者か」気づくことができるのだろうか？

アメリカ陸軍の特殊作戦軍の先進技術開発における、2020年〜2025年の広範な計画についての発表によると、今後数年間に戦闘がどのようなものになるかを垣間見ることができる。未来の活動環境では、いわゆるハイパー対応のオペレーター（ＨＥＯｓ）が自分たちの身体にシステムを搭載して、敵か味方かを特定する生体認証データを「持続的に、近くで、即時に収集する」ことが可能になるという。指紋採取は何かに触れる必要はなくなる。つまり、国防総省の電子システムは「広範囲の距離」からその人に気づかれることも承諾を取ることもなく、指の弓状紋、渦状紋、蹄状紋を読み取ることができるようになるというのだ。兵士たちは「当局のデータベースと照合できる、迅速な携帯用手持ち式ＤＮＡ採取およびプロセス機器」を持ち歩くようになる。そうなると、セルデン医師の電子レンジサイズの迅速ＤＮＡシステムは、まもなくiPhoneくらいのサイズになって、その場でＤＮＡ鑑定ができるようになるだろう。

開発が進められているというある技術に、私は戸惑いを感じた。それは「手持ち式の、１人で運ぶことができるホログラフィーの機能を持った機器」だ。国防総省はハイパー対応のオペレーターが「本物ではないが、本物のようなイメージを映し出すことができて、そのイメージが伝える個人的なメッセージを考えることができる」機器を、持ち運ぶことができるようになることを目指している。言い換えれば、敵を欺くために、リアルタイムで三次元のディープフェイクを作り出す機器だ。

現在、ＤＮＡからマイクログラム採取した情報により、その人がどのような見た目なのかを特定する方法は確立されている。さらに今、科学者たちは遺伝子からその人のありそうな姿や形を、実物大の模型で作り上げるという研究を始めている。また、耳の形から血管のパターン、声、歩幅、そして骨格などの身元を特定する追加情報が加えられている。兵士が映し出す、この本物のように見えるホログラムは、本当の正体を持つ本当の人間と誤解されてしまうということになるだろう。

それはどこまで続くのだろうか？　社会はどうなっていくのか？　それでも人間は、誰が、そして、何が、本当に本物の悪者なのか気づくことができるのだろうか？

感謝の言葉

軍事目的で使用される生体認証技術について考えるようになったのは、中央情報局に関する前著を執筆していたときでした。準軍事行動オペレーターとなった、あるアメリカ陸軍特殊部隊の兵士が、イラク戦争の作戦で起きた生体認証収集に関する珍しい話をしてくれました。モースルの武装兵士たちが、かつてはアメリカの支配下にあった仮設滑走路を力ずくで奪いました。私の情報源は、その仮設滑走路を奪還するために送られた特殊作戦隊を指揮していたのです。滑走路をめぐる銃撃戦が終了したとき、敵の多くの兵士たちが亡くなりました。残りは逃げていきました。次は、生体認証を集める作業が続いたということでしたが、こうした手順を踏んで重要なターゲットが確認されることがある、とその情報源は説明してくれました。オペレーターにとって、紛争地域で5、6人の死んだ男たちから指紋を採取するのは時間のかかる危険な作業です。虹彩スキャンを取る方が簡単だと、情報源は教えてくれました。中央情報局の準軍事行動オペレーターたちは、この作業をすばやく行うために、型破りな技術を開発しました。それは2本の楊枝を使います。1人のオペレーターが死んだ男の顔を固定し、もう1人のオペレーターが楊枝を2本使って虹彩を所定の位置に動かします。3番目のオペレーターがすばやく手持ち式の生体認証キットを使って目をスキャンするのです。「誰もが生体認証の情報を欲しがっています」と情報源の指揮官は言いました。「集めているときが危険です。私たち中央情報局のオペレーターたちは、口論になるときもあります。巨大な陸軍の部隊行動基準に従わなくてはならないというのは、若い兵士たちにとってはそう簡単ではありません」。その話を聞いて、私は興味を持ったのです。そして、その結果が本作なのです。

どれほど莫大なのかわかりませんが、国防総省がアメリカ市民の税金により、紛争地域で若い兵士たちを使って、アフガニスタンの全国民や地域一帯の住民の生体認証情報を集めていると知って非常に驚きました。そして、本書を書き終えた今も、その気持ちに変わりはありません。ほとんどのアメリカ人は、何が起こっているかも知らないのです。興味深いことに、この分野で活躍する専門家の大多数もまた、釈然としないままなのです。「聞いたことはあるけれど、それについてあまり事実を知らないという感じです」と、2020年春のインタビューで、カリフォルニア大学で犯罪学、法律、そして社会を研究するウィリアム・トンプソン名誉教授は言いました。「同僚の教授たちとカクテルを飲みながら話すようなことです」。この意見に同感だというのは、元司法省の弁護士のマーガレット・フーです。彼女は現在、ペンシルバニア州立大学で法律と国際関係学の教授をしています。フーは国家安全とサイバー監視の専門家で、

「データヴェイランス（データ監視）」という新しい言葉を考えました。近いうちに、トレンド入りする言葉ではないかと考えています。

私は本書の執筆に協力してくださったすべての方に感謝しています。私のインタビューを受けてくださったすべての兵士、公務員、連邦捜査員、政策立案者、教授、弁護士、警察官、歴史家、そして、その他の方々に御礼申し上げます。本を書きながら、これほどリアルタイムに予期せずして話が展開するという経験をこれまでしたことはありませんでした。ときに思いがけないことや、ときに痛ましいことが起こりました。偉大な作家カート・ヴォネガットの言葉、「そんなものだ」がぴったりです。ヴォネガットもまた、戦争の悲惨さを知っていた人でした。

記録を保存し、国民がそうした記録を入手することができるように働いてくださっている人々の献身と寛容な心にはいつも感動しています。アメリカ陸軍犯罪記録センター・犯罪捜査司令部・情報公開法局のエリン・チデスター、憲兵総監部のデイブ・マイヤーとリンウッド・マシューズ・ジュニア、情報公開法室・連絡係主任のアレシア・S・ボリング、米国国立公文書館のデイビッド・フォート、ありがとうございました。司法制度についての理解を深めるために、ベテランの刑事や警察官にインタビューをするために、数日間滞在することを許可してくれたニューヨーク市警・副本部長のスティーブン・J・ヒューズ、ありがとうございました。人物同定に関する国際シンポジウムに参加するために手配してくれたロウレン・バーテンとカレン・バークハーツマイヤー、ありがとうございました。おかげで、この分野で活躍する多くの法医学科学者や犯罪学者にインタビューを行うことができました。科学の歴史について話してくれたジェイムズ・バーク、軍法に関する多くの質問に丹念に答えてくれたアメリカ合衆国対ベイルズ二等軍曹裁判の主席検事のジェイ・モース、爆発物の仕組みについて教えてくれたニューヨーク消防局・爆発物処理班主任警部のジョー・マイヤーズ、フォート・アーウィンへの旅行に私を含めてくれたジェシー・アルパート、息子さんを亡くした悲しみを実際に経験した父親として話してくれたジョン・ツイスト、ありがとうございました。本書の執筆のために裏方として尽力してくださったジム・ホーンフィッシャー、ジョン・パースリー、リンダ・ローゼンバーグ、スティーブ・ヤンガー、アラン・ラウトボート、ティファニー・ワード、マシュー・シュナイダー、ありがとうございました。初期の段階で原稿を読んでくださったフランク・モース、アンドリュー・ファインシュタイン、ティム・モニハン、ありがとうございました。

この世で私を一番に支えてくれる愛情いっぱいの父トム・ソイニネン、あなたは私に本の大切さを教えてくれました。ありがとう。信頼できるよき相談相手のキャサリーン・シルバーとリオ・モース、私の3人の女神アリス・ソイニネンとマリオン・ローツェンとキース・ロジャース、作家の友人カーステン・マン、サブリナ・ワイル、ミッシェル・フィオルダリソ、ニコル・ルーカス・ヘイムス、アネット・マーフィー、ありがとう。最後に、この世界で一番大切な私の家族、ケヴィンとフィンリーとジェット、ありがとう。本を書くこと以上に、私を幸せな気持ちにしてくれるのは、あなたたち3人からもらう日々の喜び、奇跡、そして、驚きです。あなたたちは私の最愛の親友です。

インタビューに協力してくださったファースト・プラトゥーンとセカンド・プラトゥーンの兵士たち

（階級は２０１２年アフガニスタンに配属されていた当時）

ブライアン・M・バイネス特技兵
ジョセフ・カラハン・フォース大尉
グラント・M・エリオット中尉
トッド・A・フィッツジェラルド特技兵
ジョセフ・ドック・フィルドヘイム特技兵
ブレット・M・フレイス特技兵
ジョシュア・D・ジアムベルカ二等軍曹
アラン・グラッドニー特技兵
ルーカス・グレイ一等兵
ダラス・L・J・ハガード特技兵
ブランドン・クレブス特技兵

ドミニク・ラティーノ中尉
クリント・ローレンス中尉
マイケル・ヘルマン二等軍曹（のちに、マックギネス）
ジャレッド・メイヤー少尉
ジョセフ・モリシー中尉
ザッカリー・ネルソン一等兵
アンソニー・レイノソ特技兵
コール・リヴェラ特技兵
ジェイムズ・スケルトン一等兵
パトリック・K・スワンソン大尉
ザッカリー・トーマス一等兵
ジェイムズ・オリバー・ツイスト一等兵（戦場で特技兵に昇進）
サミュエル・I・ウォーリー一等兵
ダニエル・ウィリアムズ二等軍曹
デイビッド・ゼッテル特技兵

アニー・ジェイコブセン　Annie Jacobsen
調査報道ジャーナリスト
ピューリッツァー賞歴史部門の最終候補作となった『ペンタゴンの頭脳』、ニューヨーク・タイムズベストセラーの『エリア51』ほか、『アメリカ超能力研究の真実』、『ナチ科学者を獲得せよ！』（いずれも太田出版）など話題作を執筆。また、雑誌『ロサンゼルス・タイムズ』の編集に携わっていた。プリンストン大学卒業。ロサンゼルス在住。

斉藤宗美　さいとう ひろみ
国際関係の仕事に従事した後、英語・スペイン語の翻訳を手がける。カナダ、アメリカ、コスタリカ、オーストラリアなど、17年間を海外で過ごす。青山学院大学英米文学科卒業。オハイオ大学大学院国際関係学部修士。訳書にトム・ブラウン・ジュニアの『ヴィジョン』（徳間書店）、『グランドファーザーが教えてくれたこと』（ヒカルランド）、エンリケ・バリオスの『まほう色の瞳』（徳間書店）、アーサー・ホーランド・ミシェル『空の目』（ヒカルランド）などがある。

FIRST PLATOON
First platoon: a story of modern war in the age of identity dominance
by Annie Jacobsen

This edition published by arrangement with Dutton, an imprint of Penguin Publishing Group, a division of Penguin Random House LLC. through Tuttle-Mori Agency, Inc., Tokyo

Biometrics Control バイオメトリクス・コントロール
わたしたちの「すべて」が管理される世界
《生体認証》の誕生、進歩、そして武器化への物語

第一刷　2022年9月30日

著者　アニー・ジェイコブセン
訳者　斉藤宗美

発行人　石井健資
発行所　株式会社ヒカルランド
〒162-0821　東京都新宿区津久戸町3-11　TH1ビル6F
電話　03-6265-0852　ファックス　03-6265-0853
http://www.hikaruland.co.jp　info@hikaruland.co.jp
振替　00180-8-496587

本文・カバー・製本　中央精版印刷株式会社
DTP　株式会社キャップス
編集担当　遠藤美保

ISBN978-4-86742-169-7